明詹林所本《素問》（上）

主　編◎錢超塵
副主編◎王育林　劉　陽

《黄帝内經》版本通鑒　第一輯

北京科学技术出版社

圖書在版編目（CIP）數據

明隺林所本《素問》 明隺林所本《靈樞》：全二冊 / 錢超塵主編. —北京：北京科學技術出版社，2022.1

（《黄帝内經》版本通鑒；第二輯）

ISBN 978－7－5714－1829－8

Ⅰ.①明… Ⅱ.①錢… Ⅲ.①《素問》②《靈樞經》 Ⅳ.①R22

中國版本圖書館 CIP 數據核字（2021）第194663號

策劃編輯： 侍　偉　吴　丹
責任編輯： 吴　丹
責任校對： 賈　榮
責任印製： 李　茗
出 版 人： 曾慶宇
出版發行： 北京科學技術出版社
社　　址： 北京西直門南大街16號
郵政編碼： 100035
電話傳真： 0086-10-66135495（總編室）　0086-10-66113227（發行部）
網　　址： www.bkydw.cn
印　　刷： 北京七彩京通數碼快印有限公司
開　　本： 787 mm × 1092 mm　1/16
字　　數： 745千字
印　　張： 62.25
版　　次： 2022年1月第1版
印　　次： 2022年1月第1次印刷
ISBN 978－7－5714－1829－8

定　　價：1390.00元（全二冊）

前言

中醫學是超越時代、跨越國度、具有永恒魅力的中華民族文化瑰寶，是富有當代價值、維護人體健康的生命科學，它將伴隨中華民族而永生。中醫學核心經典《黄帝内經》（包括《素問》和《靈樞》），奠定了中醫理論基礎，指導作用歷久彌新，是臨床家登堂入室的津梁，是理論家取之不盡的寶藏，是研究中國傳統文化必讀之書。

讀書貴得善本。章太炎先生鍼對中醫讀書不注重善本的問題，指出『近世治經籍者，皆以得真本爲亟，獨醫家爲藝事，學者往往不尋古始』，認爲這是不好的讀書習慣。他又説：『信乎，稽古之士，宜得善本而讀之也！』閲讀《黄帝内經》，必須對它的成書源流、歷史沿革、當代版本存佚狀況有明確的認識，纔能選擇佳善版本，獲取真知。

《黄帝内經》某些篇段成於战國時期，至西漢整理成文，《漢書·藝文志》載有『《黄帝内經》十八卷』。西晋皇甫謐《鍼灸甲乙經》類編其書，序云：『《黄帝内經》十八卷，今《鍼經》九卷，《素問》九卷，即《内經》也。』這説明《黄帝内經》一直分爲兩種相對獨立的書籍流傳，一種名《素問》，一種名《鍼經》。《鍼經》即《靈樞》的初名，在流傳過程中也稱《九卷》《九靈》《九墟》，東漢末期張仲景、魏太醫令王叔和均引用過《九卷》之名。

《素問》的版本傳承相對明晰。南朝梁全元起作《素問訓解》存亡繼絶，唐初楊上善類編《黄帝内經太素》取之。唐乾元三年（七六〇）朝廷詔令將《素問》作爲中醫考試教材。唐中期王冰以全元起本爲底本作注，收入『七篇大論』，改爲二十四卷八十一篇，爲《素問》的流行奠定了基礎。北宋天聖五年（一〇二七）、景祐二年（一〇三五），以全元起本爲底本的《素問》兩次雕版刊行。北宋嘉祐年間（一〇五六至一〇六三）校正醫書局林億、孫奇等以王冰注本爲底本，增校勘、訓詁、釋音，仍以二十四卷八十一篇刊行。此後《素問》單行本均以北宋嘉祐本爲原本，歷南宋（金）、元、明、清至今，形成多個版本系統。二十四卷本，以金刻本（存十三卷）、元讀書堂本、明顧從德覆宋本、明無名氏覆宋本、明周曰校本、明『醫統』本爲代表；十二卷本，以元古林書堂本、明熊宗立本、明趙府居敬堂本、明吴悌本爲代表；五十卷本，即『道藏』本；此外還有明清注家九卷本、日本刻九卷本等。南宋、北宋及更早之本俱已不存。

《靈樞》在魏晋以後至北宋初期的傳承情况，因史料有缺而相對隱晦。唐初楊上善類編《黄帝内經太素》收入《九卷》。唐中期王冰注《素問》引文，始有『靈樞經』之稱。因存本不全，北宋校正醫書局未校《靈樞》。遲至元祐七年（一〇九二），高麗進獻《黄帝鍼經》，始獲全帙，元祐八年（一〇九三）正月北宋政府頒行之。此後《靈樞》再次沉寂，至南宋紹興乙亥（一一五五），史崧刊出家藏《靈樞》，將原本九卷校正並增修音釋，勒成二十四卷。此本成爲此後所有傳本的祖本，流傳至今已形成多個版本系統。其中二十四卷本，以明無名氏仿宋本、明周曰校本爲代表；十二卷本，以元古林書堂本、明熊宗立本、明趙府居敬堂本、明田經本、明吴悌本、明吴勉學本爲代表；此外還有二十三卷本（即『道藏』本）、明詹林所二卷本、『道藏』收録的《靈樞略》一卷本、日本刻九卷本等。

除《素問》《靈樞》各有單行本之外，《黄帝内經》尚有類編本。西晋皇甫謐《鍼灸甲乙經》，將《素問》《九卷》《明堂孔穴鍼灸治要》三書類編，但編輯時『删其浮辭，除其重複』，故與《素問》《靈樞》對勘，《鍼灸甲乙經》文句每不全足。唐代楊上善《黄帝内經太素》三十卷，將《九卷》《素問》全文收入，不加删掇，詳加注釋。《黄帝内經太素》文獻價值巨大，但在南宋之後却沉寂無聞，直到清光緒中葉，學者楊守敬在日本發現仁和寺存有仁和三年（八八七，相當於唐光啓三年）舊鈔卷子本，存二十三卷，遂影寫携歸，一時轟動醫林。嗣後日本國内相繼再發現佚文二卷有奇，至此《黄帝内經太素》現存二十五卷，堪稱《黄帝内經》版本史上的奇迹。

綜觀《黄帝内經》版本歷史，可謂一縷不絶，沉浮聚散；視其存亡現狀，又可謂同源異派，星分飄零。現存《黄帝内經》善本分散保存在國内外諸多藏書機構，此前囿於信息交流、印刷技術，從未有大規模集中最優秀版本出版的先例。當今電子信息技術發展日新月異，互聯網的普及使信息交流具有前所未有的廣泛性、時效性，乘此東風，《黄帝内經》現存的諸多優秀版本得以鳩聚刊印，爲中醫從業者及愛好者和傳統文化學者集中學習、研究提供便利。『《黄帝内經》版本通鑒』叢書，首次對《黄帝内經》精善本進行大規模集中解題、影印，目的是保存經典、傳承文明、繼往開來，爲振興中醫奠基，爲中華文化復興增添一份力量。

繼二〇一九年『《黄帝内經》版本通鑒・第一輯』出版十二種優秀版本之後，『《黄帝内經》版本通鑒・第二輯』再次精選十三種經典版本，包括《素問》六種、《靈樞》六種、《太素》一種，列録如下。

（1）蕭延平校刻蘭陵堂本《太素》。

（2）元讀書堂本《素問》。

（3）明熊宗立本《靈樞》。

（4）朝鮮小字整板本《素問》。

（5）明吴悌本《靈樞》。

（6）楊守敬題記覆宋本《素問》。

（7）朝鮮銅活字（乙亥字）本《靈樞》。

（8）明趙府居敬堂本《靈樞》。

（9）明『醫統』本《素問》。

（10）明『醫統』本《靈樞》。

（11）明詹林所本《素問》。

（12）明詹林所本《靈樞》。

（13）明潘之恒《黄海》本《素問》。

這十三種經典版本的特點如下。

(1)蕭延平校刻蘭陵堂本《太素》,校印俱精,爲《太素》刊本中之精品。

(2)元讀書堂本《素問》,爲今僅存的宋元刊本三種之一,巾箱本,分二十四卷,與顧從德覆宋本一致,但附有《亡篇》,各篇文字内容、音釋拆附情况又與元古林書堂本高度近似。此本校刻精善,爲現存《素問》之佳槧,足以與元古林書堂本、顧從德本並美;若單論文字訛誤之少,猶過二本。

(3)朝鮮小字整板本《素問》,爲現存朝鮮本之較早者,其底本爲元古林書堂本。品相顯拙,但勝在校勘精審,仍具有較高的版本價值。

(4)楊守敬題記覆宋本《素問》、明潘之恒《黄海》本《素問》,均承自宋本,作二十四卷。前者當是以顧從德覆宋本改版(删去刻工)者,後者是以宋本校勘重刻者,品相良佳。

(5)本輯收入明代兩種《素問》《靈樞》合刻本,分别是吴勉學校刻『古今醫統正脉全書』本(簡稱『醫統』本)、閩書林詹林所本(簡稱詹本),二者各有特色。『醫統』本《素問》以顧從德本爲底本仿刻,《靈樞》以吴悌本爲底本重刻,校刻皆良。詹本《素問》以熊宗立本爲底本,删去宋臣注重刻;《靈樞》亦以熊宗立本爲底本,合併爲兩卷重刻。詹本品相不甚佳,訛舛不少,因刊刻年代尚早,今存完帙,在探索《黄帝内經》版本源流方面,仍具一定價值。

(6)本輯收入的《靈樞》均爲明代版本,屬古林書堂十二卷本系統,各具特色。其中,熊宗立本上承古林書堂本(仿刻,熊宗立句讀),下爲本輯明代諸本之祖。吴悌本(校審精,品相佳)、趙府居敬堂本（品相佳，後世通行）、詹林所本（合併爲二卷）皆直承熊宗立本；『醫統』本承吴悌本；朝鮮銅活字（乙亥字）本（朝鮮銅活字官刻，校審精，品相佳）承田經本（即山東布政使司本），田經本承熊宗立本。

『《黄帝内經》版本通鑒』卷帙浩大，爲出版這套叢書，北京科學技術出版社領導及各位編輯同仁以極高的使命感和責任心，付出了極大的心血和努力，剋服了諸多困難，終成其功，謹此致以崇高敬意。相信這套叢書必不辜負同仁之望，可在促進中醫藥事業發展、深化祖國傳統文化研究、增强國家文化軟實力等諸多方面做出應有的貢獻。

囿於執筆者眼界、學識，諸篇解題必有疏漏及訛誤之處，請方家、讀者不吝指正。

錢超塵

［説明：爲更準確地體現版本、訓詁學研究的學術内涵，撰寫時保留了部分異體字，所選擇字樣如下：欬（欬嗽）、並（並且）、併（合併）、嶽（山嶽）、鍼、於、異。］

目録

《黄帝内經》版本通鑒·第二輯

明詹林所本《素問》（上）

解題　劉　陽

解題

明代刻書業發達，尤其明代中後期，嘉靖、萬曆年祚綿長，政治環境較爲寬鬆，社會物質財富積纍漸豐，全國不少刻書中心進入高度繁榮的發展階段。醫學經典《黄帝内經》的翻刻與重刻也相應活躍起來。現存的多種重要版本，如田經、顧從德、吴悌、朱厚煜、潘之恒、周曰校等諸家所梓之本大多集中於這一時期。

從北宋時期開始，福建地區就已形成發達的刻書業，刻書中心主要分布於建陽、福州等地，所刻之書泛稱『閩本』。建陽是宋代全國三大刻書中心之一，所刻之書稱『建本』。至明代前期，以建陽爲主的閩地坊刻日益繁榮，到嘉靖、萬曆時期達於鼎盛，到天啓、崇禎時期走向衰弱。明末清初因兵燹，刻工外逃，刻書事業從此一蹶不振。《黄帝内經》的閩刻本，現存至少有兩種完整的版本。其一是明成化十年（一四七四）建陽熊宗立刻本，此本在《黄帝内經》版本史上占有極重要的位置，它上承元古林書堂本，下啓明清多種傳本。其二是大致成於嘉靖之後的福州書坊詹林所本，此本即據熊宗立本重刻者。

詹林所本《黄帝内經》共十五卷，包括《素問》十二卷（附遺篇一卷），《靈樞》二卷（卷序承《素問》連排）。同刻者尚附有《素問入式運氣論奥》三卷，《素問運氣圖括定局立成》一卷，《黃帝内經素問靈樞運氣音釋補遺》一卷，此皆承熊宗立本而來。

詹林所本《素問》十二卷，附遺篇一卷，係在熊宗立本基礎上改版，删去『宋臣序』及正文内的宋臣注，僅保留《素問》大字本文及小字王冰注文的節本。首卷大題『京本校正注釋音文黃帝内經素問』。各卷題多有差异，有作『京本解注釋文黃帝内經素問』者，有作『重刊補注釋文黃帝内經素問』者；遺篇題『京本黃帝内經素問』；王冰序題『重校黃帝内經素問』；目録題『新刻官板黃帝素問』；各卷末或作『京本校正黃帝内經素問』，或作『重刊黃帝内經素問』，或作『重刊京本黃帝内經素問』，或作『補注釋文黃帝内經素問』，頗不統一。

卷一大題後並列著作者、校刻責任者銜名（這是明代後期刊本的典型特點），係改版自熊宗立本原列在目録大題後者，版式相仿。所列全元起、王冰、林億（等）、孫兆名職與熊本全同。接刊刻者信息，作『閩潭城趙植吾編正』『福書林詹林所重梓』各一行，替換原熊宗立本著刊人名職二行。但熊宗立本原在第十一卷題後次行又出著作、刊刻者信息，作『啓玄子王冰次注　鰲峰熊宗立點校重刊』，詹林所本刊者失察未替，一字未改。

詹林所本《素問》版面窄小、版式緊凑，文字排列細密不舒。四周單邊，半葉十二行，行二十五字，注文雙行小字同，版心白口，上方刻『黃帝素問』四字。單黑魚尾，魚尾下列卷數，作『某卷』。版心下部列葉碼，每卷另起。

詹林所本《素问》文字字體略扁，筆畫欠工。俗字特衆，如『热（熱）』『関（關）』『躰（體）』『体（體）』

『夆（舉）』『発（發）』『荧（熒）』『谷（穀）』等，多爲省筆省工而簡化，部分繼承於熊宗立本，部分爲詹林所本自作。又凡前後字叠，後字多用重文符號簡省。然校審欠精，如『氣交變大論』王冰注『太上貴德』誤爲『太上貴得』（此訛繼承自熊宗立本），『占辰星者』誤爲『占星辰者』，此類訛誤甚多。

詹林所本《素問》還存在主觀擅自改動底本文字原貌的問題。由於删除了宋臣注，某些重要的校勘信息直接丢失。這種情况詹林所本基本不做其他處理，但在極少數地方，以自己的方式對原文做了妥協調整修改，如卷二『六節藏象論』『關格之脉羸』，宋臣出一段校記專辨『羸』字之訛，而詹林所本徑改注作『関格之脉羸（一作嬴）』。詹林所本《素問》保留了熊宗立本的隨文音釋，但不全，蓋由其緊接於宋臣注而偶爾失察誤删。留者亦略有篡改，非全照熊宗立本之舊，如卷一『上古天真論』熊宗立本注『恬，啼廉反』，詹林所本改爲『恬，音田』；卷二『靈蘭秘典論』熊本注『瘠，音籍』，詹林所本改爲『瘠，音即』。詹林所本還有自增音釋現象，如卷一『上古天真論』『髮鬢頒白』，熊宗立本無音釋，詹林所本增『頒，班同』。

從版式、字體、校審態度等角度綜合來看，明代福州書林詹林所本《素問》，其版本面貌符合明後期閩刻的一般特徵，製作較爲粗疏。此本在《素問》的所有版本中，祇可列入中下等，若以之爲教本，恐誤學者。惟其刊刻年代較早，今存完帙，在探索《黄帝内經》版本源流方面，仍有不小價值。

重校黃帝內經素問序

夫釋縛脫艱全真導氣拯黎元於仁壽濟羸劣以獲安者非三聖道則不能致之矣孔安國序尚書曰伏羲神農黃帝之書謂之三墳言大道也班固漢書藝文志曰黃帝內經十八卷素問即其經之九卷也兼靈樞九卷廼其數焉雖復年移代革而授學猶存懼非其人而時有所隱故第七一卷師氏藏之今之奉行惟八卷耳然而其文簡其意博其理奧其趣深天地之象分

陰陽之候列變化之由表死生之兆彰。不謀而遐邇自同勿約而幽明斯契稽其言有徵驗之事。不忒誠可謂至道之宗養生之始矣假若天機迅發妙識玄通蒧謀雖屬乎生知標格亦資於訓詁未嘗有行不由徑。出不由户者也。然刻意研精探微索隱或識契真要則目牛無全故動則有成猶鬼神幽贊而命世奇傑時時間出焉則周有秦公。漢有淳于公。魏有張公華公。皆得斯妙道者也咸日新其用大濟蒸人華葉遞榮聲實相副，盖教之著矣，亦天之假也。冰弱齡慕道，夙好養生，幸遇真經，式為龜鏡，而世本紕（音裨，繒緣也）繆（與謬同），篇目重疊，前後不倫，文義懸隔，施行不易，披會亦難，歲月既淹，襲以成弊。或一篇重出，而別立二名；或兩論并吞，而都為一目；或問答未已，別樹篇題；或脫簡不書，而云世闕。重合經而冠鍼服，併方宜而為欬篇，隔虛實而為逆從，合經絡而為論要，節皮部為經絡，退至道以先鍼，諸如此流，不可勝數。且將升岱嶽，非

逕奚爲欲詣扶桑無舟莫適乃精勤博訪而并
有其人歷十二年方臻理要詢謀得失深遂夙
心時於先生郭子齋堂受得先師張公秘本文
字昭晰義理環周一以參詳羣疑冰釋恐散於
末學絶彼師資因而撰註用傳不朽兼舊藏之
卷合八十一篇二十四卷勒成一部冀乎究尾
明首尋註會經開發童蒙宣揚至理而已其中
簡脱文斷義不相接者搜求經論所有遷移以
補其處篇目墜缺指事不明者量其意趣加字

以昭其義篇論吞併義不相涉闕漏名目者。區分事類別目以冠篇首君臣請問禮儀乖失者。考校尊卑增益以光其意錯簡碎文前後重疊者詳其指趣削去繁雜以存其要辭理秘密難粗論述者別撰玄珠以陳其道凡所加字皆朱書其文使今古必分字不雜糅庶厥昭彰聖旨。敷暢玄言有如列宿高懸奎張不亂深泉淨瀅鱗介咸分君臣無夭枉之期夷夏有延齡之望俾工徒勿誤學者惟明至道流行徽音累屬千載

之後方知大聖之慈惠無窮時大唐寶應元年

歲次壬寅序

將仕郎守殿中丞孫兆重改誤

新刻官板黄帝素問目録

第一卷

第二卷

第三卷

第四卷

第五卷

第六卷

第七卷

第八卷

目録終

※2　※1

京本校正註釋音文黄帝内經素問卷之一

隋　全　元起　訓解

唐　王　氷　次註

宋　林　億　等奉

勑校正　孫　兆　改誤

閩潭城　趙　植吾　編正

福書林　詹　林所　重梓

○上古天真論篇第一

昔在黄帝生而神靈弱而能言幼而徇齊長而敦敏成而登天有熊國君少典之子姓公孫徇疾也敦信也敏達也習用干戈以征不享平定天下殄滅蚩尤以土德王都軒轅之丘故號之曰軒轅黄帝后鑄鼎於鼎湖山鼎成而白日升天群臣葬衣冠於橋山墓今猶在（徇）徐閏反迺問於天師曰余聞

古之人春秋皆度百歲而動作不衰今時之人年半百而動作皆

※1

※2

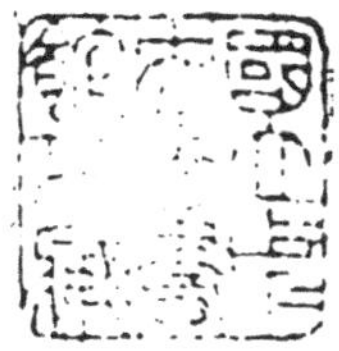

衰者時世異耶人將失之耶天師岐伯也岐伯對曰上古之人其知道
者法於陰陽和於術數上古謂玄古也知道謂知修養之道也夫陰陽者天地之常道術數者保生之大倫
故修養者必謹先之老子曰萬物負陰而抱陽中氣以為和四氣調神大論曰陰陽四時者萬物之終始死生之本逆之則災害生
從之則苛疾不起是謂得道此之謂也食飲有節起居有常不妄作勞食飲者充虛之滋味起居者
動止之綱紀故修養者謹而行之痺論曰飲食自倍腸胃乃傷生氣通天論曰起居如驚神氣乃浮是惡妄動也廣成子曰必淨
心清無勞汝形無搖汝精乃可以長生故聖人先之也故能形與神俱而盡終其天年度百
歲乃去形與神俱同臻壽分謹於修養以奉天真故盡得終其天年去謂去離於形骸也靈樞經曰人百歲五藏皆虛神氣
皆去形骸獨居而終矣以其知道故年長壽延年度百歲謂至一百二十歲也尚書洪範曰一曰壽者謂一百二十歲者也今
時之人不然也動之死地離於道也以酒為漿溺於飲也以妄為常寡於信也醉以入
房過於色也以欲竭其精以耗散其真樂色曰欲輕用曰耗樂色不節則精竭輕用不止則真散是以
聖人愛精重施髓滿骨堅老子曰弱其志強其骨河上公曰有欲者亡身曲禮曰欲不可縱不知持滿不時御
神言輕用而縱欲也老子曰持而盈之不如其已言愛精保神如持盈滿之器不慎而動則傾竭天真真誥曰常不能慎事自致

自有豈可兆然皆於神明乎証此之謂也務快其心逆於生樂快於心欲之用則逆生之樂矣老子曰甚愛
必大費此之類歟夫甚愛而不能救議道而以為未然者戒生之大患也起居無節故半百而衰也亦耗
散而致是也夫道者不可斯須離於道則壽不能終盡於天年矣老子曰物壯則老謂之不道不道早亡此之謂離道也夫上
古聖人之教下也皆謂之虛邪賊風避之有時邪乘虛入是謂虛邪竊害中和謂之
賊風避之有時謂八節之日及太一入從之於宮中朝八風之日也靈樞經曰邪氣不得其虛不能獨傷人謂人虛乃邪勝之也
恬惔虛無真氣從之精神內守病安從來恬惔虛無靜也法道清靜精氣內持故其氣邪
不能為害恬音田惔音淡是以志閑而少欲心安而不懼形勞而不倦內機息故少欲
外紛靜故心安然靜欲兩亡是一貫起居皆適故不倦也氣從以順各從其欲皆得所願志不
貪故所欲皆順心易足故所願必從以不易求故無難得也老子曰知足不辱知止不殆可以長久故美其食順精粗也
任其服隨美惡也樂其俗去傾慕也高下不相慕其民故曰朴至無求也是所謂心足也
老子曰禍莫大於不知足咎莫大於欲得故知足之足常足矣蓋非謂物足者為知足心足者乃為知足矣不恣於欲是則朴同故
聖人云我無欲而民自朴是以嗜欲不能勞其目淫邪不能惑其心目不妄視故嗜欲不

能勞心與玄同故淫邪不能惑老子曰不見可欲使心不亂又曰聖人為腹不為目愚智賢不肖不懼於物
故合於道情計兩忘不為謀府冥心一觀勝負俱捐故心志保安合同於道庚桑楚曰全汝形抱汝生無使汝思慮營營
所以能年皆度百歲而動作不衰者以其德全不危也不涉於危故德全也
莊子曰執道者德全德全者形全形全者聖人之道也又曰無為而性命不全者未之有也帝曰人年老而無
子者材力盡邪將天數然也材謂材幹可以立身者岐伯曰女子七歲腎氣
盛齒更髮長老陽之數極於九少陽之數極於七女子為少陰之氣故以少陽數偶之明陰陽氣和乃能生成其形體
故七歲腎氣盛齒更髮長更古行反下齒更同二七而天癸至任脈通太衝脈盛月事以
時下故有子癸謂壬癸北方水干名也任脈衝脈皆奇經脈也腎氣全盛衝任流通經血漸盈應時而下天真之氣降
與之從事故云天癸也然衝為血海任主胞胎二者相資故能有子所以謂之月事者平和之氣常以三旬而一見也故愆期者謂
之有病三七腎氣平均故真牙生而長極真牙謂牙之最後生者腎氣平而真牙生者表牙齒
為骨之余也四七筋骨堅髮長極身體盛壯女子天癸之數七七而終年居四七材力之半故身
体壯盛長極於斯五七陽明脈衰面始焦髮始墮陽明之脈氣營於面故其衰也髮墮面焦是應

經曰足陽明之脈起於鼻交頞中下循鼻外入上齒中還出挾口環脣下交承漿卻循頤後下廉出大迎循頰車上耳前過客主人循髮際至額顱手陽明之脈上頸貫頰入下齒縫中還出挾口故面焦髮墮也頞於葛反頷胡感反下同顱落胡反

六七三陽脈衰於上面皆焦髮始白三陽之脈盡上於頭故三陽衰則面皆焦髮始白所以衰者婦人之生也有餘於氣不足於血以其經月數泄脫之故

七七任脈虛太衝脈衰少天癸竭地道不通故形壞而無子也經水絕止是為地道不通衝任衰微故云形壞無子

丈夫八歲腎氣實髮長齒更老陰之數極於十少陰之數次於八男子為少陽之氣故以少陰數合之易係辭曰天九地十則其數也

二八腎氣盛天癸至精氣溢寫陰陽和故能有子男女有陰陽之質不同天癸則精血之形亦異陰靜海滿而去血陽動應合而泄精二者通和故能有子易係辭曰男女構精萬物化生此之謂也

三八腎氣平均筋骨勁強故真牙生而長極以其好用故爾

四八筋骨隆盛肌肉滿壯丈夫天癸八八而終年居四八亦材之半也

五八腎氣衰髮墮齒槁腎主於骨齒為骨餘腎氣既衰精無所養故令髮墮齒復乾枯

六八陽氣衰竭於上面焦髮鬢頒白陽氣亦陽明之氣也靈樞經曰足陽明之脈起於鼻交頞中下循鼻外入上齒中還出挾口環脣下交承漿卻循頤後下廉出大迎循頰車上耳前過客主人

循髮際至額顱故衰於上則面焦髮鬢白也頒與斑同七八肝氣衰筋不能動天癸竭精少腎藏衰形躰皆極肝氣養筋肝衰故筋不能動腎氣養骨腎衰故形体疲極天癸已竭故精少也匪惟材力衰謝固當天數使然八八則齒髮去陽氣竭精氣衰故齒髮不堅離形骸矣去落也腎者主水受五藏六府之精而藏之故五藏盛乃能瀉五藏六府精氣淫溢而滲灌於腎腎藏乃受而藏之何以明之靈樞經曰五藏主藏精藏精者不可傷由是則五藏各有精隨用而灌注於腎此乃腎為都會關司之所非腎一藏而獨有精故曰五藏盛乃能寫也今五藏皆衰筋骨解墯天癸盡矣故髮鬢白身躰重行步不正而無子耳所謂物壯則老謂之天道者也帝曰有其年已老而有子者何也言似非天癸之數也岐伯曰此其天壽過度氣脈常通而腎氣有餘也所稟天真之氣本自有餘也此雖有子男不過盡八八女不過盡七七而天地之精氣皆竭矣雖老而生子子壽亦不能過天癸之數帝曰夫道者年皆百數能有子乎岐伯曰夫道者能却老而全形身年雖壽能生子也是所謂得道之人也道成之證下句云黃帝曰余聞上古有真人者提挈天地把握陰陽真人謂成道之

人也夫真人之身隱見莫測其爲小也入於無間其爲大也□□
□□其變化也出入天地內外莫見迹順至真以表道成之証
□此者故能提挈呼吸精氣獨立守神肌肉若一真人〻合于氣
天地把握陰陽也上合于神〻合
于無故乎效精氣獨立守神故能守敝無有終時体同于道壽與
肌膚若冰雪綽約如處子道同故能無有
然時而壽盡天地此其道生惟至道生
也〔敝〕皮殘瓦盡也乃能如是中古之時有至人者淳德
全道全其志道故曰至人然至人以
乱淳朴之德全彼妙用之道和於陰陽調於四時和謂同
和調謂
調適言至人動靜必適中於四時生長去世離俗積精全神心遠
收藏之令參同於陰陽寒暑升降之宜世紛
身離俗染故能游行天地之間視聽八遠之外神全故也真累楚
積精而後全神日神全之人不慮
而通不謀而當精照無外志凝宇宙若天地然又日体合於心心
合於氣〻合於神〻合於無其有介然之有唯然之音雖遠際八
荒之外近在眉睫之內來于我者吾必盡此蓋益其壽命而強者
知之夫如是者神全故所以能矣〔睫〕音接
也亦歸於真人同歸於
道也其次有聖人者處天地之和從八風之理
與天地合其德與日月合其明與四時合其序與鬼神合其吉凶
故曰聖人所以處天地之淳和順八風之正理者欲其養正避□
虛適嗜欲於世俗之間無恚嗔之心聖人志深於道故適□□□
御心全無憂故不有恚嗔□□

常恚不離發身不怒恚於性反行不欲離於世被服章舉不欲觀於俗聖人與華行止雖常
在時俗之間然其見爲則與時俗有異爾何者貴法道之清淨也老子曰我獨異於人而貴求食於母二亦不諭道也外不勞
形於事內無思想之患聖人的無爲事無事是亦內無思想外不勞形以恬愉爲務以自
得爲功恬靜也愉悦也法道清淨適性而動故悦而自得也形体不敝精神不散亦可以百
數外不勞形內無思想故形体不敝精神保全神守不離故年發百數此皆全性之所致爾庚桑楚曰聖人之於聲色滋味也利
於性則取之害於性則損之此全性之道也敝疲敝也其次有賢人者法則天地象似日月
次聖人者謂之賢人然自強不息精了百端不慮而通發謀必當志同於天地心燭於洞由故云法則天地象似日月矣辯列
星辰逆從陰陽分別四時星衆星也辰北辰也辯列者測定內外星官座位之所於天三百六十五度遠
近之分次也逆從陰陽者謂以六甲等法逆順數而推步吉凶之徵兆也陰陽書曰人中甲子從甲子起以乙丑爲次順數之地下
甲子從甲戌起以癸酉爲次逆數之此之謂逆從也分別四時者謂分其氣序也春溫夏暑熱秋清涼冬冰冽此四時之氣序也
將從上古合同於道亦可使益壽而有極時將從上古合同於道謂如上古知道之人
法於陰陽和於術數食飲有節起居有常不妄作勞也上古知道之人年度百歲而去故可使益壽而有極時也

四氣調神大論篇第二

春三月此謂發陳春陽上升氣潛發生育庶物陳其姿容故曰發陳也所謂春三月者皆因節候而命之夏秋冬亦然天地俱生萬物以榮天氣溫地氣發溫發相合故萬物滋榮夜卧早起廣步於庭溫氣生寒氣散故夜卧早起廣步於庭被髮緩形以使志生法象也春氣發生於萬物之首故被髮緩形以使志意發生也生而勿殺予而勿奪賞而勿罰春氣發生施無求報故養生者必順於時也[予]音與

此春氣之應養生之道也所謂因時之序也然立春之節初五日東風解凍次五日蟄虫始振後五日魚上冰次雨水氣初五日獺祭魚次五日鴻鴈來後五日草木萌動次仲春驚蟄之節初五日小桃華次五日倉庚鳴後五日鷹化為鳩次春分氣初五日玄鳥至次五日雷乃發聲芍藥榮後五日始電次季春清明之節初五日桐始華次五日田鼠化為鴽牡丹華後五日虹始見次谷雨氣初五日萍始生次五日鳴鳩拂其羽後五日戴勝降于桑凡此六氣一十八候皆春陽布發生之令故養生必謹奉天時也[illegible]他違反[illegible]音如鵠也逆之則傷肝夏為寒變奉長者少逆謂反行秋令也肝象木王知春故行秋令則肝氣傷夏火王而木廢故病生於夏然四時之氣春生夏長逆春傷肝故少氣以奉於夏長之令也

夏三月此謂蕃秀陽自春生至夏洪盛物生以長故蕃秀也蕃茂也盛也秀華也美也天地氣交萬物

華實舉夏至也脉要精微論曰夏至四十五日陰氣微上陽氣微下由是則天地氣交也然陽氣施化陰氣結成成合相故萬物華實也陰陽應象大論曰陽化氣陰成形夜臥早起無厭於日使志無怒使華英成秀使氣得泄若所愛在外緩陽氣則物化寬志意則氣泄物化則華英成秀氣泄則膚腠宣通時令發陽故所愛亦順陽而在外也此夏氣之應養長之道也立夏之節初五日螻蟈鳴次五日蚯蚓出後五日赤箭生○按月令作王瓜生次小滿氣初五日吳葵華○又按月令作苦菜秀次五日靡草死後五日小暑至次仲夏芒種之節初五日螳螂生次五日鵙始鳴後五日反舌無聲次夏至氣初五日鹿角解次五日蜩始鳴後五日半夏生木堇榮次季夏小暑之節初五日温風至次五日蟋蟀居壁後五日鷹乃學習次大暑氣初五日腐草化為螢次五日土潤溽暑後五日大雨時行凡此六氣一十八候皆夏氣揚蕃秀之令故養生者必敬順天時也○逆古閏反搏勞息逆之則傷心秋為痎瘧奉收者少冬至重病逆謂反行冬令也痎上痎之瘧也心象火王於夏故行冬令則心氣傷秋金王而火廢故病發於秋而為痎瘧也然四時之氣秋收冬藏逆夏傷心故少氣以奉於秋收之令也冬水勝火故重病於冬至之時也○痎音皆秋三月此謂容平萬物夏長華實已成容狀至秋平而定也天氣以急地氣以明天氣以急風聲切也地氣以明物色變也早臥早起與雞俱興懼中寒露故早臥欲使安寧故早起使志安寧以緩

秋刑志氣躁則不慎其動不慎其動則助秋刑急順殺伐生故使志安寧緩秋刑也收斂神氣使秋氣平
神蕩則欲熾欲熾則傷和氣和氣既傷則秋氣不平調也故收斂神氣使秋氣平也無外其志使肺氣清[illegible]
秋氣之收斂也此秋氣之應養收之道也立秋之節初五日涼風至次五日白露降後五日寒蟬鳴次處
暑氣初五日鷹乃祭鳥次五日天地始肅後五日禾乃登次仲秋
白露之節初五日盲風至鴻鴈來次五日玄鳥歸後五日羣鳥養
羞次秋分氣初五日雷乃收聲次五日蟄虫坏戶景天華後五日
水始涸次季秋寒露之節初五日鴻鴈來賓次五日雀入大水為
蛤後五日菊有黃華次霜降氣初五日豺乃祭獸次五日草木黃
落後五日蟄虫咸俯凡此六氣一十八候皆秋氣正收斂之令故
養生者必謹奉天時也坏步回反逆之則傷肺冬為飧泄奉藏者少逆謂反行夏令也肺象金
土於秋故行夏令則氣傷冬水王而金廢故病發於冬冬飧泄者
食不化而泄出也逆秋傷肺故少氣以奉於冬藏之令也飧音孫冬
三月此謂閉藏草木凋蟄虫去地戶閉塞陽氣伏藏水冰地坼無擾乎陽陽氣下沉水冰地坼
故宜周密不欲煩勞擾謂煩也勞也坼直格反裂也早臥晚起必待日光避於寒也使志若伏若
匿今詳匿字當作匿若有私意若已有得皆謂不欲妄出於外觸冒寒氣也故下文曰去寒就
溫無泄皮膚使氣亟奪去寒就溫言居深室也靈樞經曰冬日在骨蟄虫周密君子居室無泄皮膚謂勿汗

也汗則陽氣發泄陽氣發泄則數為寒氣所迫奪之亟數也亟去吏反

此冬氣之應養藏之道也

立冬之節初五日水始冰次五日地始凍後五日雉入大水為蜃次小雪氣初五日虹藏不見次五日天氣上騰地氣下降後五日閉塞而成冬次仲冬大雪之節初五日水益壯地始拆鶡鳥不鳴次五日虎始交後五日芸始生荔挺出次冬至氣初五日蚯蚓結次五日麋角解後五日水泉動四季冬小寒之節初五日鴈北鄉次五日鷙鳥厲疾後五日水澤腹堅凡此六氣一十八候皆冬氣正養藏之令故養生者必謹奉天時也厲音利挺大項反鄉音向

逆之則傷腎春為痿厥奉生者少

逆謂反行夏令也腎象水王於冬故行夏令則腎氣傷春木王而水廢故病發於春也逆冬傷腎故少氣以奉於春生之令也痿於危反弱也後並同

天氣清靜光明者也

言天明不竭以清淨故致人壽延長亦由順動而得故言天氣以示於人也

藏德不止故不下也

四時成序七曜周行天不形言是藏德也德隱則應用不屈故不下也老子曰上德不德是以有德也言天至尊高德猶見隱也況全生之道而不順天乎

天明則日月不明邪害空竅

天所以藏德者為其欲隱大明故大明見則小明滅故大明之德不可不藏天若自明則日月之明隱矣所論者何言人之真氣亦不可泄露當清淨法道以保天真苟離於道則虛邪入於空竅空音孔

陽氣者閉塞地氣者冒明

陽謂天氣亦風熱也地氣謂溫亦雲霧也風熱之害人則九竅閉塞霧濕之為病則掩翳精明取類者在天則日月不光在人則兩

目藏精也靈樞經曰天有日月人有眼目易曰喪明于易豈非失養正之道耶雲霧不精則上應白露不
下霧若雲之類露者雨之類夫陽盛則地不上應陰虛則天不下交故雲霧不化精微之氣上應於天而為白露不下之咎矣陰
陽應象大論曰地氣上為雲天氣下為雨雨出地氣雲出天氣明二氣交合乃成雨露方盛衰論曰至陰虛天氣絕至陽盛地氣不
足明氣不相召亦不能交合也交通不表萬物命故不施不施則名木多死夫雲霧不
化其精微雨露不沾於原澤是為天氣不降地氣不騰變化之道既虧生育之原斯闕故萬物之命無稟而生然其死者則名木先
應故曰名木多死也名謂名果珍木表謂表陳其狀也易係詞曰天地細縕萬物化醇然不表交通則為否也易曰天地不交否否
部鄙反惡氣不發風雨不節白露不下則菀槁不榮惡謂害氣也發謂發散也節謂
節度也菀謂蘊積也槁謂枯槁也言害氣伏藏而不散發風雨無度折傷復多槁物蘊積春不榮也豈惟其物獨遇是而有之哉人
離於道亦有之矣故下文云違於遠矣菀音槁蘊音尹賊風數至暴雨數起天地四時不相
保與道相失則未央絕滅不順四時之和數犯八風之害與道相失則天真之氣未期久遠而致滅亡央
久也遠也唯聖人從之故身無奇病萬物不失生氣不竭道非遠於人人心遠於道
惟聖人心合於道故壽命無窮從猶順也謂順四時之令也然四時之令不可逆之逆之則五藏內傷而他疾起者矣逆春

氣則少陽不生肝氣內變生謂動出也陽氣不出內鬱於肝則肝氣混糅變而傷矣逆夏氣則太陽不長心氣內洞長謂外茂也洞謂中空也陽不外茂內薄於心燠熱內消故心中空也燠音欲逆秋氣則太陰不收肺氣焦滿收謂收斂焦謂上焦也太陰行氣主化上焦故肺氣不收上焦滿也滿溢也逆冬氣則少陰不藏腎氣獨沉沉謂沉伏也少陰之氣內通於骨故少陰不伏骨氣獨沉夫四時陰陽者萬物之根本也時序運行陰陽變化天地合氣生育萬物故萬物之根悉歸于此所以聖人春夏養陽秋冬養陰以從其根陽氣根於陰陰氣根於陽無陰則陽無以生無陽則陰無以化全陰則陽氣不極全陽則陰氣不窮春食涼夏食寒以養於陽秋食溫冬食熱以養於陰滋苗者必固其根伐下者必枯其上故以斯調節從順其根二氣常存蓋由根固百刻曉暮食亦宜然故與萬物浮沉於生長之門聖人所以身無奇病生氣不竭者以順其根也逆其根則伐其本壞其真矣是則失四時陰陽之道也故陰陽四時者萬物之終始也死生之本也逆之則災害生從之則苛疾不起是謂得道謂得養生之道苛者重也道者聖人行之愚者佩之聖人心合於道故勤而行之愚者性守於迷故佩服而已老子曰道者同於道德者同於德失者同於失同於道者道亦得之同於德者德亦

得之同於失者德亦得之愚者未同於道德則可謂失道者也從陰陽則生，逆之則死，從之則治，逆之則亂。反順為逆，是謂內格。格，拒也。謂內性格拒於天道也。是故聖人不治已病治未病，不治已亂治未亂，此之謂也。知之至也。夫病已成而後藥之，亂已成而後治之，譬猶渴而穿井，鬭而鑄兵，不亦晚乎。知不及時也。備御虛邪事符握虎噬而后藥雖悔何為

●生氣通天論篇第三

黃帝曰：夫自古通天者，生之本，本於陰陽。天地之間，六合之內，其氣九州九竅、五藏、十二節，皆通乎天氣。六合謂四方上下也。九州謂冀兗青徐揚荊豫梁雍也。外布九州而內應九竅，故云九州九竅也。五藏謂五神藏也。五神藏者，肝藏魂，心藏神，脾藏意，肺藏魄，腎藏志，而此成形矣。十二節者，十二氣也。天之十二節氣，人之十二經脈而外應之，咸同天紀，故云皆通乎天氣也。十二經脈者，謂手三陰三陽，足三陰三陽也。其生五，其氣三，數犯此者，則邪氣傷人，此壽命之本也。言人生之所運為，則內依五氣以立；然其鎮塞天地之內，則氣應三元以成。三謂天氣、地氣、運氣也。犯謂邪氣觸犯於生氣也。邪氣數犯，則生氣傾

危故保養夫真以爲壽命之本也庚桑楚曰聖人之制萬物也以全其天〻全則神全矣靈樞經曰血氣者人之神不可不謹養〻〻之謂也蒼天之氣清靜則志意治順之則陽氣固春爲蒼天發生之主也陽氣者天氣也陰陽應象大論曰清陽爲天則其義也本天全神全之地〻全則形亦全者矣雖有賊邪弗能害也此〻因時之序以因天四時之氣序故賊邪之氣不能害也故聖人傳精神服天氣而通神明夫精神可傳惟聖人德道者乃能服久服天眞之氣則妙用自通於神明也失之則內閉九竅外壅肌肉衛氣散解失謂逆蒼天清淨之理也然衛氣者合天之陽氣也上篇曰陽氣者閉塞謂陽氣之病人則竅寫閉塞也靈樞經曰衛氣者所以溫分肉而充皮膚肥腠理而司開闔故失其職則內閉九竅外壅肌肉以衛不營運故言散解也分上聲此謂自傷氣之削也夫逆蒼天之氣違清淨之理使正真之氣如削去之者非天降之人自爲之爾陽氣者若天與日失其所則折壽而不彰此明前陽氣之用也諭人之有陽若天之有日天失其所則日不明人失其所則陽不固日不明則天暗宜其昧陽不固則人壽夭折故天運當以日光明言人之生固宜藉其陽氣也是故陽因而上衛外者也此所以明陽氣之部分藉衛人身之正用也因於寒欲如運樞起居如驚神氣乃浮欲如運樞謂內動也起居如驚謂暴卒也言因天之寒當深居

閉密於腠理之內動不當煩擾筋骨使陽氣發泄於皮膚而傷於寒毒也若起居暴卒驚恐流佚則神氣浮越無所綏寧矣脈要精微論曰冬日在骨蟄蟲周密君子居室四氣調神大論曰冬三月此謂閉藏水冰地折無擾乎陽又曰使志若伏若匿若有私意若已有得去寒就溫無泄皮膚使氣亟奪此之謂也

因於暑汗煩則喘喝靜則多言○

此則不能靜慎傷於寒毒至夏而變暑病也煩謂煩躁靜謂安靜喝謂大呵出聲也言病因於暑則當汗泄不為發表邪熱內攻中外俱熱故煩躁喘數大呵而出其聲也若不煩躁內熱外凉熱攻中故多言而不次也喝一為暍○喝呼葛反燔依借反

體若燔炭○汗出而散○

此重明可汗之理也然體若燔炭之炎熱者何以救之必以汗出乃熱氣施散燔一為燥非也

因於濕首如裹濕熱不攘大筋緛短小筋弛長緛短為拘弛長為痿○

表熱為病當汗泄之反濕其首若濕物裹之望除其熱熱氣不釋兼濕內攻大筋受熱則縮而短小筋得濕則引而長縮短故拘攣而不伸引長故痿弱而無力弛引也攘除也緛音軟縮也

因於氣為腫四維相代陽氣乃竭○

素常氣疾濕熱加之氣濕熱爭故為腫也然邪氣漸盛正氣浸微筋骨血肉互相代負故云四維相代也致邪代正氣不宣通衛無所從便至衰竭故言陽氣乃竭也衛者陽氣也

陽氣者煩勞則張精絕辟積於夏使人煎厥○

此又戒起居暴卒煩擾陽和也然煩擾陽和勞疲筋骨動傷神氣耗竭天真則筋脈䐜脹精氣竭絕既傷腎氣又損膀胱故當於夏時使人煎

厥[illegible]煎迫而氣逆因以煎厥為名厥謂氣逆也煎厥之狀當如下說目盲不可以視耳閉不可以聽潰潰乎若壞都汩汩乎不可止既且傷腎又竭膀胱腎經內屬於耳中膀胱脉生於目背故目盲所視耳閉所大矣扎斷乃為之患也既盲目視又閉耳聽則志意心神筋骨腸胃潰潰乎若壞汩汩乎煩悶而不可止也（汩）古沒反[illegible]在計反又前計反陽氣者大怒則形氣絕而血菀於上使人薄厥此又戒喜怒不節過用病生也然怒則傷腎甚則氣絕大怒則氣怒而陽不下行陽逆故血積於心胃之內矣上謂心胃也然陰陽相薄氣血奔并因薄厥生故名薄厥舉痛論曰怒則氣逆甚則嘔血靈樞經曰盛怒而不止則傷志陰陽應象大論曰喜怒傷氣由此則怒甚氣逆血積於心胃之內矣菀積也（菀）迂去聲有傷於筋縱其若不容怒而過用氣或迫筋筋絡內傷機關縱緩形容廢發若不維持汗出偏沮使人偏枯夫人之身常偏汗出而潤濕者久久偏枯半身不遂汗出見濕乃生痤痱陽氣發泄寒水制之熱怫內餘鬱於皮一甚為痤癤微作疿瘡疿風癮也（痤）昨和反（疿）方未反（癤）符兼反高梁之變足生大丁受如持虛高膏也梁梁也不忍之人汗出淋洗則結為痤痱膏粱之人內多滯熱皮厚肉密故內變為丁矣外濕既侵中熱相感於持虛氣受此邪毒故曰受如持虛所以丁生於足者四支為諸陽之本也以其甚費於下邪毒襲虛故爾勞汗當風寒薄為皶鬱乃痤時月寒涼形勞汗發凄風外薄膚腠居寒脂液遂凝

稽於玄府依空滲泄皶刺長於皮中形如米或如鍼久者上黑長一分餘色白黃而瘦於玄府中俗曰粉刺解表已玄府謂汗空也痤謂色赤膹憤內蘊血膿形小而大如酸棗或如按豆此皆陽氣內鬱所為待耎而攻之大甚焫出之皶側加反蓄許竹反瘛尺制反焫而劣反

陽氣者○精則養神○柔則養筋○

此又明陽氣之運養也然陽氣者內化精微養於神氣外為柔耎以固於筋動靜失宜則生諸疾

開闔不得○寒氣從之○乃生大僂

開謂皮腠發泄闔謂玄府閉封然開闔失宜為寒所襲內深筋絡結固虛寒則筋絡拘緛形容僂俯矣靈樞經曰寒則筋急此其類也僂力主反

陷脈為瘻留連肉腠

陷脈謂寒氣陷缺其脈也積寒留舍經血稽凝久瘀內攻結於肉理○故發為瘍瘻肉腠相連瘻力鬭反

俞氣化薄○傳為善畏○及為驚駭○

言若寒中於背俞之氣變化入深而薄於藏府者則善為恐畏及發為驚駭也俞音庶下同

營氣不從○逆於肉理○乃生癰腫○

營逆則血鬱血鬱則熱聚於腠故為癰腫也正理論云熱之所過則為癰疽

魄汗未盡○形弱而氣爍○穴俞以閉○發為風瘧○

汗出未止形弱氣消風寒薄之穴俞隨閉熱藏不出以至於秋陽復收兩熱相合故令振慄寒熱相移以所起為風故名風瘧也金匱真言論曰夏暑汗不出者秋成風瘧蓋從風而為是也故下文曰

故風者百病之始也清靜則肉腠閉拒雖有大風苛毒弗之能害此因時之序也

夫嗜欲不能勞其目淫邪

有能或其心不妄作勞是為清淨以其清淨故能肉腠閉皮膚密真也內拒虛邪不侵然大風苛毒不必常求於人蓋由人之冒犯尒故清淨則肉腠閉陽氣拒大風苛毒弗能害之清淨者謂因循四時氣序養生調節之宜不妄作勞起居有度則生氣不竭永保康寧**故病久則傳化上下不并良醫弗為**并謂氣交通也然病之深久變化相傳上下不通陰陽否隔雖醫良法妙亦何以為之陰陽應象大論曰夫善用鍼者從陰引陽從陽引陰以右治左以左治右若是氣相格拒故良醫弗可為也不足異也**故陽畜積病死而陽氣當隔隔者當寫不亟正治粗乃敗之**言三陽畜積怫結不通不急寫之亦病而死何者畜積不已亦上下不并矣何以驗之隔塞不便則其證也若不寫之粗工輕侮必見敗亡也陰陽別論曰三陽結謂之隔又曰剛與剛陽氣破散陰氣乃消亡淖則剛柔不和經氣乃絕此之謂也**故陽氣者一日而主外**晝則陽氣在外周身行二十五度靈樞經曰日闢則氣上行於頭衛氣行於陽二十五度也**平旦人而氣生日中而陽氣隆日西而陽氣已虛氣門乃閉**隆猶高也盛也夫氣之有者皆自少而之壯積暖以成炎上極又衰物之理也故陽氣平時生日中盛日西而已減虛也氣門謂玄府也所以發泄經脈榮衛之氣故謂之氣門也**是故暮而收拒無擾筋骨無見霧露反此三時形乃困薄**皆所以順陽氣也陽出則出陽藏則藏暮陽氣衰內行陰分故宜收斂以拒虛邪擾筋骨則逆陽精耗見霧露則寒

溫且長也其顯此三時乃天其久遠者也
岐伯曰陰者藏精而起亟也○陽者衛外而為
固也○言在人之用也亟數也陰不勝其陽則脈流薄疾○并乃狂○薄疾謂極虛而急數也并
謂盛實也狂謂狂走或妄攀登也陽并於四支則狂陽明脈解曰四支者諸陽之本也陽盛則四支實實則能登高而歌熱盛於身
故棄衣欲走也夫如是者皆為陰不勝其陽也陽不勝其陰○則五藏氣爭○九竅不通○九竅者內
屬於藏外設為官故五藏氣爭則九竅不通也九竅謂前陰後陰不通兼言上七竅也若兼則目為肝之官鼻為肺之官口為脾之
官耳為腎之官舌為心之官舌非通竅也金匱真言論曰南方色赤入通於心開竅於耳北方黑色入通於腎開竅於二陰故也
是以聖人陳陰陽筋脈和同骨髓堅固氣血皆從從順也言循陰陽法近養生道
則筋脈骨髓各得其宜故氣血皆能順時和同也如是則內外調和邪不能害耳目聰明
氣立如故和氣不能故真氣獨立而如常若失聖人之道則致疾於身故下文曰風客淫氣○精乃亡○
邪傷肝也○自此已下四科並謂失聖人之道也風氣應肝故風淫精亡則傷肝也陰陽應象大論曰風氣通於肝也風薄
則熱起熱盛則水乾水乾則腎氣不營故精乃無者也亡者無也因而飽食○筋脈橫解腸澼為痔○
甚飽則腸胃橫滿腸胃滿則筋脈解而不屬故腸澼而為痔也痺論曰飲食自倍腸胃乃傷此傷之信也澼匹擘反痔直里切

因而大飲則氣逆飲多則肺布葉舉故氣逆而上奔也因而強力腎氣乃傷高骨乃壞強力謂強力入房也高骨謂腰高之骨也然強力入房則精耗精耗則腎傷腎傷則髓氣内枯故高骨壞而不用也聖人交會則不如此當如下句云凡陰陽之要陽密乃固陰陽交会之要者正在於陽氣閉密而不妄泄爾密不妄泄乃生気強固而能久長此聖人之道也兩者不和若春無秋若冬無夏兩謂陰陽和謂和合則交會也若如也言絶陰陽和合之道若如天四時有春無秋有冬無夏也所以然者絶廢於生成也故聖人不絶和合之道但貴於閉密以守固天真法也因而和之是謂聖度陰陽気盛發中外相應貴男有余乃相交合則聖人交會之制度也文故陽強不能密陰氣乃絶陽自強而不能閉密則陰泄寫而精氣竭絶矣陰平陽秘精神乃治陰氣和平陽氣閉密則精神之用日益治也陰陽離決精氣乃絶若陰不和平陽不閉密強用施寫損耗天真二氣分離經絡決憊則精氣不化乃絶流通也因於露風乃生寒熱因於露体觸冒風邪風氣外侵陽氣内拒風陽相薄故寒熱生是以春傷於風邪氣留連乃為洞泄風氣過肝春肝木王木勝脾土故洞泄生也夏傷於暑秋為痎瘧夏熱已甚秋陽復收陽熱相攻則為痎瘧痎老也亦曰瘦也秋傷於濕上逆而欬濕謂地濕氣也秋濕既勝冬水復正水來乘肺故欬逆病生發為痿厥濕

內攻於藏府則欬逆外散於筋脉則痿弱也陰陽應象大論曰地之濕氣感則害皮肉筋脉故濕氣之資發為痿厥厥謂逆氣也

冬傷於寒，春必溫病。冬寒且凝春陽氣發寒不為釋陽怫於中寒怫相持故為溫病四時之氣，更傷五藏。寒暑溫涼遞相勝負故四時之氣更傷五藏之和也陰之所生，本在五味；陰之五宮，傷在五味。所謂陰者五神藏也宮者五神之舍也言五神所生本資於五味五味宮化各湊於本宮雖因五味以生亦因五味以損正為好而過節乃見傷也故下文曰是故味過於酸，肝氣以津，脾氣乃絕。酸多食之令人癃小便不利則肝多津液津液內溢則肝葉舉肝葉舉則脾經之氣絕而不行何者木制土也味過於鹹，大骨氣勞，短肌，心氣抑。鹹多食之令人肌膚縮短又令心氣抑滯而不行何者鹹走血也大骨氣勞鹹歸腎也味過於甘，心氣喘滿，色黑，腎氣不衡。甘多食之令人心悶甘性滯緩故令氣喘滿而腎不平何者土制水也衡平也味過於苦，脾氣不濡，胃氣乃厚。苦性堅燥又養脾胃故脾氣不濡胃氣強厚味過於辛，筋脉沮弛，精神乃央。沮潤也弛緩也央久也辛性潤澤散養於筋故令筋緩脉潤精神長久何者辛補肝也藏氣法時論曰肝欲散急食辛以散之用辛以補之是故謹和五味，骨正筋柔，氣血以流，腠理以密，如是則氣骨以精。謹道如法，長有天命。是所謂脩養天真之

至道者也

金匱真言論篇第四

黃帝問曰天有八風經有五風何謂經謂經脈所以流通營衛血氣者也岐伯對曰
八風發邪以為經風觸五藏邪氣發病原其所起則謂八風發邪經脈受之則循經而觸於
五藏以邪干正故發病也所謂得四時之勝者春勝長夏長夏勝冬冬勝夏夏
勝秋秋勝春所謂四時之勝也春木夏火長夏土秋金冬水皆以所剋殺而為勝也言五時之相勝
者不謂八風中人則病各謂隨其不勝則發病也勝謂剋制之也東風生於春病在肝俞在頸項
春氣發榮於萬物之上故俞在頸項曆忌曰甲乙不治頸此之謂也南風生於夏病在心俞在胸脅
心少陰脈循胸出脅故俞在焉西風生於秋病在肺俞在肩背肺處上焦背為胸中之府肩背相次故俞
在焉北風生於冬病在腎俞在腰股腰為腎府股接次之以氣相連故兼言也中央為土
病在脾俞在脊以脊應土言居中爾故春氣者病在頭春氣謂肝氣也各隨其藏氣之所應夏
氣者病在藏心之應也秋氣者病在肩背肺之應也冬氣者病在四支四支氣少

寒毒善傷隨所受邪則為病處故春善病鼽衄。以氣在頭也礼記月令曰季秋行夏令則民多鼽嚏鼽渠牛反鼻塞也衄女六反鼻出血也仲夏善病胷脇心之脉循胷脇故也長夏善病洞泄寒中。土主於中是為倉廩糟粕水谷故為洞泄寒中也秋善病風瘧。以凉折暑乃為是病生氣通天論曰鼻汗未盡形弱而氣爍穴俞以閉發為風瘧此謂以凉折暑之義也礼記月令曰孟秋行夏令則民多瘧疾冬善病痺厥。血象如水寒則水凝以氣薄流故為痺厥故冬不按蹻春不鼽衄。按謂按摩蹻謂如蹻捷者之舉動手足是所謂導引也然擾動筋骨故陽氣不藏春陽氣上升重熱熏肺肺通於鼻病則形之故冬不按蹻春不鼽衄鼽謂鼻中水出衄謂鼻中血出蹻音喬春不病頸項夏不病胷脇長夏不病洞泄寒中秋不病風瘧冬不病脾厥飧泄而汗出也此上五句並為冬不按蹻之所致也夫精者身之本也。故藏於精者。春不病溫。此正謂冬不按蹻則精氣伏藏以陽不妄升故春無溫病夏暑汗不出者。秋成風瘧。此正謂以風凉之氣折著汗者也此平人脉法也。謂平病人之脉法也故曰陰中有陰陽中有陽言其初起與其王也平旦至日中天之陽陽中之陽也日中至黃昏天之陽天中之陰也日中陽盛故曰陽中之陽黃昏陰盛故曰陽中之陰陽氣主晝故平旦至黃昏皆為天之暘而中夜有陰陽之殊也合夜至雞鳴天之陰〻中之陰也雞鳴至平旦天之陰陰中之陽也雞鳴陽氣未出故也天之陰平旦陽氣已升故曰陰中之陽故人亦應之夫言人之陰陽則外為陽內為陰言人身之陰陽則背為陽腹為陰言人身之藏府中陰陽則藏者為陰府者為陽藏謂五神藏肝心府謂六化府脾肺腎五藏皆為陰膽胃大腸小腸膀胱三焦六府皆為陽靈樞經曰三焦者上合於手心主又曰足三焦者太陽之別名也正理論曰三焦者有名無形上合于手心上下合右腎主謁道諸氣名為使者所以欲知陰中之陰陽中之陽者何也為冬病在陰夏病在陽春病在陰秋病在陽皆視其所在為施鍼石也故背為陽陽中之陽心也心為陽藏位處上焦以陽居陽故為陽中之陽也靈樞經曰心為牡藏牡陽也背為陽陽中之陰肺也肺為陰藏位處上焦以陰居陽故為陽中之陰也靈樞經曰肺為牝藏牝謂陰也腹為陰陰中之陰腎也腎為陰藏位處下焦以陰居陰故為陰中之陰也靈樞經曰腎為牝藏牝謂陰也腹為陰陰中之陽肝也肝為陽藏位處中焦以陽居陰故為陰中之陽也靈樞經曰肝為牡藏牡謂陽也腹為陰陰中之至

陰，脾也。（脾爲陰藏，位處中焦，以太陰居陰，故爲陰中之至陰也。靈樞經曰：脾爲牝藏。牝，陰也。）此皆陰陽表裏內外雌雄相輸應也，故以應天之陽也。（以其氣象參合，故能上應於天。）帝曰：五藏應四時，各有收受乎？岐伯曰：有。東方青色，入通於肝，開竅於目，藏精於肝，（精謂精氣也。木精之氣，其神魂。陽升之方，以目爲用，故開竅於目。）其病發驚駭，（象木屈伸有搖動也。）其味酸，其類草木，（性柔脆而曲直。）其畜雞，（以雞爲畜，取巽言之。易曰：巽爲雞。）其穀麥，（五穀之長者麥，故東方用之。本草曰：麥爲五穀之長。）其應四時，上爲歲星，（木之精氣，上爲歲星，十二年一周天。）是以春氣在頭也，（萬物發榮於上，故春氣在頭。）其音角，（角，木聲也。孟春之月，律中大簇，林鍾所生，三分益一，管率長八寸。仲春之月，律中夾鍾，夷則所生，三分益一，管率長七寸五分〇。季春之月，律中姑洗，南呂所生，三分益一，管率長七寸又一十分寸之一九。是三管皆木氣應之。）其數八，（木生數三，成數八。尚書洪範曰：三曰木。）是以知病之在筋也，（木之堅柔，類筋氣故。）其臭臊。（凡氣因木變，則爲臊。）南方赤色，入通於心，開竅於耳，藏精於心，（火精之氣，其神神。舌爲心之官，當言於舌，舌用非竅，故云耳也。繆刺論曰：手少陰之絡會於耳中。義取此也。）故病在五藏，（以夏氣在藏也。）其味苦，其類火，（性炎上而燔灼。燔音煩。）其畜羊，（以羊爲畜，言其未也。）

（以土同王故通而言之）其穀黍（黍色赤）其應四時上為熒惑星（火之精氣上為熒惑星七百四十日一周天）是以知病之在脈也（火之躁動類於脈氣）其音徵（徵火聲也孟夏之月律中仲呂無射所生三分益一管率長六寸七分仲夏之月律中蕤賓應鍾所生三分益一管率長六寸二分季夏之月律中林鍾黃鍾所生三分減一管率長六寸凡是三管皆火氣應之）其數七（火生數二成數七尚書洪範曰二曰火）其臭焦（凡氣因火變則為焦）

中央黃色入通於脾開竅於口藏精於脾（土精之氣其神意脾為化穀口上逆穀故開竅於口）故病在舌本（脾脈上連於舌本故病氣居之）其味甘其類土（性安靜而化造）其畜牛（土王四季故畜取丑牛又以牛色黃也）其穀稷（色黃而味甘也）其應四時上為鎮星（土之精氣上為鎮星二十八年一周天）是以知病之在肉也（土之柔厚類肉氣故）其音宮（宮土音也律書以黃鍾為濁宮林鍾為清宮蓋以林鍾當六月管也五音以宮為主律呂初起於黃鍾為濁宮林鍾為清宮也）其數五（土數五尚書洪範曰五曰土）其臭香（凡氣因土變則為香）

西方白色入通於肺開竅於鼻藏精於肺（金精之氣其神魄肺藏氣鼻通息故開竅於鼻）故病在背（以肺在背中背為背中之府也）其味辛其類金（性皆堅而堅勁）其畜馬（畜馬者取乾也易曰乾為馬）其穀稻（稻堅白）其應四時上為太

白星（金之精氣上為太白星，三百六十五日一周天）是以知病之在皮毛也（金之堅類皮毛也）其音商（商金聲也孟秋之月律中夷則大呂所生三分減一管率長五寸七分仲秋之月律中南呂太簇所生三分減一管率長五寸三分季秋之月律中無射夾鍾所生三分減一管率長五寸九是三管皆金氣應之）其數九（金生數四成數九尚書洪範曰四曰金）其臭腥（凡氣因金變則為腥羶之氣也）北方黑色入通於腎開竅於二陰藏精於腎（水精之氣其神志腎藏精陰泄注故開竅於二陰也）故病在谿（谿謂肉之小會也氣穴論曰肉之大會為谷肉之小會為谿）其味鹹其類水（性潤下而滲泄）其畜彘（彘豕也）其穀豆（豆黑色）其應四時上為辰星（水之精氣上為辰星三百六十五日一周天）是以知病之在骨也（骨主腎暗骨体内藏以類相同故病居骨也）其音羽（羽水聲也孟冬之月律中應鍾姑洗所生三分減一管率長四寸七分半仲冬之月律中黃鍾仲呂所生三分益一管率長九寸季冬之月律中大呂蕤賓所生三分益一管率長八寸四分九是三管皆水氣應之）其數六（水生數一成數六尚書洪範曰一曰水）其臭腐（凡氣因水變則為腐朽之氣也）故善為脉者謹察五藏六府一逆一從陰陽表裏雌雄之紀藏之心意合心於精（心合精微則深知通變）非其人勿教非其真勿授是謂得道（隨其所能而與）

之是謂得師資教授之道也靈樞經曰明目者可使視色聰耳者可使聽音捷疾辭語者可使論語徐而安靜手巧而心審諦者可使行鍼艾理血氣而調諸逆順察陰陽而兼諸方緩節柔筋而心和調者可使導引行氣疾毒言語輕人者可使唾癰呪病爪苦手毒為事善傷者可使按積抑痺由是則各得其能方乃可行其名乃彰故曰非其人勿教非其真勿授也

陰陽應象大論篇第五

黄帝者陰陽者天地之道也謂變化生成之道也老子曰万物負陰而抱陽冲氣以為和易係辭曰一陰一陽之謂道此之謂也萬物之綱紀滋生之用也陽与之正氣以生陰為之主持以立故為万物之綱紀也陰陽離合論曰陽与之正陰為之主則謂此也變化之父母異類之用也何者然鷹化為鳩田鼠化為鴽腐草化為螢雀入大水為蛤雉入大水為蜃如此皆異類因變化而成者也生殺之本始寒暑之用也万物假陽氣溫而生因陰氣寒而死故知生殺本始是陰陽之所運為也神明之府也府官府也言所以生殺變化之多端者何哉以神明居其中也下文曰天地之動靜神明為之綱紀故易係辭曰陰陽不測之謂神亦謂居其中也治病必求於本陰陽与万類生殺變化猶然在於人身同相參合故治病之道必先求之故積陽為天積陰為地言陰陽為天地之道者何以此陰靜陽躁言應物類運用之標格也陽生陰長陽殺陰藏明前天地生殺之殊用也神農曰天

以陽生陰長也以陽殺陰藏陽化氣。陰成形。明前万物滋生之綱紀也寒極生熱。〻極生寒。
明前引之太体也寒氣生濁。熱氣生清。言正氣也清氣在下。則生飧泄。濁氣在上。
則生䐜脹。熱氣在下則谷不化故飧泄寒氣在上則氣不散故䐜脹何者以陰靜而陽躁也隨冒其物肉脹起也此
陰陽反作。病之逆從也。反謂反復作謂作務反復作務則病如是故清陽為天。濁陰為
地。〻氣上為雲。天氣下為雨。〻出地氣。雲出天氣。陰凝上結則合以成雲陽散下
流則注而為雨〻從雲以施化故言雨出地雲憑氣以交合故言雲出天天地之理且然人身清濁亦如是也故清陽出
上竅。濁陰出下竅。氣本乎天者親上本乎地者親下各從其類也上竅謂耳目鼻口下竅謂前陰後陰也清
陽發腠理。濁陰走五藏。腠理謂滲泄之門故清陽可以散發五藏為包藏之所故濁陰可以走之滲所禁夜
清陽實四支。濁陰歸六府。四支外動故清陽實之六府內化故濁陰歸之水為陰。火為陽。
木寒而靜故為陰火熱而躁故為陽陽為氣。陰為味。氣惟散布故陽為之味曰從形故陰為之味歸形。〻
歸氣。〻歸精。〻歸化。形食味故味歸形氣養形故形歸氣精食精氣歸精化生精故精歸化也故下文曰精
食氣。形食味。氣和則精生味和則形長故云食之也化生精。氣生形。精微之液惟血化而成形質之

有毀氣行營立故斷二者各奉生乎味傷形氣傷精過其節也精化為氣氣傷於味精氣化出則食氣精若化生則不食氣精血內結鬱為癰疽故胃則五味餂然不得入也女人重身精化百日皆傷於味也陰味出下竅陽氣出上竅味有質故下流於便瀉之竅氣無形故上出於呼吸之門味厚者為陰薄為陰之陽氣厚者為陽薄為陽之陰陽為氣氣厚者為純陽陰為味味厚者為純陰故味薄者為陰中之陽氣薄者為陽中之陰味厚則泄薄則通氣薄則發泄厚則發熱陰氣潤下故味厚則泄利陽氣炎上故氣厚則發熱味薄為陰少故通泄氣薄為陽少故汗出發泄謂汗出也壯火之氣衰少火之氣壯火之壯者壯已必衰火之少者少已則壯壯火食氣氣食少火壯火散氣少火生氣氣生壯火故云壯火食氣少火滋氣故云氣食少火以少火食氣故氣得壯火則耗散以少火益氣故氣得少火則生長人之陽氣壯少亦然氣味辛甘發散為陽酸苦涌泄為陰非惟氣味分正陰陽然辛甘酸苦之中復有陰陽之殊氣尔何者辛散甘緩故發散為陽酸收苦泄故涌泄為陰之也陰勝則陽病陽勝則陰病勝則不病不勝則病陽勝則熱陰勝則寒是則大過而致也重寒則熱重熱則寒物極則反亦猶壯火之氣衰少火之氣壯也寒傷形熱傷氣寒則衛氣不利故傷形熱則榮氣內消故傷氣雖陰

成形陽化氣一過其節則形氣被傷
氣傷痛形傷腫
氣傷則熱結於肉分故痛形傷則寒薄於皮腠故腫
故先痛而後腫者。氣傷形也。先腫而後痛者。形傷氣也。
先氣証而病形故曰氣傷形先形証而病氣故曰形傷氣
風勝則動。
風勝則庶物皆搖故為動
熱勝則腫。
熱勝則陽氣內鬱故洪腫暴作甚則榮氣逆於肉理聚為癰腫之膿
燥勝則乾。
燥勝則津液竭涸故皮膚乾燥
寒勝則浮。
寒勝則陰氣結於玄府玄府閉密陽氣內攻故為浮
濕勝則濡寫。
濕勝則內攻於脾胃脾胃受濕則水穀不分水穀相和故大陽傳道而注寫也以濕內盛而寫故謂之濡寫
天有四時五行。以生長收藏。以生寒暑濕燥風。
春生夏長秋收冬藏謂四時之生長收藏冬水寒夏火暑秋金涼春木風長夏土濕謂五行寒暑濕燥風也然四時之氣土雖寄王原其所主則濕屬中央故云五行以生寒暑燥濕風五氣也
人有五藏化五氣。以生喜怒悲憂恐。
五藏謂肝心脾肺腎五氣謂喜怒悲憂恐然是五氣者更傷五藏之和氣矣故之
故喜怒傷氣。寒暑傷形。
喜怒之所生皆生於氣故云喜怒傷氣寒暑之所勝皆勝於形故云寒暑傷形近取諸身則如斯矣細而言之則熱傷於氣寒傷於形
暴怒傷陰。暴喜傷陽。
怒則氣上喜則氣下故暴卒氣上則傷陰暴卒氣下則傷陽
厥氣上行。滿脈去形。
厥氣逆也逆氣上行滿於經絡則神氣浮越去離形骸也
喜怒不節。寒暑過度。生乃

不固靈樞經曰智者之養生也必順四時而適寒暑和喜怒而安居處[illegible]言喜怒不常寒暑過度天真之氣何可久長故重陰必陽重陽必陰言傷[illegible][illegible]者亦如是也故曰冬傷於寒春必病溫夫傷於四時之氣皆能為病以傷寒為毒者最為殺厲之氣中而即病故曰傷寒不即病者寒毒藏於肌膚至春變為溫病至夏變為暑病故養生者必慎傷於邪也春傷於風夏生飧泄風中於表則內應於肝上氣乘脾故飧泄夏傷於暑秋必痎瘧夏暑已甚秋熱復收兩熱相攻故為痎瘧痎瘦也秋傷於濕冬生欬嗽秋濕既多冬水復王水濕相得肺氣又衰故冬寒甚則為嗽帝曰余聞上古聖人論理人形列別藏府端絡經脈會通六合各從其經氣穴所發各有處名谿谷屬骨皆有所起分部逆從各有條理四時陰陽盡有經紀外內之應皆有表裏其信然乎六合謂十二經脈之合也靈樞經曰太陰陽明為一合少陰太陽為一合厥陰少陽為一合手足之脈各三則為六合也手厥陰則心包絡脈也氣穴論曰肉之大會為谷肉之小會為谿肉分之間谿谷之會以行榮衛以會大氣屬骨者為骨相連屬處表裏者諸陽經脈皆為表諸陰經脈皆為裏岐伯對曰東方生風陽氣上騰散為風也風者天之號令風為教始故生自東方風生木風鼓木榮則風生木也木生酸凡物之味酸者皆木氣之所生也[illegible]

書洪範曰曲直作酸酸生肝生謂生長也凡味之酸者皆先生長於肝肝生筋肝之精氣生養筋也筋生心陰陽書曰木生火然肝之木氣內養筋已乃生心肝主目目見曰明類齊同也其在天為玄玄謂玄冥言天色高遠尚未盛明也在人為道道謂道化以道而化人則歸從在地為化化謂造化也庶類時育皆造化者也化生五味萬物生五味具皆變化為母而使生成也道生智智從正化而有故曰道生智玄生神玄冥之內神處其中故曰玄生神神在天為風飛揚散坼風之用也然發而周遠無所不通信乎神化而能爾在地為木柔耎曲直木之性也在體為筋束絡連綴而為力也在藏為肝其神魂也道經義曰魂居肝魂靜則至道不亂在色為蒼蒼謂薄青色象木色也在音為角角謂木音調而直也樂記曰角亂則憂其民怨在聲為呼呼謂叫呼亦謂之嘯在變動為握握所以牽就也在竅為目目所以司見形色在味為酸酸可用收斂也在志為怒怒所以禁非也怒傷肝雖志為怒甚則自傷悲勝怒悲則神金并於肝木故勝怒也宜明五藏論曰精氣并於肺則悲風傷筋風勝則筋絡拘急燥勝風燥為金氣故勝木風酸傷筋過節也辛勝酸辛金味故勝木酸南方生熱陽氣炎燥故生熱熱生火鑽燧改火惟熱是生火生苦凡物之味苦者皆火氣之所生也尚書洪範曰炎上作苦苦生心凡味之苦者皆先生長於心

生血心之精氣生養血也血生脾陰陽書曰火生土然心火之氣內養血已乃生脾土心主舌心別是非舌者
言事故主舌其在天為熱暄暑熾燠熱之用也在地為火炎上翕赩火之性也燄許及交在躰為
脈通行榮衛而養血也在藏為心其神上也道經義曰神處心神守則血氣流通在色為赤象火也在
音為徵徵謂火音和而美也樂記曰徵亂則哀其事勤在聲為笑喜聲也在變動為憂不可以成
務在竅為舌舌所以司辨五味也金匱真言論曰南方赤色入通於心開竅於耳尋其為竅則舌義便乖以其主味故
云舌也在味為苦苦可以用燥泄也在志為喜喜所以和樂也喜傷心盛志為喜甚則自傷恐
勝喜恐則腎水并於心火故勝喜也宣明五氣篇曰精氣并於腎則恐熱傷氣熱勝則喘息促急寒勝熱
寒為水氣故勝火熱苦傷氣以火生也鹹勝苦鹹水味故勝火苦中央生溼陽氣盛薄陰氣固升於隆
相合故生溼也易蒸門陽上薄蔭上能固之然后蒸而為雨則溼生於閩榮之氣也溼生土土溫則固明溫生也土生
甘九物之味甘者皆土氣之所生也尚書洪範曰稼穡作甘甘生脾凡味之甘者皆先生長於脾脾生肉脾之
精氣生養肉也肉生肺陰陽書曰土生金然脾土之氣內養肉已乃生肺金脾生口脾受水谷口納五味故主口
其在天為溼霧散雲雨溼之用也在地為土安靜稼穡土之德也在躰為肉覆裹筋骨充其形也

在藏為脾其神意也意托在司意托脾意宅則知以故在色為黃象土色在音為宮宮謂土音

大而和也樂記曰宮亂則荒其君驕在聲為歌歌嘆聲也在變動為噦噦謂噦噫胃寒所生噦氣折也噦乙

劣反又烏界反在竅為口口所以司納水穀在味為甘甘可用寬緩也在志為思思所以知遠也

思傷脾雖志為思甚則自傷怒勝思怒則不思勝可知矣濕傷肉脾主肉而惡濕故濕勝則肉傷風勝

濕風為木氣故勝土濕甘傷肉亦過節也酸勝甘酸木味故勝土甘西方生燥天氣急切故生燥

燥生金金燥有聲則生金也金生辛凡物之味辛者皆金氣之所生也尚書洪範曰從革作辛辛生肺凡味

之辛者皆先生長於肺肺生皮毛肺之精氣生養皮毛皮毛生腎陰陽書曰金生水然肺金之氣養皮毛已

乃生腎水肺主鼻肺藏氣鼻通息故主鼻其在天為燥輕急勁強燥之用也在地為金堅过從革

金之性也在體為皮毛包藏膚腠扞其邪也在藏為肺其神魄也道經義曰魄在肺魄安則德修壽延在

色為白象金色在音為商商謂金聲輕而勁也樂記曰商亂則陂其宮壞在聲為哭哭哀聲也在

變動為欬欬謂欬嗽所以利咽喉也在竅為鼻鼻所以司呼吸在味為辛辛可用散潤也在

志為憂憂深慮也憂傷肺雖志為憂過則損也喜勝憂喜則心火并肺金故勝憂也宣明五氣篇曰精氣并

於心則喜辛熱傷皮毛熱從火生耗津液故寒勝熱陰制陽也辛傷皮毛過而招損苦勝辛苦火
來故勝金辛北方生寒陰氣發則故生寒也寒生水寒氣盛疑變為水水生鹹凡物之味鹹者皆水
氣之所生也尚書洪範曰潤下作鹹鹹生腎凡味之鹹者先生長於腎腎生骨髓腎之精氣生養骨髓髓
生肝陰陽書曰水生木然腎水之氣養骨髓乃生肝木腎主耳腎所屬北方位居內猶聲入故主耳其在天
為寒寒藏沍滲列寒之用也在地為水清潔潤下水之用也在體為骨強直貞幹以立身也在藏為
腎其神志也道經義曰志藏腎七志苦則骨髓滿實在色為黑象水色在音為羽羽謂水音沈而深也禮記
曰羽亂則危其財匱在聲為呻呻吟聲也在變動為慄慄謂戰慄甚寒大恐而悉有之在竅為耳
耳所以司所五音在味為鹹鹹可用滲泄也在志為恐恐所以懼懾也恐傷腎恐而不已則內感於
腎故傷也靈樞經曰恐懼而不解則傷精明感傷也思勝恐思深慮遠則見事源故勝恐也寒傷血寒則血凝傷可
知也燥勝寒燥從熱生故勝寒也鹹傷血食鹹而渴傷血可知甘勝鹹甘土味故勝水鹹故曰天
地者萬物之上下也覆上其依載而万物之上下可知矣陰陽者血氣之男女也陰生
血陽主氣陰生故陽生男左右者陰陽之道路也陰陽間氣左右循環故左右為陰陽之道路也水火

者陰陽之徵兆也觀水火之氣則陰陽徵兆可明矣陰陽者萬物之能始也謂能為變化生成之元始故曰陰在內陽之守也陽在外陰之使也陰靜故為陽之鎮守陽動故為陰之役使帝曰法陰陽奈何岐伯曰陽勝則身熱腠理閉喘麤為之俛仰汗不出而熱齒乾以煩冤腹滿死能冬不能夏陽勝故能冬熱甚故不能夏奴代反下能形能並同上陰勝則身寒汗出身常清數慄而寒寒則厥厥則腹滿死厥謂氣逆能夏不能冬陰勝故能夏寒甚故不能冬此陰陽更勝之變病之形能也帝曰調此二者奈何調謂順天癸性而治身之血氣精氣也岐伯曰能知七損八益則二者可調不知用此則早衰之節也用謂房色也女子以七七為天癸之終丈夫以八八為天癸之終然知八可益知七可損則各隨氣分修養天真終其天年以度百歲上古天真論曰女子二七天癸至月事以時下丈夫二八天癸至精氣溢寫然陰七可損則海滿而血自下陽八可益宜交會而泄精由此則七損八益可知年四十而陰氣自半也起居衰矣內耗故陰減中乾故氣力始衰靈樞經曰人年四十腠理始疏榮華頹落髮頒白由此之節言之亦起居衰之次也年五十體重耳目不聰明矣衰之漸也年六十陰

痿氣大衰九竅不利下虛上實涕泣俱出矣衰之甚矣故曰知之則強
不知則老知謂知七損八益全形保性之道也故同出而名異耳同謂同於好欲異謂異其老壯之名
智者察同愚者察異智者察同欲之間而能性道愚者見形容別異方乃效之自性則道益有余放效則治生
不足故下文曰效也兩反愚者不足智者有餘先行故有餘後學故不足有餘則耳目聰明
身體輕強老者復壯〻者益治夫保性全形蓋由知道之所致也故曰道者不可斯須離可離非道
此之謂也是以聖人為無為之事樂恬憺之能從欲快志於虛無之守
故壽命無窮與天地終此聖人之治身也聖人不為無益以害有益不為害性而順性所以
壽命長遠與天地終庚桑楚曰聖人之於声色滋味也利於性則取之害於性則捐之此全性之道也書曰不作無益害有益天
不足西北故西北方陰也而人右耳目不如左明也在上故法天地不
滿東南故東南方陽也而人左手足不如右強也在下故法地帝曰何
以然岐伯曰東方陽也陽者其精并於上并於上則上明而下虛
故使耳目聰明而手足不便也西方陰也陰者其精并於下并於

下則下盛而上虛故其耳目不聰明而手足便也故俱感於邪其
在上則右甚在下則左甚此天地陰陽所不能全也故邪居之夫陰
陽之應天地猶水之在器也器圓則水圓器曲則水曲人之血氣亦如是故隨不足則邪氣留居之并去聲故天有精
地有形天有八紀地有五里陽為天降精氣以施化陰為地布和氣以成形五行為生育之井里八風
謂變化之綱紀八紀為八節之紀五紀謂五行化育之里故能為萬物之父母陽天化氣陰地成形五里運行
八風鼓折收藏生長無替時宜夫如是故能為萬物變化之父母也清陽上天濁陰歸地所以能為萬物之父
母者何以有是之升降也是故天地之動靜神明為之綱紀清陽上天濁陰歸地然其動靜誰所主
司蓋由神明之綱紀爾上文曰神明之府若此之謂也故能以生長收藏終而復始神明之運為乃
能如是惟賢人上配天以養頭下象地以養足中傍人事以養五藏
頭圓以配天足方故象地人事更易五藏遞遷故從而養也天氣通於肺〇居高故地氣通於嗌〇次下
故益伊其交風氣通於肝〇風生木故雷氣通於心〇雷象火之有聲故谷氣通於脾〇谷空
壹個交紬故雨氣通於腎〇腎生水故六經為川〇流之不息故腸胃為海〇以皆受納[illegible]

曰胃爲水穀之海 九竅爲水注之氣 清明者象水之內明流注者象水之流注 以天地爲之陰陽 以人事配象則近指天地以爲陰陽 陽之汗以天地之雨名之 夫人汗泄於皮腠者是陽氣之發泄爾然其取類於天地之間則雲騰雨降而相似也故曰陽之汗以天地之雨名之 陽之氣以天地之疾風名之 陽之散發疾風飛揚故以應之舊經無名之二字尋前類例故加之 暴氣象雷 暴風鼓擊鳴轉有之故 逆氣象陽 逆氣陵上陽氣亦然 故治不法天之紀不用地之理則災害至矣 背天之紀違地之理則六經反作五氣更傷真氣既傷則災害之至可知矣 故邪風之至疾如風雨 至謂至於身形也 故善治者治皮毛 止於萌也 其次治肌膚 救其已生 其次治筋脈 攻其已病 其次治六府 治其已 其次治五藏治五藏者半死半生也 治其已成神衰已病勢已成可得半愈然初成者獲愈固久者伐形故治五藏者半死半生也 故天之邪氣感則害人五藏 四時之氣八正之風皆天邪也金匱真言論曰八風發邪以爲經風觸五藏邪氣發病故天之邪氣感則害人五藏 水穀之寒熱感則害於六府 熱傷胃及膀胱寒傷腸及膽氣 地之溫氣感則害皮肉筋脈 溫氣勝則榮衛之脈不行故感則害於皮肉筋脈也 故善用鍼者從陰引陽從陽引陰以右

治左以左治右以我知彼以表知裏以觀過與不及之理見微則
過用之不殆深明故也善診者察色按脈先別陰陽別於陽者則知病處別於陰者則知
死生之期審清濁而知部分謂察色之青黃赤白黑也部分謂藏府之位可占候也觀喘息聽音聲
而知所苦謂聽聲之宮商角徵羽也視喘息謂候呼吸之長短也觀權衡規矩而知病所主
權謂秤權衡謂星衡規謂員形矩謂方象焉權也者所以察中外衡也者所以定高卑規也者所以表柔虛矩也者所以明強盛脈
要精微論曰以春應中規言陽氣柔耎以夏應中矩言陽氣盛強以秋應中衡言陰升陽降氣有高下以冬應中權言陽氣居下也
故善診之用必備見焉所主者謂應四時之氣所生生病之在高下中外應也按尺寸觀浮沉滑濇而知
病所生以治浮沉滑濇皆脉象也浮脉者浮於手下也沉脉者按之乃得也滑脉者往來易濇脉者往來難故尺寸
觀浮沉而知病之所生以治之也無過於診則不失矣有過之過謂以診之則所主治之誤失也故曰
病之始起也可刺而已以輕引也其盛可待衰而已病盛取之毀傷真氣故其盛者必可
待衰故因其輕而揚之輕者發揚則邪去因其重而減之重者則減去之因其衰而
彰之因病氣衰攻令邪去則真氣堅固血色彰明形不足者溫之以氣精不足者補之

十二

以味氣謂衛氣味謂五穀之味也靈樞經曰衛氣者所以溫分肉而充皮膚肥腠理而司開闔故衛氣溫則形分足矣上古天真論曰腎者主水受五藏六府之精而藏之故五藏盛乃能寫由此則精不足者補五藏之味也其高者因而越之越謂越揚也其下者引而竭之引謂泄引也中滿者寫之於內內謂腹內其有邪者漬形以為汗邪謂風邪之氣風中於表則汗而發之漬疾賜反其在皮者汗而發之在外故汗發泄也其慓悍者按而收之慓疾也悍利也氣候疾利則按之以收斂也慓必遙反悍侯旰其實者散而寫之陽實則發散陰實則宜寫故下文曰審其陰陽以別柔剛陰曰柔陽曰剛陽病治陰陰病治陽所謂從陰引陽從陽引陰以右治左以左治右者也定其血氣各守其鄉鄉謂本經之氣位血實宜決之決謂決破其血氣虛宜掣引之掣讀為導導引則氣行條暢

●陰陽離合論篇第六

黃帝問曰余聞天為陽地為陰日為陽月為陰大小月三百六十日成一歲人亦應之以四時五行運用於內故人亦應之今三陰三陽不應陰陽其故何也岐伯對曰陰陽者數之可十推之可百數之可千推之可

萬之大不可勝數，然其要一也。一謂離合也，雖不可勝數，然其要妙，以離合推步，悉可知之。天覆地載，萬物方生，未出地者，命曰陰處，名曰陰中之陰；處陰之中，故曰陰處。形未動出，亦是為陰，以陰居陰，故曰陰中之陰。則出地者，命曰陰中之陽。形動出者，是則為陽，以陽居陰，故曰陰中少陽。陽予之正，陰為之主。陽施正氣，萬物方生；陰為主持，羣形乃立。予音預。故生因春，長因夏，收因秋，藏因冬，失常則天地四塞。春夏為陽，故生長也；秋冬為陰，故收藏也。若失其常道，則春不生，夏不長，秋不收，冬不藏，夫如是則四時之氣閉塞，陰陽之氣無所運行矣。陰陽之變，其在人者，亦數之可數。天地陰陽，雖不可勝數，在於人形之用者，則數可知之矣。帝曰：願聞三陰三陽之離合也。岐伯曰：聖人南面而立，前曰廣明，後曰太衝。廣，大也。南方丙丁，火位主之，陽氣盛明，故曰大明也。嚮明治物，故聖人南面而立。易曰：相見乎離。蓋謂此也。然在人身中，則心藏在南，故謂前曰廣明。衝脈在北，故謂后曰太衝。然大衝者，腎脈與衝脈合而盛大，故曰大衝。是以下文曰：太衝之地，名曰少陰。此正明兩脈相合而為表裏也。少陰之上，名曰太陽。腎藏為陰，膀胱府為陽，陰氣在下，陽氣在上，此為一合之經氣也。靈樞經曰：足少陰之脈者，腎脈也，起於小指之下，斜趣足心。次文曰：足太陽之脈者，膀胱脈也，循京骨至小指外側。由此故陰之上名太陰也是以下文曰太陽根起於至陰結於命門名曰陰中之陽至陰穴名在足少指外側命門者藏精光照之所則所目也太陽之脉起於目而下至於足故根於指端結於目也靈樞經曰命門者目也此与靈樞文合以太陽居少陰之地故曰陰中之陽中身而上名曰廣明廣明之下名曰太陰靈樞經曰天為陽地為陰腰以上為天腰以下為地分身之旨則中身之上屬於廣明廣明之下屬太陰也又心為廣明藏下則太陰脾藏也太陰之前名曰陽明人身之中胃為陽明脉行在脾脉之前脾為太陰脉行於胃脉之后靈樞經曰足太陰之脉者脾脉也起於大指之端循指內側白肉際過核骨后上內踝前廉上踹內循胻骨之后足陽明之脉者胃脉也下膝三寸而別以下入中指外間山此故太陰之前名陽明也兌以下文曰厲市交反陽明根起於厲兌名曰陰中之陽厲兌穴名在足大指次指之端以陽明居太陰之前故曰陰中之陽厥陰之表名曰少陽人身之中膽少陽脉行肝脉之分外肝厥陰脉行膽脉之位內靈樞經曰足厥陰脉者肝脉也起於足大指聚毛之際上循足跗上廉足少陽之脉者膽脉也循足跗上出小指次指之端出此則厥陰之表名少陽也故下文曰鬪前無反少陽根起於竅陰名曰陰中之少陽竅陰穴名在足小指次指之端以少陽居厥陰之表故曰陰中之少陽是故三陽之離合也太陽為開陽明為闔少陽為樞離謂別離應用合謂配合於陰

則正位於三陽配合則表裏而為藏府矣開闔樞者言三陰之氣多少不等動用殊也夫開者所以司動靜之基闔者所以執禁固之權樞者所以主動轉之微由斯殊氣之用故此三變之也

三經者不得相失也。搏而勿浮命曰一陽。三經之至搏擊於手而無輕重之異則正可謂一陽之氣无復有三陽差降為用也

帝曰願聞三陰。岐伯曰外者為陽。內者為陰。言三陽為外運之離合三陰為內用之離合也

然則中為陰。其衝在下。名曰太陰。衝脈在脾之下故言其衝在下也靈樞經曰衝脈者與足少陰之絡皆起於腎下出上行者過於胞中由此則其衝之上太陰位也

太陰根起於隱白。名曰陰中之陰。隱白穴名在足大指端以太陰居陰故曰陰中之陰

太陰之後。名曰少陰。藏位及經脈之次也太陰脾也少陰腎也脾藏之下近后則腎之位也靈樞經曰足太陰之脈起於大指之端循指內之側及上內踝前廉上踹內循胻骨后定少陰之脈起於小指之下科趍足心出於然骨之下循內踝后以上踹內由此則太陰之下名少陰也腨音行

少陰根起於涌泉。名曰陰中之少陰。涌泉穴名在足心下踡指宛宛中踡音權

少陰之前。名曰厥陰。亦藏位及經脈之次也少陰腎也厥陰肝也腎藏之前近上則肝之位也靈樞經曰足少陰脈循內踝之后上踹內廉足厥陰脈循足跗上廉去內踝上寸下踝八寸交出太陰之后上膕內由此故少陰之前名厥陰也

厥陰根起於大敦。陰之絕陽。名

曰陰之絕陰大敦穴名在足大指之端三毛之中也兩陰相合故曰陰之絕陽厥盡也陰氣至此而盡故名曰陰之絕陰是故三陰之離合也太陰為開厥陰為闔少陰為樞亦氣之二不特也三經者不得相失也搏而勿沉名曰一陰沉言殊見也陽浮亦然若經氣並至無浮沉之異則悉可謂入陰之氣非復有三陰差降之殊用也陰陽衝衝積傳為一周氣裏形表而為相成也衝衝言氣之往來積謂積脉之動也傳謂陰陽之氣流傳也夫脉氣往來動而不止積其所動氣血循環水下二刻而一周於身故曰積傳為一周也然榮衛之氣因息遊布周流形表拒捍虛邪中外主司互相成立故言氣裏形表而為相成也[illegible]一本作衝上

●陰陽別論篇第七

黃帝問曰人有四經十二從何謂經謂經脉從謂順從岐伯對曰經應四時春脉弦夏脉洪秋脉浮冬脉沉謂四時之經脉也從謂天十二從應十二月十二月應十二脉氣順行十二辰之分故應十二月也十二月謂春建寅卯辰夏建巳午未秋建申酉戌冬建亥子丑之月也十二脉謂手三陰三陽足三陰三陽之脉也以氣數相應故參合之脉有陰陽知陽者知陰知陰者知陽深知[illegible]

[illegible]其変易

凡陽有五，五五二十五陽。

五陽謂五藏之陽氣也五藏應時各形一脈一脈之內包總五藏之陽五五所乘故二十五陽也

所謂陰者真藏也見則為敗敗必死也

五藏為陰故曰陰者真藏也然見者謂肝脈至中外急如循刀刃責責然如按琴瑟弦心脈至堅而搏如循薏苡子累累然肺脈至大而虛如以毛羽中人膚腎脈至搏而絕如以指彈石辟辟然脾脈至弱而乍數乍疏夫如是脈見者皆為藏敗神去故必死也累力追反

所謂陽者胃脘之陽也

胃脘之陽謂人迎之氣也察其氣脈動靜小大與脈口應否也胃為水谷之海故候其氣而知病處人迎在結喉兩傍脈動應手其脈之動常左小而右大左小常以候藏右大常以候府一云胃包之陽非也脘音管

別於陽者知病處也別於陰者知死生之期

陽者衛外而為固然外邪所中別於陽則知病處陰者藏神而內守若考其正成敗別於陰則知病者死生之期

三陽在頭三陰在手所謂一也

頭謂人迎守謂氣口兩者相應俱往俱來若引繩小大齊等者名曰平人故言所謂一也氣口在手魚際之後一寸人迎在結喉兩傍一寸五分皆可以候藏府之氣

別於陽者知病忌時別於陰者知死生之期

識氣定期故知病忌審明成敗故知死生之期

謹熟陰陽無與眾謀

謹量氣候精熟陰陽病忌之準可知生死之疑自決正行無惑何用衆謀議也

所謂陰陽者去者為陰至者為陽靜者為陰動者為

陽遲者為陰數者為陽言脉動之中也凡持真脉之藏脉者肝至懸絕急
十八日死心至懸絕九日死肺至懸絕十二日死腎至懸絕七日
死脾至懸絕四日死真脉之藏脉者謂真藏之脉也十八日者金木成數之餘也九日者水火生成數之餘也
十二日者金火生成數之餘也七日者水土生數之餘也四日者木生數之餘也故平人氣象論曰肝見庚辛死心見壬癸死肺見
丙丁死腎見戊己死脾見甲乙死者以此如是者以皆至所期不勝而死也向者以不勝尅賊之氣也曰二陽之病發
心脾有不得隱曲女子不月二陽謂陽明大腸及胃之脉也隱曲謂隱蔽委曲之事也夫腸胃發病心
脾受之心受之則血不流脾受之則味不化血不流故女子不月味不化則男子少精是以隱閉委曲之事不能為也陰陽應象大
論曰精不足者補之以味由是則味不化而精氣少也奇病論曰胞絡者係於腎又評熱病論曰月事不來者胞脉閉胞脉者屬於
心而絡於胞中令氣上迫肺心氣不得下通故月事不來則其義也又上古天真論曰女子二七天癸至任脉通太衝脉盛月事以
時下丈夫二八天癸至精氣溢寫由此則在女子為不月在男子為少精其傳為風消其傳為息賁者
死不治言其深久者也胃病深久傳入於脾故為風熱以消削大腸病甚傳入於肺為喘息而上賁然腸胃脾肺兼及於心
二藏二府互相尅薄故死不治賁音奔曰三陽為病發寒熱下為癰腫及為痿厥腨

陽三陽謂大腸小腸及膀胱之脈也小腸之脈起於手循臂繞肩髆入循上頭膀胱之脈從頭別下背貫臀入膕中循腨故在上為病則發寒熱在下為病則為癰腫腨痛及為痿厥痟酸疼也痿無力也厥足冷即氣逆也腨時究反痟烏究反䐃古或反其傳為索澤其傳為頹疝熱甚則精血枯涸故皮膚潤澤之氣皆散盡也然陽氣下墜陰脈上爭上爭則寒多下墜則筋緩故睪垂縱緩內作頹疝睪音臯曰一陽發病少氣善欬善泄一陽謂少陽膽及三焦之脈也膽氣乘胃故善泄三焦內病故少氣陽上熏肺故善欬何故心火內應而然其傳為心掣其傳為膈膽氣乘心心熱故陽氣內掣三焦內結中熱故膈塞不便掣尺制反也二陽一陰發病主驚駭背痛善噫善欠名曰風厥一陰謂厥陰心主及肝之脈也心主之脈起於胷中出屬心經云心病膺背肩胛間痛又在氣為噫故背痛善噫心氣不足則腎氣乘之肝主驚駭故驚駭善欠夫肝氣為風腎氣陵逆既風又厥故名風厥二陰一陽發病善脹心滿善氣二陰謂少陰心腎之脈也腎膽同逆三焦不行氣稸於上故心滿下虛上盛故氣泄出者也三陽三陰發病為偏枯痿易四支不舉三陰不足則發偏枯三陽有余則為痿易謂变易當用而痿弱無力也鼓一陽曰鉤鼓一陰曰毛鼓陽勝急曰弦鼓陽至而絕曰石陰陽相過曰溜言何以知陰陽之病脈邪一陽鼓動脈見也何以然一陽謂三焦心脈之府然一陽鼓

動者則鈎脉當之鈎脉則心脉也凡言正見者也一陰厥陰肝木氣也毛脉金脉也金來鼓木其脉則毛金氣內乘木陽尚勝急而內見脉則為弦也若陽氣至而急脉名曰弦屬肝陽氣至而或如斷絕脉名曰石屬腎陰陽之氣相過無能勝負則脉如水之溢也

陰爭於內陽擾於外○魄汗未藏四逆而起○起則熏肺使人喘鳴若金故不已陽氣大勝兩氣相持內爭外擾則流汗不止手足反寒甚則陽氣內盛流汗不藏則熱攻於肺故起則熏肺使人喘鳴也

陰之所生○和本曰和○陰謂五神藏也言五藏之所以能生而至天真和氣者以各得自從其和性而安靜爾苟乖所適則為他氣所乘百端之病由斯而起奉生之道可不慎哉

是故剛與剛○陽氣破散陰氣乃消亡○剛謂陽也言陽氣內蒸外為流汗灼而不已則陽勝又陽故盛不以存也而陽氣自散陽已破敗陰不獨存故陽氣破散陰氣亦消亡此乃爭勝招敗也

淖則剛柔不和○經氣乃絕○血淖者陽常勝況人之血淖者宜謹和其義常使流通若不能深思寤欲使氣序不衰陽為重陽攻盛藏府則死且可待生其可久乎

死陰之屬不過三日而死○火乘金也生陽之屬不過四日而死○木乘火也所謂生陽死陰者肝之心謂之生陽母來親子故曰生陽匪惟以木生火亦自陽氣主生爾心之肺謂之死陰陰之制柔火復乘金匕得火亡故云死肺之腎謂之重陰亦母子也以俱為陰氣故曰重陰腎之脾謂之

辟陰死不治（土氣辟則水乃可升土辟水升故云辟水）結陽者腫四支（以四支爲諸陽之本故）結陰者便血一升（脉生血故）再結二升三結三升（二盛謂之再結三盛謂之三結）陰陽結斜多陰少陽曰石水少腹腫（所謂失法）二陽結謂之消（二陽結謂胃及大腸俱熱結也腸胃藏熱則喜消水谷）三陽結謂之隔（三陽結謂小腸膀胱熱結也小腸結熱則血脉燥膀胱熱則津液涸故隔塞而不便寫）三陰結謂之水（三陰結謂脾肺之脉俱寒結也脾肺寒結則氣化爲水）一陰一陽結謂之喉痹（一陰謂心主之脉一陽謂三焦之脉也三焦心主脉並絡喉氣熱内結故爲喉痹痹音閉）陰搏陽别謂之有子（陰謂尺中也搏謂搏觸於手也尺脉搏擊與寸口殊别陽氣挺然則爲有任之兆可者陰中有别脉故任去声）陰陽虛腸辟死（辟陰也然胃氣不留腸開勿禁陰中不廪是真氣竭絶故死）陽加於陰謂之汗（陽在下陰在上陽氣上搏陰能同之則蒸而爲汗）陰虛陽搏謂之崩（陰脉不足陽脉盛搏則内崩而血流下）三陰俱搏二十日夜半死（脾肺成数之余也搏謂伏鼓異於常候也陰氣盛及故夜半死）二陰俱搏十三日夕時死（心腎之成数也陰氣未極故死在夕時）一陰俱搏十日平旦死（脉小成之心数也）三陽俱搏且鼓三日死（陽氣速急故）三陰三陽俱搏心腹滿發

盡不得隱曲五日死兼水氣也隱曲謂便寫也二陽俱搏其氣遊死不治不過十日死[illegible]之[illegible]也

校正內經素問卷終

京本解註釋文黄帝内經素問卷之二

●靈蘭秘典論篇第八

黄帝問曰願聞十二藏之相使貴賤何如（藏匕也言腹中之所藏者非復有十二形神之藏也）岐伯對曰悉乎哉問也請遂言之心者君主之官也神明出焉（任治於物故言君主之官清淨栖靈故曰神明出焉）肺者相傅之官治節出焉（位高非君故官為相傅主行榮衛故治節由之）肝者將軍之官謀慮出焉（勇而能斷故曰將軍潜發未萌故謀慮出焉）膽者中正之官決斷出焉（剛正果決故官爲中正直而不疑故決斷出焉）膻中者臣使之官喜樂出焉（膻中者在胸中兩乳間爲氣之海然心主爲官以陳宣教令膻中主氣以氣布陰陽氣和志適則喜樂由生分布陰陽故官爲之使也膻徒亶反）脾胃者倉廩之官五味出焉（包容五穀是爲倉廩之官營養四旁故云五味出焉廩力稔反）大腸者傳道之官變化出焉（傳道謂傳不潔之道變化謂變化物之形故云傳道之官變化出焉）小腸者受盛之官化物出焉（承奉胃司受盛糟粕受已復化傳入大腸故云受盛之官化物出焉盛音成）腎者作強之官伎巧出焉（強於作用故曰作強造化形容故云伎巧在女則當其伎

巧在男則正相作強三焦者決瀆之官水道出焉引導陰陽開通閉塞故官司決瀆水道出焉膀
胱者州都之官津液藏焉氣化則能出矣位當孤府故謂都官居下內空故藏津液若得
氣海之氣施化則溲便注泄氣海之氣不及則閟隱不通故曰氣化則能出矣靈樞經曰腎上連肺故將兩藏膀胱是孤府則此之
謂也溲所鳩下小便也凡此十二官者不得相失也失則災害至故不得相失故主明則
下安以此養生則壽歿世不殆以為天下則大昌主謂君主心之宮也夫主賢明
則刑賞一刑賞一則吏奉法吏奉法則民不獲罪於枉濫矣故主明則天下安也夫心內明則銓善惡銓善惡則察安危察安危則
身不夭傷於非道矣故以此天傷則壽沒世不至於危殆矣然施之於養生沒世不殆施之於君主天下獲安以其為天下主則國
祚昌盛矣主不明則十二官危使道閉塞而不通形乃大傷以此養生
則殃以為天下其宗大危戒之戒之使道謂神氣行使之道也夫心不明則邪正一邪正一則
損益不分損益不分則動之凶咎陷身於羸瘵矣故形乃天傷以此養生則殃也夫主不明則委於左右委於左右則權
勢妄行則吏不得奉法吏不得奉法則人民失所而皆受枉曲矣且人惟邦本本固邦寧本不獲安國將何有宗廟之立安有不至
於傾危乎故曰戒之戒之者言深慎也瘠音即至道在微變化無窮孰知其原孰誰也言至道之用

也小之則微妙而細無不入大之則廣遠而變化無窮然其淵源誰所知察窘乎哉消者瞿瞿孰知其要閔閔之當孰者為良窘要也瞿瞿勤勤也人身之要者道也然以消息異同求諸物理而欲以此知變化之原本者雖瞿瞿勤勤以求明悟然其要妙誰得知乎既未得知轉成深遠閔閔玄妙復不知誰者為善知其要妙哉玄妙深遠固不以理求而可得近取諸身則十二官粗可探尋而為治身之道爾閔閔深遠也良善也恍惚之數生於毫氂恍惚者謂似有似無也忽亦數也似無而有而毫氂之數生於其中老子曰恍恍惚惚其中有物此之謂也莽書曰似有似無為惚毫氂之數起於度量千之萬之可以益大推之大之其形乃制毫氂雖小積而不已命數乘之則起至於尺度斗量之絕準千之萬之亦可增益而至載之大數推引其大則應動人形之制度者也

黃帝曰善哉余聞精光之道大聖之業而宣明大道非齋戒擇吉日不敢受也深敬故也韓康伯曰洗心曰齋防患曰戒黃帝乃擇吉日良兆而藏靈蘭之室以傳保焉祕之至也

◎六節藏象論篇第九

黃帝問曰余聞天以六六之節以成一歲人以九九制會計人亦

有三百六十五節以爲天地久矣不知其所謂也六六之節謂六竟於六甲之日以成一歲之節限九九制會謂九周於九野之數以制人形之會通也言人之三百六十五節以應天之六六之節久矣若復以九九爲紀法則兩歲大半乃曰一周不知其法真源安謂也岐伯對曰昭乎哉問也請遂言之夫六六之節九九制會者所以正天之度氣之數也六六之節天之度也九九制會天之數也所謂氣數者生成之氣也周天之分凡三百六十五度四分度之一以十二節氣均之則氣有三百六十日而終兼之小日日又不此其數矣是以六十四氣而常置閏焉何者以其積差分故也天地之生育本阯於陰陽人神之運爲始終於九氣然故之爲用豈不大哉律書曰黃鍾之律管長九寸冬至之日氣應灰飛由此則萬物之生咸因於九氣矣古之九寸即今之七寸三分大小不同以其先秬黍之制而有異也天度者所以制日月之行也氣數者所以紀化生之用也制謂準度紀謂綱紀準日月之行度者所以明日月之行遲速也紀化生之爲用者所以彰氣至而斯應也氣應無差則生成之理不替遲速以度大小之月生焉故日異長短月移寒暑收藏生長無失時宜也天爲陽地爲陰日爲陽月爲陰行有分紀周有道理日行一度月行十三度而有奇焉故大小月三百六十五日而成歲積氣餘而盈閏矣日行遲故

晝夜行天之一度而三百六十五日一周天而猶有度之奇分矣月行速故晝夜行天之十三度余而二十九日一周天也言有奇者謂十三度外復行十九分度之七故云月行十三度而有奇也禮義及漢律曆志云二十八宿及諸星皆從東而循天西行日月及五星皆從西而循天東行今太史說云並循天而東行從東而西轉也諸曆家說月一日至四日月行最疾日夜行十四度余自五日至八日行次疾日夜行十二度余自九日至十九日其行遲日夜行十二度余二十日至二十三日行又小疾日夜行十三度余二十四日至晦日行又大疾日夜行十四度余今太史說月行之率不如此矣月行有十五日前疾有十五日後遲者有十五日前遲有十五日後疾者大率一月四分之而皆有遲疾遲速之度固無常準矣雖爾終以二十七日月行一周天凡行三百六十一度二十九日日行二十九度月行三百八十七度少七度而不及日也至三十日日復遷計率至十三分日之八月方及日矣此大盡之月也大率其計率至十三分日之半者亦大盡法也其計率至十三分日之五之六而及日者小盡之月也故云大小月三百六十五日而成歲也正言之者三百六十五日四分日之一乃一歲法以奇不成日故舉大以言之若通以六小為法則歲止有三百五十四日歲少十一日余矣取月所少之辰加歲外余之日故從閏後三十二日而盈閏焉尚書曰期三百有六旬有六日以閏月定四十成歲則其義也積余盈閏者盡以月之大小不盡天度故也**立端於始表正於中推餘於終而天度畢矣**退位也言立首氣於初節之日示斗建於月半之

端首也始初也表彰示也正斗建也中月半也推

辰辰節閏於相望之後是以閏之前則氣不及月閏之后則月不及氣故常月之制建初立中閏月之紀無初無中縱曆有之皆他
節氣也故曆元云其候閏某月節閏其月中也推中之義斯可知乎故曰立端於始表正於中推餘於中也由斯推日成閏故主令
天度畢焉帝曰余已聞天度矣願聞氣數何以合之岐伯曰天以六六
為節地以九九制會天有十日日六竟而周甲甲六復而終歲三
百六十日法也十日謂甲乙丙丁戊己庚辛壬癸之日也十者天地之至數也易係辭曰天九地十則其義也六十
日而周甲子之數甲子六周而復始則終一歲之日是三百六十日之歲法非天度之數也此蓋十二月各三十日者若除小月其
日又差也夫自古通天者生之本本於陰陽其氣九州九竅皆通乎天
氣通天謂元氣即天真也然形假地生命惟天賦故奉生之氣通係於天稟於陰陽而為根本也宝命全形論曰人生於地懸命
於天天地合氣命之曰人四氣調神大論曰陰陽四時者万物之終始也死生之本也又曰逆其根則伐其本壞其真矣此其義也
九州謂冀兗青徐揚荊豫梁雍也然地列九州人施九竅精神往復氣與參同故曰九州九竅也靈樞經曰地有九州人有九竅則
其義也先言其氣者謂天真之氣常係屬於中也天氣不絕真靈內屬行藏動靜悉與天通故曰皆通乎天氣也故其生
五其氣三形之所存假五行而運用徵其本始從三氣以生成故云其生五其氣三也氣之三者亦副三元故下文曰○

三而成天，三而成地，三而成人。非惟人獨由三氣以生，天地之道亦如是矣。故易乾坤諸卦皆必三矣。三而三之，合則為九，九分為九野，九野為九藏。九野者，應九藏而為義也。爾雅曰：邑外為郊，郊外為甸，甸外為牧，牧外為林，林外為坰，坰外為野。則此之謂也。故形藏四，神藏五，合為九藏以應之也。形藏四者，一頭角，二耳目，三口齒，四胸中也。形分於外，故以名焉。神藏五者，一肝，二心，三脾，四肺，五腎也。神藏於內，故以名焉。所謂神藏者，肝藏魂，心藏神，脾藏意，肺藏魄，腎藏志也。故此二別爾乎者，宜詳究之。帝曰：余已聞六六九九之會也，夫子言積氣盈閏，願聞何謂氣？請夫子發蒙解惑焉。精宣揚旨要，啓所未聞，解疑惑者之心，開蒙昧者之耳，令其曉達，咸使深明。岐伯曰：此上帝所秘，先師傳之也。上帝則上古帝君也。先師，岐伯祖之師僦貸季，上古之理色脈者也。移精變氣論曰：上古使僦貸季理色脈而通神明。八素經序云：天師對黃帝曰：我於僦貸季理色脈已三世矣。言可知乎。僦，即就反。帝曰：請遂聞之。遂迅。岐伯曰：五日謂之候，三候謂之氣，六氣謂之時，四時謂之歲，而各從其主治焉。日行天之五度，則五日也。三候正十五日也。六氣凡九十日，正三月也。設其多之矣，故十八候為六氣，六氣謂之時也。四時凡三百六十日，故曰四時謂之歲也。各從主治，謂一歲之日各從其五行之一氣而為之主以王也。故下文

四

曰五運相襲而皆治之終朞之日周而復始時立氣布如環無端
候亦同法故曰不知年之所加氣之盛衰虛實之所起不可以爲
工矣五運謂五行之氣應天之運而主化者也襲謂承襲如嫡之承襲也言五行之氣父子相承主統一周之日常如是無已
周而復始也時謂立春之前當至時也氣謂當王之脉氣也春前氣至脉氣亦至故曰時立氣布也候謂日行五度之候也言一候
之日亦五氣相生而直之差則病矣移精變氣論曰上古使僦貸季理色脉而通神明合之金木水火土四時八風六合不離其常
此之謂也工謂工於脩養者也言必明於此乃可横行天下矣帝曰五運之始如環無端其大過
不及何如岐伯曰五氣更立各有所勝盛虛之變此其常也言盛虛之
變見此乃天之常道爾帝曰平氣何如岐伯曰無過者也不愆常候則無過也帝曰大
過不及奈何岐伯曰在經有也言玉機真藏論篇具言五氣平和大過不及之旨也帝曰何
謂所勝岐伯曰春勝長夏長夏勝冬冬勝夏夏勝秋秋勝春所謂
得五行時之勝各以氣命其藏春應木木勝土長夏應土土勝水冬應水水勝火夏應火火勝金秋
應金金勝木常如是矣四時之中加之長夏故謂得五行時之勝也所謂長夏者六月也土生於火長在夏中既長而王故云長夏

也以氣命藏者春之木內合肝長夏之土內合脾冬之水內合腎夏之火內合心秋之金內合肺故曰各一氣命其藏若也命名也
帝曰何以知其勝岐伯曰求其至也皆歸始春始春謂立春之日也春爲四時之長
故候氣皆歸於立春全之日也未至而至此謂太過則薄所不勝而乘所勝也命
曰氣淫不分邪僻內生工不能禁此上十字文義不倫應古文錯簡次後五治下乃其義也今未
書之至而不至此謂不及則所勝妄行而所生受病所不勝薄之也
命曰氣迫所謂求其至者氣至之時也凡氣之至皆謂立春前十五日乃候之初也未至而
至謂所直之氣未應至而先期至也先期而至是氣有余故曰太
過至而不至謂所直之氣應至不至而后期至后期而至是氣不
足故曰不及太過則薄所不勝而乘所勝不及則所勝妄行而所
生受病所不勝薄之者凡五行之氣我尅者爲所勝尅我者爲所
不勝生我者爲所生假令肝木有余是肺金不足金不制木故木
大過木氣既余則反薄肺金而乘於脾土矣故曰太過則薄所不
圣而乘所圣也此者五藏之氣內閑淫併爲疾故命曰氣淫也餘
大過例同之又如肝木氣少不能制土土氣無畏而遂妄行水被
土凌故云所圣妄行而所生受病也肝木之氣不平肺令之氣自
薄故曰所不勝薄之然木氣不平土金交薄相迫爲疾故曰氣迫
也餘不及例皆同謹候其時氣可與期失時反候五治不分邪僻內生工

不能禁也時謂氣至時也候其年則始於立春之日候其氣則始於四氣定期候其日則隨於候日故曰謹候其時氣可與期也反謂反背也五治謂五行所治主統一歲之氣也然不分五治謬引八邪天真氣運尚未該通人病之由安能精達故曰工不能禁也帝曰有不襲乎言五行之氣有不相承襲者乎岐伯曰蒼天之氣不得無常也氣之不襲是謂非常非常則變矣變謂變易天常也帝曰非常而變柰何岐伯曰變至則病所勝則微所不勝則甚因而重感於邪則死矣故非其時則微當其時則甚也言蒼天布氣尚不越于五行人在氣中豈不應於天道夫人之氣亂不順天常故有病死之微矣左傳曰違天不祥此其類也假令木直之年有火氣至后三歲病矣金氣至後四歲病矣水氣而後五歲病矣真氣不足復重感邪真氣內微故重感於邪則死之假令非土直年而氣相干者且爲微病不必內傷於神藏故非其時則微而且持也若當所直之歲則易中邪氣故當其直時則病疾甚也諸氣當其王者皆必受邪故云非其時則微當其時則甚也通評虛實論曰非其時則生當其時則死當謂正直之年也帝曰善余聞氣合而有形因變以正名天地之運陰陽之化其於萬物孰少孰多可得聞乎岐伯曰悉乎哉問也天至廣不可度地至大不可量大神靈問請陳其方

言天地廣大不可度量而得之造化玄微豈可以人心而遍悉大神靈問贊聖深明舉大說凡粗言綱紀故曰請陳其方草生五色五色之變不可勝視草生五味五味之美不可勝極言物生之眾稟化各殊目視口味尚無能盡之況於人心乃能包括耶嗜欲不同各有所通言色味之眾雖不可遍盡所由然人所嗜所欲則自隨己心之所愛耳故曰嗜欲不同各有所通天食人以五氣地食人以五味天以五氣食人者臊氣湊肝焦氣湊心香氣湊脾腥氣湊肺腐氣湊腎也地以五味食人者酸味入肝苦味入心甘味入脾辛味入肺鹹味入腎也清陽化氣而上為天濁陰成味而下為地故天食人以氣地食人以味也陰陽應象大論曰清陽為天濁陰為地又曰陽為氣味為味五氣入鼻藏於心肺上使五色修明音聲能彰五味入口藏於腸胃味有所藏以養五氣氣和而生津液相成神乃自生心榮面色肺主音聲故氣藏於心肺上使五色修潔分明音聲彰著氣為水母故味藏於腸胃內養五氣〻〻和化津液方生津液些氣相副化成神氣乃能生而宣化也

帝曰藏象何如象謂所見於外可閱者也岐伯曰心者生之本神之變也其華在面其充在血脈為陽中之太陽通於夏氣心者君主之官神明出焉然君主者萬物係之以興亡故曰心者生之本神之變也火氣炎上故華在面也心養血其主脈故充在

血脉也心主於夏夏氣合太陽以太陽居夏火之中故曰陽中之太陽通於夏氣也金匱真言論曰平旦至日中天之陽陽中之陽也肺者氣之本魄之處也其華在毛其充在皮為陽中之太陰通於秋氣肺藏氣其神魄其養皮毛故曰肺者氣之本魄之處華在毛充在皮也肺藏為太陰之氣上王於秋晝日為陽氣所行位非陰陽以太陰居於陽分故曰陽中之太陰通於秋氣也金匱真言論曰日中至黄昏天之陽陽中之陰也業醫者宜詳細別也腎者主蟄封藏之本精之處也其華在髮其充在骨為陰中之少陰通於冬氣也九封閉蟄虫深藏腎又主水受五藏六府之精而藏之故曰腎者主蟄封藏之本精之處也腦者髓之海腎主骨髓髮者腦之所養故華在髮充在骨也以盛陰居於陰之分故曰陰中之少通於冬氣也金匱真言論曰合夜至雞鳴天之陰陰中之陰也肝者罷極之本魂之居也其華在爪其充在筋以生血氣其味酸其色蒼此為陽中之少陽通於春氣夫人之運動者皆筋力之所為也肝主筋其神魂故曰肝者罷極之本魂之居也爪者筋之余筋者肝之養故華在爪充在筋也東方為陽生之始故以生血氣也陰陽應象大論曰東方生風風生木木生酸酸生肝肝合木故其味酸也又白神在藏為肝在色為蒼故其色蒼也以少陽居於陽位而主於春故曰陽中之少陽通於春氣也金匱真言論曰平旦至日中天之陽陽中之陽也罷音疲脾胃大腸小腸三焦

膀胱者倉廩之本營之居也名曰器能化糟粕轉味而入出者也爲可受盛轉運不息故爲倉廩之本名曰器也營起於中焦中焦爲胃之位故云營之居也然水谷滋味入於脾胃脾胃糟粕轉化其味出於三焦膀胱故曰轉味而入出者也其華在唇四白其充在肌其味甘其色黃

此至陰之類通於土氣口爲脾官脾主肌肉故曰華在唇四白充在肌也四白謂唇四際之白色肉也陰陽應象大論曰中央生濕濕生土土生甘脾合土故其味甘也又曰在藏爲脾在色爲黃故其色黃也脾藏土氣上合至陰故曰此至陰之類通於土氣也金匱真言論曰陰中之至陰脾也凡十一藏取決於膽也上從心藏下至於膽爲十一也然膽者中正剛斷無私偏故十一藏取決於膽也故人迎一盛病在少陽二盛病在太陽三盛病在陽明四盛已上爲格陽陽脉法也少陽膽脉也太陽膀胱脉也陽明胃脉也灵樞經曰一盛而躁在手少陽二盛而躁在手太陽三盛而躁在手陽明手少陽三焦脉手太陽小腸脉手陽明大腸脉一盛者謂人迎之脉大於寸口一倍也餘盛同法四倍已上陽盛之極故格拒而食不得入也正理論曰格則吐逆寸口一盛病在厥陰二盛病在少陰三盛病在太陰四盛已上爲關陰陰脉法也厥陰肝脉也少陰腎脉也太陰脾脉也灵樞經曰一盛而躁在手厥陰二盛而躁在手少陰三盛而躁在手太陰手厥陰心包脉也手少陰心

脉也手太陰脉脉也盛法同陽四倍也上陰盛之極故關閉而溲不得通也正理論曰閉則不得溺○溲小便也人迎與寸口俱盛四倍已上○為關格關格之脉羸一作羸不能極於天地之精氣○則死矣俱盛謂俱大於平常之脉四倍也物不可以久盛蹈則衰敗故不上極於天地之精氣則死矣靈樞經曰陰陽俱盛不得相營故曰關格關格者不得盡期而死矣此之謂也

●五臟生成篇第十

心之合脉也火氣動躁脉類齊同心藏應火故合脉也其榮色也火炎上而色赤故美於面而色赤也其主腎也主謂主與腎相畏也火畏於水〻與為官故畏於腎肺之合皮也金氣堅定皮象亦然肺藏應金故合皮也其榮毛也毛附皮革故外榮其主心也金畏於火〻與為官故主畏於心也肝之合筋也木性曲直筋體亦然肝藏應木故合筋也其榮爪也爪者筋之余故外榮也其主肺也木畏於金〻與為官故主畏於肺也脾之合肉也土性柔厚肉體亦然脾藏應土故合肉也其榮脣也口為脾之官故榮於脣〻謂四際白色之處非赤地也其主肝也土畏於木〻與為官故主畏於肝也腎之合骨也水性流溫精氣亦然骨通精髓故合腎也其榮髮也○腦為髓海腎氣主之故外榮髮也其主脾也水畏於土土與為官

拔去白於澤池是故多食鹹則脈凝泣而變色心合脈其榮色鹹益腎勝於心心不勝故脈凝泣而顏色變易也多食苦則皮槁而毛拔肺合皮其榮毛苦益心勝於肺肺不勝故皮枯槁而毛拔去也多食辛則筋急而爪枯肝合筋其榮爪辛益肺勝於肝肝不勝故筋急而爪乾苦也多食酸則肉胝䐢而脣揭脾合肉其榮脣酸益肝勝於脾脾不勝故肉胝䐢而脣皮揭舉也胝丁尼反䐢側救反多食甘則骨痛而髮落腎合骨其榮髮甘益脾勝於腎骨不勝故骨痛而髮墮落此五味之所傷也五味入口輸於腸胃而內養五藏各有所養有所欲欲則互有所傷故下文曰故心欲苦合火故也肺欲辛合金故也肝欲酸合木故也脾欲甘合水故也腎欲鹹合土故也此五味之所合也各隨其欲而偏養之五藏之氣故色見青如草茲者死茲滋也言如草初生之青色也黃如枳實者死色青黃也黑如炲者死炲如炲煤也炲音台赤如衃血者死衃血謂敗惡凝聚之血色赤黑也衃芳杯反白如枯骨者死白而枯槁如乾骨之白也此五色之見死也藏敗故見死色也三部九候論曰五藏已敗其色必夭夭必死矣此之謂也青如翠羽者生赤如雞冠者生黃如蟹腹者生白如豕膏者生黑如烏羽者生此五色之見生也皆謂光潤也色

雖可愛若見朦朧尤善矣故下文曰生於心如以縞裹朱生於肺如以縞裹紅生於
肝如以縞裹紺生於脾如以縞裹栝樓實生於腎如以縞裹紫是乃
真見生色也縞白色紺薄青色此五藏所生之外榮也榮美色也色味當五藏白當肺
辛赤當心苦青當肝酸黃當脾甘黑當腎鹹各當其所應而爲色味也故白當
皮赤當脈青當筋黃當肉黑當骨各當其所養之藏氣也諸脈者皆屬於目
脈者血之府宣明五氣篇曰久視傷血由此明諸脈皆屬於目也諸髓者皆屬於腦腦爲髓海故諸髓屬之
諸筋者皆屬於節筋氣之堅結者皆絡於骨節之間也宣明五氣篇曰久行傷筋由此明諸筋皆屬於節者也
諸血者皆屬於心血居脈內屬於心也八正神明論曰血氣者人之神然神者心之主由此故諸血皆屬於心也
諸氣者皆屬於肺肺藏氣故也此四支八谿之朝夕也谿者肉之小會名也八谿謂肘
膝腕也如是氣血筋脈互有盛衰故爲朝夕矣故人臥血歸於肝肝藏血心行之人動則血運於諸經人靜則血
歸於肝藏何者肝主血海故也肝受血而能視言其用也目爲肝之官故肝受血而能視足受血而能
步氣行乃血流故足受血而能行步也掌受血而能握以當把握之用指受血而能攝以當攝受

〔?〕用也。血氣者，人之神，故以受血者皆去運用。臥出而風吹之，血凝於膚者為痹，痹謂〔illegible〕。〔?〕音項，又音君。凝於脈者為泣，泣謂血行不利。凝於足者為厥，厥謂足逆冷也。此三者，血行而不得反其空，故為痹厥也。空者，血流之道，大經隧也。隧音遂。人有大谷十二分，大經所謂會之大谷也。十二分者，謂十二經脈之部分也。小谿三百五十四名，少十二俞，小絡所會謂之小谿也。然以三百六十五小絡言之者，除十二俞外，則當三百五十三名。經言三百五十四者，傳寫行書誤以三為四也。此皆衛氣之所留止，邪氣之所容也，此衛氣滿填以行，邪氣不得居〔illegible〕。鍼石緣而去之。緣謂〔illegible〕。去之，說言〔illegible〕。診脈之始，五決為紀，五決謂以五〔illegible〕為決生死之〔illegible〕也。欲知其始，先建其母。建，立也。母，謂應時王氣也。先立應時王氣，而後乃求邪正之氣也。所謂五決者，五〔illegible〕也。是以頭痛巔疾，下虛上實，過在足少陰巨陽，甚則入腎。〔?〕足少陰，腎脈；巨陽，膀胱脈。膀胱之脈者，起於目內眥，上額交巔上，其支別者，從巔至耳上角；其直行者，從巔入絡腦，還出別下項，循肩髆內，俠脊抵腰中，入循膂，絡腎屬膀胱。然腎虛而不能引巨陽之氣，故頭痛而為上巔之疾也。經病甚已，則入於藏矣。徇蒙招尤，目冥耳

聾下實上虛過在足少陽厥陰甚則入肝徇疾也蒙不明也言目暴疾而不明招謂掉也
搖掉不定也尤甚也目疾不明首掉尤甚謂暴病也目瞑耳聾謂漸病也足少陽膽脈厥陰肝脈也厥陰之脈從少腹上俠胃屬肝
絡膽布脅肋循喉嚨之後入頏顙上出額與督脈會於巔其支別者從目系下頰裏足少陽之脈起於目銳眥上抵頭角下耳後
循頸入缺盆其支別者從耳後入耳中又支別者別目銳眥下頷加頰車下頸合缺盆以下胸中貫膈絡肝屬膽令氣不足故為是病
頏胡浪反顙蘇朗反眥疾帝反頷胡感反腹滿䐜脹支鬲胠脇下厥上冒過在足太陰
陽明胠謂脅上也下厥上冒者謂氣從下逆上而冒於目也足太陰脾脈也陽明胃脈也足太陰脈自股內前廉入腹屬脾絡胃
上鬲足陽明脈起於鼻交於頞下循鼻外下絡頸上從喉嚨入缺盆屬胃絡脾其直行者從缺盆下乳內廉下俠臍入氣街中
別者起胃下口循腹裏至氣街中而合以下髀故為是病胠去魚反嗌音益欬嗽上氣厥在胸中過在
手陽明太陰手陽明大腸脈太陰肺脈也手陽明脈自肩髃前廉上出於柱骨之會上下入缺盆絡肺下鬲屬大腸手
太陰脈起於中焦下絡大腸還循胃口上鬲屬肺從肺系橫出腋下故為欬嗽上氣而厥在胸中者也心煩頭痛
在鬲中過在手巨陽少陰手巨陽小腸脈少陰心脈也巨陽之脈從肩上入缺盆絡心循咽下鬲抵胃屬
小腸其支別者從缺盆循頸上頰至目銳眥手少陰之脈起於心中出屬心系下鬲絡小腸故心煩頭痛病在鬲中也夫脈

小大滑濇浮沉，可以指別。夫脈小者細小，大者滿大，滑者往來流利，濇者往來蹇難，浮者浮於手下，沉者按之乃得也。如是雖衆狀不同，然手巧心諦而指可分別也。五藏之象，可以類推。象，謂氣象也。言五藏雖隱而不見，然其氣象性用，猶可以物類推之。何者？肝象木而曲直，心象火而炎上，脾象土而安靜，肺象金而剛決，腎象水而潤下。夫如是，皆大舉宗兆，其中隨事變化，象法傍通者，可以同類而推之爾。五藏相音，可以意識。音，謂五音也。夫肝音角，心音徵，脾音宮，肺音商，腎音羽，此其常應也。然其互相勝負，聲見否臧，則耳聰心敏者猶可以意識而知之。五色微診，可以目察。色，謂顏色也。夫肝色青，心色赤，脾色黃，肺色白，腎色黑，此其常色也。然其氣象交互，微見吉凶，則目明智遠者可以占視而知之。能合脈色，可以萬全。色青者其脈弦，色赤者其脈鉤，色黃者其脈代，色白者其脈毛，色黑者其脈堅，此其常色脈也。然其參校異同，斷言成敗，則審而不惑，萬舉萬全。色脈之病，例如下說。赤脈之至也，喘而堅，診曰有積氣在中，時害於食，名曰心痺。喘，謂脈至如卒喘狀也。藏居高，病則脈為喘狀也。心脈起於心胸之中，故積氣在中，時害於食也。積，謂病氣積聚。痺，謂藏氣不宣行也。得之外疾，思慮而心虛，故邪從之。因思慮而心虛，故外邪因而居止矣。白脈之至也，喘而浮，上虛下實，驚，有積氣在胸中，喘而虛，名曰肺痺。

寒熱。喘為不足，浮者肺虛，肺不足是謂心虛，上虛則下當滿實矣。以其不足，故善驚而氣積胸中矣。然脈喘而浮，是肺自不足；喘而虛者，是心氣上乘，肺受熱而氣不得營，故名肺痺而外為寒熱也。得之醉而使內也。酒味苦燥，內益於心，醉甚入房，故心氣上勝於肺矣。青脈之至也，長而左右彈，有積氣在心下支胠，名曰肝痺，脈長而彈，是為弦緊，緊為寒氣，中濕乃弦，肝主胠脅，近於心，故氣積心下又支胠也。正理論脈名例曰：緊脈者如切繩狀，言左右彈人手也。得之寒濕，與疝同法，腰痛足清頭脈緊為寒，脈長為濕，疝之為病，亦寒濕所主，故言與疝同法也。寒濕在下，故腰痛也。肝脈者，起於足，上行至頭，出額，與督脈會於巔，故病則足冷而頭痛也。清，亦冷也。疝，所晏反。黃脈之至也，大而虛，有積氣在胸中，有厥氣，名曰厥疝，脈大為氣，脈虛為虛，既氣又虛，故脾氣積于腹中也。若腎氣逆上，則是厥疝；腎氣不上，則俱虛而脾氣通也。女子同法，得之疾使四支汗出當風。女子同法，言同其候也。風氣通於肝，故汗出當風則脾氣積滿於腹中。黑脈之至也，上堅而大，有積氣在小腹與陰，名曰腎痺，上謂寸口也。腎主下焦，故氣積聚於小腹與陰也。得之沐浴清水而臥。濕氣傷下，自歸於腎，況沐浴而臥，得無病乎？靈樞經曰：身半以下，濕之中也。凡相五色之奇脈，面黃目青，面黃目赤，面黃目白，面黃目黑者皆不死也奇脈謂與色不相偶合也凡色見黃皆爲有胃氣故不死也面青目青面赤目白面青目黑○面黑目白○面赤目青皆死也○無黃色而皆死者以无胃氣也五藏以胃氣爲本故无黃色皆曰死焉

●五藏別論篇第十一

黃帝問曰余聞方士或以腦髓爲藏或以腸胃爲藏或以爲府敢問更相反皆自謂是不知其道願聞其說方士謂明悟方術之士也言互爲藏府之差異者經中猶有之矣靈蘭秘典論以腸胃爲藏府但從之次六節藏象論云十一藏取決於膽五藏生成論云五藏之象可以類推五藏相音可以意識此則互相矛楯腦橫爲藏應在別經也○楯竪尹反岐伯對曰腦髓骨脈膽女子胞此六者地氣之所生也皆藏於陰而象於地故藏而不寫名曰奇恒之府○腦髓骨脈雖名爲府不正與神藏爲表裏膽與肝合而不同六府之傳寫胞雖出納納則受納精氣出則化出形容形容之出謂化極而生然出納之用有殊於六府用故言藏而不寫名曰奇恒之府也○夫胃大腸小腸三焦膀胱此五者天氣之所生也其氣象天○故寫而不藏○此受五藏濁

氣名曰傳化之府此不能久留輸寫者也言水穀入已糟粕變化而泄出不能久久留住於中但當化已輸寫令去而已傳寫諸化故曰傳化之府也魄門亦為五藏使水穀不得久藏○謂肛之門也內通於肺故曰魄門受已化物則為五藏行使然水谷亦不得久藏於中所謂五藏者藏精氣而不寫也故滿而不能實○精氣為滿水谷為實但藏精氣故滿而不能實六府者傳化物而不藏故實而不能滿也○以不藏精氣但受水谷故也所以然者水穀入口則胃實而腸虛以未下也食下則腸實而胃虛○水谷下也故曰實而不滿滿而不實也○帝曰氣口何以獨為五藏主氣口則寸口也亦謂脈口以寸口可候氣之盛衰故云氣口可以切脈之動靜故云脈口皆同取於手魚際之后同身寸之一寸是則寸口也岐伯曰胃者水穀之海六府之大源也○人有四海水谷之海則其一也受水谷已榮養四旁以其當運化之源故為六府之大源也五味入口○藏於胃以養五藏氣氣口亦太陰也○氣口在手魚際之后同身寸之一寸氣口之所候脈動者是手太陰脈氣所行故言氣口亦太陰也是以五藏六府之氣味皆出於胃變見於氣口○榮氣之道內谷為寶○穀入於胃氣傳與肺精專者循肺氣行于氣口故云變見于氣口也故五氣入

鼻藏於心肺心肺有病而鼻爲之不利也凡治病必察其下適其脉觀其志意與其病也下謂目下所見可否也調適其脉之盈虛觀量志意之邪正及病深淺成敗之宜乃守法以治之也拘於鬼神者不可與言至德志意邪則好所祷言至德則背必違故不可與言至德也惡於鍼石者不可與言至巧惡於鍼石則巧不得施故不可與言至巧病不許治者病必不治治之無功矣心不許人治之是其必死強爲治者巧亦不成故曰治之無功矣

●異法方宜論篇第十二

黃帝問曰醫之治病也一病而治各不同皆愈何也不同謂鍼石灸焫毒藥導引按蹻也岐伯對曰地勢使然也謂法天地生長收藏及高下燥濕之勢故東方之域天地之所始生也法春氣也魚鹽之地海濱傍水魚鹽之地海之利也濱水際也隨業近之其民食魚而嗜鹹皆安其處美其食豐其利故居安恣其味故食美魚者使人熱中鹽者勝血魚發瘡則熱中之信鹽發渴則勝血之徵故其民皆黑色踈理其病皆爲癰瘍血弱而熱故喜爲癰瘍其治宜砭石砭石謂以石爲鍼也山海經曰高氏之山有石如玉可以爲鍼則砭石也

故砭石者亦從東方來 東人今用之 西方者金玉之域沙石之處天地之所收引也 法秋氣也 引謂牽引使收斂也 其民陵居而多風水土剛強 居室如陵故曰陵居 金氣肅殺故水土剛強也 其民不衣而褐薦 不衣絲綿故曰不衣 褐謂毛布也 薦謂細草也 其民華食而脂肥 華謂鮮美酥酪骨肉之類也 以食鮮美故人體脂肥 故邪不能傷其形體其病生於內 水土剛強飲食脂肥膚腠閉封血氣充實故邪不能傷也 內謂喜怒悲憂恐及飲食男女之過甚也 其治宜毒藥 能攻其病則謂之毒藥 以其血氣盛肌肉堅飲食華水土強故病宜毒藥方制御之 藥謂草木蟲魚鳥獸之類皆能去除病者也 故毒藥者亦從西方來 西人方術今奉之 北方者天地所閉藏之域也 其地高陵居風寒冰冽 法冬氣也 其民樂野處而乳食藏寒生滿病 水寒冰冽故生病於藏寒也 其治宜灸焫 火艾燒灼謂之灸焫 故灸焫者亦從北方來 北人正行其法 南方者天地所長養陽之所盛處也其地下水土弱霧露之所聚也 法夏氣也 地下則水流歸之 水多故土弱而霧露聚 其民嗜酸而食胕 言其所食不芳香 故其民皆緻理而赤色其病攣痹 酸味收斂故人皆肉理密緻 陽盛之處故色赤 濕氣內滿熱氣外薄故筋攣脈痹

也其治宜微鍼 微細小也細小之鍼調脈衰盛也 故九鍼者亦從南方來 南人盛崇之

中央者其地平以濕天地所以生萬物也眾 法土德之用故生物衆然東方海南方下西方北方高中央之地平以溫則地形斷異生病殊焉衆庶也 其民食雜而不勞 四方輻輳而万物交歸故人食紛雜而不勞也 故其病多痿厥寒熱 溫氣在下故多病痿弱氣逆及寒熱也陰陽應象大論曰地之濕氣感則害皮內筋脉居近於濕故爾 其治宜導引按蹻 導引謂搖筋骨動支節按謂抑按皮內蹻謂捷舉手足 故導引按蹻者亦從中央出也 中央用為養神調氣之正道也 故聖人雜合以治各得其所宜 隨方而用各得其宜唯聖人法乃去然矣 故治所以異而病皆愈者得病之情知病之大躰也 達性懷故然

●移精變氣論篇第十三

黃帝問曰余聞古之治病惟其移精變氣可祝由而已今世治病毒藥治其內鍼石治其外或愈或不愈何也 移謂移易變謂變改皆使邪不傷正精神復強而內守也生氣通天論曰聖人傳精神服天氣上古天真論曰精神內守病安從來 岐伯對曰往古人居

禽獸之間動作以避寒陰居以避暑內無眷慕之累外無伸宦之形此恬憺之世邪不能深入也故毒藥不能治其內鍼石不能治其外故可移精祝由而已古者巢居穴處夕隱朝遊禽獸之間斷可知矣然動躁陽盛故身熱足以禦寒凉氣生寒故陰居可以避暑矣夫志捐思想則內無眷慕之累心亡願欲故外無伸宦之形靜保天真自無邪至是以移精變氣無假毒藥祝說病由不勞鍼石而已○祝由南方神也今之世不然精慕云爲迷於道也憂患緣其內苦形傷其外又失四時之從逆寒暑之宜賊風數至虛邪朝夕內至五藏骨髓外傷空竅肌膚所以小病必甚大病必死故祝由不能已也帝曰善余欲臨病人觀死生決嫌疑欲知其要如日月光可得聞乎岐伯曰色脉者上帝之所貴也先師之所傳也上帝謂上古之帝先師謂岐伯祖世之師僦貸季也上古使僦貸季理色脉而通神明合之金木水火土四時八風六合不離其常先師以色白脉毛而合金應秋以色青脉弦而合木應春以色黑脉石而合水應冬以色赤脉洪而合火應夏以色黃脉大而合土應長夏及四季以是色脉下合五行之休王上副四時之往來故六合

之間八風鼓折不重當疾尺可與者以洗其變化而知之於故下文曰明何變化相移以觀其妙以知其要欲知其要則色脈是矣言所以知四時五行之氣變化相發之要妙者向以色脈故也色以應日脈以應月常求其要則其要也言脈應月色應日者占候之期準也常求色脈之差忒是則平大之診要也夫色之變化以應四時之脈此上帝之所貴以合於神明也所以遠死近生觀色脈之臧否曉死生之徵兆故大常遠於死而近於生也生道以長命曰聖王上帝聞道勤而行之生道以長惟聖王乃尔而常用也中古之治病至而治之湯液十日以去八風五痺之病八風謂八方之風五痺謂皮肉筋骨脈之痺也灵樞經曰風從東方來名曰嬰兒風其傷人也外在於筋紐內舍於肝風從東南來名曰弱風其傷人也外在於肌內舍於胃風從南方來名曰大弱風其傷人也外在於脈內舍於心風從西南方來名曰謀風其傷人也外在於肉內舍於脾風從西方來名曰剛風其傷人也外在於皮內舍於肺風從西北來名曰折風其傷人也外在於手太陽之脈內舍於小腸風從北方來名曰大剛風其傷人也外在於背內舍於腎風從東北來名曰凶風其傷人也外在於腋脇內舍於大腸又痺論曰以春甲乙傷於風者爲筋痺以夏丙丁傷於風者爲脈痺以秋庚辛傷於風者爲皮痺以冬壬癸傷於風者爲骨痺以至陰遇此者爲肉痺是所謂八風五痺之病也十日不已治以

草蘇草荄之根本末為助標本已得邪氣乃服草蘇謂藥煎也草荄謂草根也枝謂
莖也言以諸藥根苗合成其煎俾相佐助而以服之凡藥有用根
者有用莖者有用枝者有用華實者有用根莖枝華實者湯液不
去則盡用之故云本末為助也標本已得邪氣乃服謂言工人與
病主療相應則邪氣率服而隨時順也湯液醪醴論曰病為本工
為標標本不得邪氣不服此之謂主療不相應也或謂取標本論末云針也暮世之治病也則不然治
不本四時不知日月不審逆從四時之氣各有所在不本其處而即妄攻是反古也四時刺逆從論
曰春氣在經脈夏氣在孫絡長夏氣在肌肉秋氣在皮膚冬氣在
骨髓工當各隨所在而辟伏其邪爾不知日月者謂日有寒溫明
晦月有空滿虧盈也八正神明論曰凡刺之法必候日月星辰四
時八正之氣氣定乃刺之是故天溫日明則人血淖液而衛氣浮
故血易寫氣易行天寒日陰則人血凝泣而衛氣沉月始生則血
氣始精衛氣始行月郭滿則血氣盛肌肉堅月郭空則肌肉減經
絡虛衛氣去形獨居是以因天時而調血氣也是故天寒無刺天
溫無凝月生無寫月滿無補月郭空無治是謂得時而調之因天
之序盛虛之時移光定位正立而待之故曰月生而寫是謂藏虛
月滿而補血氣盈溢絡有留血命曰重實月郭空而治是謂亂經
陰陽相錯真邪不別沉以留止外虛內亂淫邪乃起此之謂逆不審逆從者也不審其病可治與不可治也故下文曰病形
已成乃欲微
其外湯液治其內言心意粗畧不精審也粗工兇兇以為

可攻、故病未已新病復起粗謂粗畧也凶凶謂不料事宜之可否也何以言之假令飢人形氣羸劣食令
極飽能不霍乎豈其與食而為惡邪蓋為失時復過也非病逆針石湯液失時過節則其害反增矣帝曰願聞要
道岐伯曰治之要極無失色脈用之不惑治之大則惑謂惑亂則謂法則也言
色之應診然不欺但順用而不亂紀綱則治病審當之大法者也逆從到行標本不得亡神失國
逆從到行謂反順為逆標本不得謂工病失宜夫以反理到行所為非順豈唯治人而神氣受害若使之輔佐君主亦令國祚不保
康寧矣去故就新乃得真人標本不得工病失宜則當去故逆理之人就新明悟之士乃得至真精曉之人
以全已也帝曰余聞其要於夫子矣夫子言不離色脈此余之所知也
岐伯曰治之極於一帝曰何謂一岐伯曰一者因得之因而問得之也帝
曰奈何岐伯曰閉戶塞牖係之病者數問其情以從其意問其所欲而察
是非也得神者昌失神者亡帝曰善

● 湯液醪醴論篇第十四

黃帝問曰為五穀湯液及醪醴奈何液謂清液醪醴謂酒之屬也岐伯對曰必

以稻米炊以稻薪稻米者完稻薪者堅堅謂資其堅勁完謂資其完全完全則酒清冷堅勁則氣迅疾而効速也帝曰何以然言何以能完堅也岐伯曰此得天地之和高下之宜故能至完伐取得時故能至堅也夫稻者生於陰水之精首戴天陽之氣二者和合然乃化成故云得天地之和而能至完秋氣勁切霜露凝結稻以冬采故云伐取得時而能至堅帝曰上古聖人作湯液醪醴為而不用何也岐伯曰自古聖人之作湯液醪醴者以為備耳言聖人愍念生靈先防萌漸[redacted]其法制以備不虞耳夫上古作湯液故為而弗服也聖人不治已病治未病故但為備用而不服也中古之世道德稍衰邪氣時至服之萬全雖道德稍衰邪氣時至以心猶近道故服用萬全也帝曰今之世不必已也言不必如中古之世用也岐伯曰當今之世必齊毒藥攻其中鑱石鍼艾治其外也言法殊於往古也帝曰形弊血盡而功不立者何岐伯曰神不使也帝曰何謂神不使岐伯曰鍼石道也言神不能使鍼石之妙用也何者志意違背於師示故也精神不進志意不治故病不可愈動離於道耗散天真故尔今精壞神去榮衛不可復收何者嗜

慾無窮，而憂患不止，精氣弛壞，榮泣衛除，故神去之而病不愈也。精神者生之源，榮衛者氣之主，氣主不輔，生源復消，神不內居，病何能愈哉？帝曰：夫病之始生也，極微極精，必先入結於皮膚。今良工皆稱曰病成，名曰逆，則鍼石不能治，良藥不能及也。今良工皆得其法，守其數，親戚兄弟遠近，音聲日聞於耳，五色日見於目，而病不愈者，亦何暇不早乎？岐伯曰：病為本，工為標，標本不得，邪氣不服，此之謂也。言醫與病不相得也。然工人或親戚兄弟該明，情疑勿用，工先備識，不謂知方，針艾之妙，靡容藥石之攻，匪預如是，則道雖昭著，萬舉萬全，病不許治，欲奚為療？五藏別論曰：拘於鬼神者，不可與言至德；惡於針石者，不可與言至巧；病不許治者，病不必治，治之無功。此皆謂工病不相得，邪氣不賓服也。豈惟針艾之有恐哉？藥石亦有之矣。帝曰：其有不從毫毛而生，五藏陽以竭也，津液充郭，其魄獨居，孤精於內，氣耗於外，形不可與衣相保，此四極急而動中，是氣拒於內，而形施於外，治之奈何？不從毫毛，言生於內也。陰氣內盛，陽氣竭絕，不得入於腹中，故言五藏陽已竭也。津液者，水也。充，滿也。郭，皮也。陰畜於中，水氣脹滿，上攻於肺，肺肺氣孤危。魄者肺神，腎為水害子不救母故云其魄獨居也夫陰精損削於內陽氣耗減於外則三焦閉溢水道不通水滿皮膚身体否腫故云形不可與衣相保也凡此之類皆四支脈數急而內鼓動於肺中也肺動者謂氣急而欬也言如是者皆水氣格拒於腹膜之內浮腫施張於身形之外欲窮標本其可得乎四極言四末則四支也左傳曰風淫末疾灵拒絕內閉受氣於四末者也

岐伯曰平治於權衡去宛陳莝○是以微動四極○溫衣繆刺其處○以復其形○開鬼門潔淨府○精以時服○五陽已布○疏滌五藏○故精自生○形自盛○骨肉相保巨氣乃平○平治權衡謂察脈浮沉也脈浮為在表脈沉為在裏在裏者泄之在外者汗之故下文云開鬼門潔淨府也去宛陳莝謂去積久之水物猶如草莝之不可久留於身中也全本作草莝微動四極謂微動四支令陽氣漸以宣行故又曰溫衣也經脈滿則絡脈溢絡脈溢則繆刺之以調其絡脈使形容如舊而不腫故云繆刺其處以復其形也開鬼門是啓玄府遣氣也五陽是五藏之陽氣也潔淨府謂寫膀胱水去也脈和則五精之氣以時賓服於腎藏也然五藏之陽漸而宣布五藏之外氣穢復除也如是故精髓自生形肉自盛藏府既和則骨肉之氣更相保抱大經脈氣然乃平復爾帝曰善

●玉版論要篇第十五

黃帝問曰余聞揆度奇恒所指不同用之奈何岐伯對曰揆度者

度病之淺深也奇恒者言奇病也請言道之至數五色脈變揆度
奇恒道在於一一謂色脈之應也知色脈之應則可以揆度奇恒矣神轉不回回則不轉乃
失其機血氣者神氣也八正神明論曰血氣者人之神不可不謹養也夫血氣順四時遷囚王循環五氣无相奪倫是
則神轉不回也回謂却行也然血氣隨王不合却行却行則反常反常則回而不轉也回而不轉乃失生氣之机矣何以明之夫木
衰則火王火衰則土王土衰則金王金衰則水王水衰則木王終而復始循環此之謂神轉不回也若木衰水王水衰金王金衰土
王土衰火王火衰木王此之謂回而不轉也然反天常軌生之何有耶至數之要迫近以微言五色五脈變
化之要道迫近於天常而文微妙著之玉版命曰合玉機玉機篇名也言以此回轉之要旨著之玉版合
同於玉机論文也容色見上下左右各在其要容色者他氣也如肝木部內見赤黃白黑色皆謂他
氣也余義率如此例所見皆在明堂上下左右要察候處故云各在其要宜細玩之其色見淺者湯液主治
十日已色淺則病微故十日乃已其見深者必齊主治二十一日已色深則病甚故必以
齊乃已其見大深者醪酒主治百日已病深甚故日久色夭面脫不治色見大深
兼之夭惡血肉反脫不可治也百日盡已色不夭面不脫治之百日盡可已脈短氣絕死脈短色虛如

斬絶真氣將竭故必死病溫虛甚死甚虛而病溫〻氣內涸其精血故死色見上下左右各在
其要上為逆下為從色見於下者病生之氣也故從色見於上者傷神之兆也故逆女子右為逆
左為從男子左為逆右為從左為陽故男子右為從而左為逆右為陰故女子右為逆而左為從易
重陽死重陰死女子色見於左男子色見於右是變易也男子色見於左是曰重陽女子色見於右是曰重陰氣極
則反故皆死也陰陽反他治在權衡相奪奇恒事也揆度事也權衡相奪謂陰陽二
氣不得高下之宜是奇於恒常之事當揆度其氣隨宜而處療之搏脈痺躄寒熱之交脈擊搏於手而病痺
躄及寒熱之氣交合所為非邪氣虛實之所生也脈孤為消氣虛泄為奪血夫孤有表有裏
有裏無表皆曰孤亡之氣也若有表有裏而氣不足者皆曰虛衰之氣也孤為逆虛為從孤無所依故曰逆虛衰可
復故曰從行奇恒之法以太陰始凡揆度奇恒之法先以氣口太陰之脈定四時之正氣然後度量奇恒之
氣也行所不勝曰逆逆則死木見金脈金見火脈火見水脈水見土脈土見木脈如是皆行所不勝也故曰
逆賊勝不已故逆則死焉行所勝曰從從則活木見水火土脈火見金土木脈土見金水火脈金見土木水脈
水見金火木脈如是者皆可勝之脈故曰從〻則無所剋殺傷敗故從則活也八風四時之勝終而復始

以其逆於五行數錯相反而復始也逆行一過不復可數論要畢矣一過謂遍也逆行過遍於五氣者不復可數為平和矣

診要經終論篇第十六

黃帝問曰：診要何如？岐伯對曰：正月二月，天氣始方，地氣始發，人氣在肝。方正也言天地氣正發生其萬物也木治東方王七十二日猶當三月節後一十二日是木之用以月而取則正月二月人氣在肝三月四月，天氣正方，地氣定發，人氣在脾。天氣正方以陽氣明盛也氣定發為萬物華而欲實也然季終土寄而王土又生於丙故人氣在脾五月六月，天氣盛，地氣高，人氣在頭。天陽赫盛地焰高升故言天氣盛地氣高火性炎上故人氣在頭七月八月，陰氣始殺，人氣在肺。七月三陰爻生八月陰始肅殺故云陰氣始殺也然陰氣肅殺類合於金肺氣象金故人氣在肺九月十月，陰氣始冰，地氣始閉，人氣在心。陰氣始凝地氣始閉隨陽而入故人氣在心十一月十二月，冰復，地氣合，人氣在腎。陽氣深伏故氣在腎也夫氣之變也故發生於木長茂於土盛高而上肅殺於金避寒於火伏藏於水斯皆隨順陰陽氣之升沉也五藏生成篇曰五藏之象可以類推此之謂氣類也故春刺散

俞及與分理血出而止散俞謂間穴分理謂肌肉分理甚者傳氣間者環也辯疾氣之
間甚也傳謂相傳環謂循環也相傳則傳所不勝循環則周迴於五氣也夏刺絡俞見血而止盡氣閉
環痛病必下盡氣謂出血而盡針下取所病脈盛邪之氣也邪氣盡已穴俞閉密則經脈循環而痛病之氣必下去矣
以夏氣大盛故爲是法刺之秋刺皮膚循理上下同法神變而止循理謂循肌肉之分理也
上謂手脈下謂足脈神變謂脈氣變易與未刺時異也脈者神之用故爾言之冬刺俞竅於分理甚者直
下間者散下有下謂直爾下之散下謂散布下之春夏秋冬各有所刺法其所在春
刺夏分脈亂氣微入淫骨髓病不能愈令人不嗜食又且少氣心主
脈故脈亂氣微水受氣於夏腎主骨故入淫於骨髓者也心火微則胃土不足故不嗜食而少氣也春刺秋分筋
攣逆氣環爲咳嗽病不愈令人時驚又且哭木受氣於秋肝主筋故刺秋分則筋攣也
若氣逆環周則爲欬嗽肝主驚故時驚肺主氣故氣逆又且哭也春刺冬分邪氣著藏令人脹病不
愈又且欲言語冬主陰氣伏藏故邪氣著藏腎實則脹故刺冬分則令人脹也火受氣於冬心生言故欲言語也
夏刺春分病不愈令人解墮肝養筋肝氣不足故筋力解墮夏刺秋分病不愈令

心中欲無言惕惕如人將捕之肝木專謂傷秋分則肝木虛故恐如人將捕之肝不足故欲無
[illegible]夏刺冬分病不愈令人少氣時欲怒夏傷於腎腎肝動之志內不足故令人怒
氣奪肺歇忘也秋刺春分病不已令人惕然欲有所為起而忘之肝虛故也刺不
皆也秋刺夏分病不已令人益嗜臥又且善夢心氣少則脾氣孤故令嗜臥心主夢神爲
之故令善夢秋刺冬分病不已令人洒洒時寒陰氣上干故時寒也西七寒見冬刺春
分病不已令人欲臥不能眠眠而有見肝氣少故令欲臥不能眠肝主目故眠而如見有物
之形狀也冬刺夏分病不已氣上發為諸痹泄脈氣故也冬刺秋分病不已
令人善渴肺氣不足故發渴凡刺胸腹者必避五藏心肺在鬲上腎肝在鬲下脾象土而居中
故刺胸腹必避之五藏者所以藏精神魂魄意志損之則五神去神去則死故不可不慎也中心者環死氣行如環
之一周則死矣正謂周十二辰也中脾者五日死土數五也中腎者七日死水成數六水數畢當
至七日而死一云十日死字之誤也中肺者五日死金生數四金數畢當至五日而死一云三日死亦字誤也中
鬲皆為傷中其病雖愈不過一歲必死五藏之氣司主一年鬲傷則五藏之氣互相剋

伐故不過一歲必死刺避五藏者知逆從也所謂從者鬲與脾腎之處不知

者反之腎著於脊脾藏居中鬲連於脅際知者爲順不知者反傷其藏刺胷腹者必以布憿著之

乃從單布上刺形定則不誤中於五藏也憿古堯反又著直略反刺之不愈復刺要以氣至爲故

也鍼經曰刺之氣不至無問其數刺之氣至去之勿復針此之謂也刺針必肅肅謂靜肅所以候氣之存亡也刺腫

搖鍼以出大膿血故經刺勿搖經氣不欲泄故此刺之道也帝曰願聞十二經脈

之終奈何終謂盡也岐伯曰太陽之脈其終也戴眼○反折瘈瘲其色白○

絕汗乃出○出則死矣○戴眼謂睛不轉而仰視也然足大陽脈起於目內眥上額交巔上從巔入絡腦還出別下

項循肩髆內俠脊抵腰中其支別者下循足至小指外側手大陽脈起於手小指之端循臂上肩入缺盆其支別者上頰至目內眥

抵足太陽○又其支別者從缺盆循頸上頰至目外眥少陽終者○耳聾○百節皆縱目環絕系○

絕系一日半死其死也○色先青白○乃死矣○足少陽脈起於目銳眥上抵頭角下耳後其支

別者從耳後入耳中出走耳前手少陽脈其支別者從耳後亦入耳中出走耳前故終則耳聾目睘絕系也少陽主骨故氣終則百

節皆縱色青白者金木相薄也故見死矣睘謂直視如驚貌睘音陽明終者口目動作善驚妄言○

[illegible]經盛不仁則終矣。

足陽明脈起於鼻交頞中下[illegible]外入上齒縫中還出俠口[illegible]循頤後下廉出大迎循頰車上耳前過客主人[illegible]其支別者從大迎前下人迎循喉嚨入缺盆下膈[illegible]陽明[illegible]於手循臂至肩上出於柱骨之會上下入缺盆絡[illegible]支別者從缺盆上頸貫頰下入齒中還出俠口交人中左之右右之左上俠鼻孔低足陽明故終則口目動作也口目動作謂目睒睒而鼓頷也胃病則惡人與火聞木音則惕然而驚又罵詈罵詈而不避親疏故善驚妄言也黃者土色也上謂手脈下謂足脈也經盛謂面目頸頷足跗腕脛皆躁盛而動也不仁謂不知善惡如是者皆氣竭之徵也故終矣（睒音閃）

少陰終者，面黑齒長而垢，腹脹閉，上下不通而終矣。

手少陰氣絕則血不流足少陰氣絕則骨不耎骨硬則齗上宣故齒長而積垢汙血壞則皮色死故面色如漆而不赤也足少陰脈從腎上貫肝膈入肺中手少陰脈起於心中出屬心系下膈絡小腸故其終則腹脹閉上下不通也

太陰終者，腹脹閉不得息，善噫善嘔，

足太陰脈行從股內前廉入腹屬脾絡胃上鬲手太陰脈起於中焦下絡大腸還循胃口上鬲屬肺故終則如是也靈樞經曰足太陰之脈動則病食則嘔腹脹善噫也

嘔則逆，逆則面赤，

嘔則氣逆故面赤

不逆則上下不通，不通則面黑皮毛焦而終矣。

嘔則上通故但面赤不否則下已閉上復不通心氣外燔故皮毛焦而終矣何者足太陰脈其支別者復從胃別上鬲注心中由是則皮毛焦乃也[illegible]

也厥陰終者中熱嗌乾善溺心煩甚則舌卷卵上縮而終矣足厥陰絡循脛上睾結於莖其正經入毛中下過陰器上抵少腹俠胃中循喉嚨之後入頏顙手厥陰脈起於背中出屬心包故終則中熱嗌乾善溺心煩矣靈樞經曰肝者筋之合也筋者聚於陰器而脈絡於舌本故甚則舌卷卵上縮也又以厥陰之脈過陰器故爾此十二經之所敗也手三陰三陽足三陰三陽則十二經也敗謂氣終盡而敗壞者也

新刊補注釋文黃帝内經素問二卷終

※

※

京本校正補註釋文黃帝內經素問卷之三

●脈要精微論篇第十七

黃帝問曰：診法何如？岐伯對曰：診法常以平旦，陰氣未動，陽氣未散，飲食未進，經脈未盛，絡脈調勻，氣血未亂，故乃可診有過之脈。

動謂動而降卑，散謂散布而出也。過謂異於常候也，診者詳審之。

切脈動靜，而視精明，察五色，觀五藏有餘不足，六府強弱，形之盛衰，以此參伍，決死生之分。

切謂以指切近於脈也。精明，穴名也，在明堂左右兩目青也。以近於目，故曰精明。言以形氣盛衰，脈之多少，視精明之間氣色，觀藏府不足有餘，參其類伍，以決死生之分。

夫脈者，血之府也。

府，聚也，言血之多少皆聚見於經脈之中也。故刺志論曰：脈實血實，脈虛血虛，此其常也，反是者病，由是故也。

長則氣治，短則氣病，數則煩心，大則病進。

夫脈長為氣和，故治；短為不足，故病；數急為熱，故煩心；大為邪盛，故病進也。長脈者往來長，短脈者往來短，數脈者往來急速，大脈者往來滿大也。

上盛則氣高，下盛則氣脹，代則氣衰，細則氣少，濇則心痛。

上謂寸口，下謂尺中。盛謂盛滿。代脈者動而中止，不能自還。細脈者動如莠蓬。濇脈者往來時不利而蹇濇也。

渾渾革至

如涌泉病進而色弊綿綿其去如弦絕死渾渾言脉氣濁亂也革至者謂脉來弦而大實而長也如涌泉者言脉汩汩但出而不返也綿綿言微微似有而不甚應手也如弦絕者言脉卒斷如弦之絕去也故病日進而色弊惡如此之脉皆必死也

夫精明五色者氣之華也五氣之精華者上見為五色變化於精明之間也六節藏象論曰天食人以五氣五氣入鼻藏於心肺上使五色脩明此則明察五色也

赤欲如白裹朱不欲如赭白欲如鵝羽不欲如鹽青欲如蒼璧之澤不欲如藍黃欲如羅裹雄黃不欲如黃土黑欲如重漆色不欲如地蒼五色精微象見矣其壽不久也赭色鹽色藍色黃土色地蒼色見者皆精微之敗象故其壽不久赭音者赤色也

夫精明者所以視萬物別白黑審短長以長為短以白為黑如是則精衰矣誤其誤也夫如是者皆精明衰乃誤也

五藏者中之守也身形之中五神安守之所也此皆明觀五藏也

中盛藏滿氣勝傷恐者聲如從室中言是中氣之濕也中謂腹中盛謂氣盛藏謂肺藏氣勝謂勝於呼吸而喘息變易也夫腹中氣盛肺藏充滿氣勝息變善傷於恐言聲不發如在室中者皆腹中有濕氣乃爾也

言而微終日乃復言者此奪氣也若言音微細聲斷不續甚奪其氣乃如是也

衣被

不斂言語善惡不避親踈者此神明之乱也倉廩不藏者是門戶不要也倉廩謂脾胃門戶謂魄門靈蘭秘典論曰脾胃者倉廩之官也五藏別論曰魄門亦為五藏使水穀不得久藏也魄門則肛門也要謂禁要水泉不止者是膀胱不藏也水泉謂前陰之流注也得守者生失守者死夫如是倉廩不藏氣藏傷恐衣被不斂水泉不止者皆神氣得其所守則生失其所守則死也夫何以知神氣之不守即衣被不斂言語善惡不避親踈則乱之謂也乱甚則不守於藏也夫五藏者身之強也藏安則神守神守則身強故曰身之強也頭者精明之府頭傾視深精神將奪矣背者胸中之府背曲肩隨府將壞矣腰者腎之府轉揺不能腎將憊矣膝者筋之府屈伸不能行則僂附一作俯又作附筋將憊矣骨者髓之府不能久立行則振掉骨將憊矣皆以所居所由而為之府也僂力主反憊蒲拜反病也掉徒了反搖也得強則生失強則死強謂中氣強固以鎮守也岐伯曰反四時者有餘為精不足為消應太過不足為精應不足有餘為消陰陽不相應病名曰關格廣陳其脉應也夫反四時者諸不足皆為血氣消損諸有餘皆為邪氣勝精也陰陽之氣不相應合不得相營故曰關格

帝曰脈其四時動奈何知病之所在奈何知病之所變奈何知病乍在內奈何知病乍在外奈何請問此五者可得聞乎言欲順四時及脈脈相應之狀候也岐伯曰請言其與天運轉大也指可見陰陽之運轉以明脈狀之不可見也萬物之外六合之內天地之變陰陽之應彼春之暖為夏之暑彼秋之忿為冬之怒四變之動脈與之上下六合謂四方上下也春暖為夏暑言陽生而至盛秋忿為冬怒言陰少而之壯也忿一為急言秋氣勁急也以春應中規春脈耎弱輕虛而滑如規之象中外皆然故以春應中規夏應中矩夏脈洪大兼之滑數如矩之象可正平之故以夏應中矩秋應中衡秋脈浮毛輕澀而散如秤衡之象高下必平故以秋應中衡冬應中權冬脈如石兼沉而滑如秤權之象下遠於衡故以冬應中權也以秋中衡冬中權者言脈之高下異處如此爾此則隨陰陽之氣故有斷絕不同也是故冬至四十五日陽氣微上陰氣微下夏至四十五日陰氣微上陽氣微下陰陽有時與脈為期期而相失知脈所分分之有期故知死時察陰陽升降之準則知經脈遞遷之象審氣候遞遷之失則知氣血分合之期分期不差故以人死之時節微妙在脈不可不察察

之有紀○從陰陽始○從陰陽升降精微然用者在經脈之氣候是以不可不察故始以然為察候之綱紀故
之有經○從五行生○生之有度四時為宜○言始所以知有經脈之察候同應者何哉蓋從五行
衰王而為準度也微太大過不及之形証皆以在四時者為生氣所宜也補瀉勿失○與天地如一○有余者寫
之不足者補之是則亦天地之常道也然天地之道損有余而補不足是法天地之道也寫補之宜土切審之其治氣亦然得一
之精以知死生○一曉天地之道寫補不差既得一精亦可知死生之准的是故聲合五音色合
五行脈合陰陽○聲表宮商角徵羽故合五音色見青黃赤白黑故合五行脈彰寒暑之休王故合陰陽之氣也是
知陰盛則夢涉大水恐懼○陰為水故夢涉水而恐懼也陰陽應象大論曰水為陰陽盛則夢
大火燔灼○陽為火故夢大火而燔灼也陰陽應象大論曰火為陽陰陽俱盛則夢相殺毀傷
亦類交爭之氣象也上盛則夢飛○下盛則夢墮○氣上則夢上故飛氣不則夢下故墮甚飽則夢
予○內有余故甚饑則夢取○內不足故肝氣盛則夢怒○肝在志為怒肺氣盛則夢哭○
肺聲哀故夢哭短蟲多則夢聚衆○身中短蟲多則夢聚衆長蟲多則夢相擊毀傷○長蟲
動則內不安內不安則神躁擾故夢是矣是故持脈有道虛靜為保○前明脈症此言持脈所由也然持脈

脈之道必虛其心靜其志乃保定盈虛而不失春日浮如魚之遊在波魚出猶未全浮夏日在膚泛泛乎萬物有餘泛泛平貌陽氣大盛脈氣亦象萬物之有余易取而洪大也秋日下膚蟄蟲將去隨陽氣之漸降故曰下膚何以明陽氣之漸降蟄蟲將欲藏去也冬日在骨蟄蟲周密君子居室在骨言脈深沉也蟄蟲周密脈沉伏藏君子居室此人事也故曰知內者按而紀之知內者謂知脈氣也故按而為之綱紀知外者終而始之知外者謂知色象故以五色終而復始此六者持脈之大法見是六者然可以知脈之遷變也心脈搏堅而長當病舌卷不能言謂搏擊於手也諸脈搏堅而長者皆為勞心而藏氣虛及也心手少陰脈從心系上俠咽喉故令舌卷短而不能言也其耎而散者當消環自已諸脈耎散皆為氣實血虛也消謂消散環散環周言其經氣如環之周當其火王自清散也肺脈搏堅而長當病唾血肺虛極則絡逆絡逆則血泄故唾出也其耎而散者當病灌汗至令不復散發也汗泄玄府津液奔湊寒水灌洗皮密汗藏因灌汗藏故言灌汗至令不復散發也灌謂灌洗盛暑多為此也肝脈搏堅而長色不青當病墜若搏因血在脅下令人喘逆諸脈見本經之氣而色不應者皆非病從內生是外病來勝也夫肝藏之脈端直以長故言曰色不青當病墜

若搏也肝主兩脅故曰因血在脅下也肝厥陰脈布脅肋循喉嚨
之後其支別者復從肝別貫膈上注肺今血在脅下則血氣上熏
於肺故令人喘逆也其耎而散○色澤者○當病溢飲○溢飲者渴暴多飲○而易入
肌皮腸胃之外也○面色浮澤是為中濕血虛中濕水液不消故言當病溢飲也以水飲滿溢故滲溢易而入肌皮
腸胃之外也胃脈搏堅而長○其色赤○當病折髀○胃虛色赤火氣救之心象於火故色赤也胃陽
明脈從氣衝下髀抵伏兎故病則髀如折也○髀謂股也其耎而散者○當病食痹○痹痛也胃陽明脈其
支別者從大迎前下人迎循喉嚨入缺盆下膈屬胃絡脾故食則悶痛而氣不散也脾脈搏堅而長○其色黃○
當病少氣○脾虛則肺無所養肺主氣故少氣也其耎而散○色不澤者○當病足䯒腫○若
水狀也○色氣浮澤為水之候色不潤澤故言若水狀也脾太陰自上內踝前廉上腨內循䯒骨後交出厥陰之前上循膝
股內前廉入腹故病足䯒腫也腎脈搏堅而長○其色黃而赤者○當病折腰○色氣黃赤是心
脾肝腎上受客陽故腰如折也腰為腎府故病發於中其耎而散者○當病少血○至令不復也○
腎主水以生化津液今腎氣不化故當病少血至令不復也帝曰○診得心脈而急○此為何病○病
形何如○岐伯曰○病名心疝○少腹當有形也○心為牡藏其氣應陽今脈反寒故為疝也諸脈

勁急者皆為寒形痛病形也帝曰何以言之岐伯曰心為牡藏小腸為之使故曰少腹當有形也少腹小腸也灵蘭秘典論曰小腸者受盛之官以其受盛故形居于內也帝曰診得胃脉病形何如岐伯曰胃脉實則脹虛則泄脉実者氣有餘故脹脈虛者氣不足故泄利帝曰病成而變何謂岐伯曰風成為寒熱生氣通天論曰因於露風乃生寒熱故風成為寒熱也癉成為消中癉謂溫熱也熱積於內故變為消中也消中之証善食而瘦厥成為巔疾厥謂氣逆也氣逆上而不巳則變為上巔之疾也久風為飧泄久風不變但在胃中則食不化而泄利也以肝氣內合而乘胃故為是病焉陰陽應象大論曰風氣通於肝故內丞於肝也脉風成為癘経風論曰風寒客於脉而不去名曰厲風又曰厲者有栄氣熱胕其氣不清故使其鼻柱壞而色敗皮膚瘍潰然此則癘也夫如是者皆脉風成結變而為也病之變化不可勝數帝曰諸癰腫筋攣骨痛此皆安生安何也言何以生之岐伯曰此寒氣之腫八風之變也八風八方之風也然癰腫者傷東南西南風之變也筋攣骨痛者傷東風北風之變也灵樞經曰風從東方來名曰嬰兒風其傷人也外在筋紐風從東南來名曰弱風其傷人也外在於肌風從西南來名曰謀風其傷人也外在於肉風從北方來名曰大剛風其傷人也外在於骨內此四風之變而三病乃生故下文問對是也

所曰治之如何岐伯曰此四時之病以其勝治之愈也勝謂勝剋也如金勝木木勝土土勝水水勝火火勝金此則相勝也帝曰有故病五藏發動因傷脉色各何以知其久暴至之病乎重以色氣明前五藏堅長之脉有自病故病及因傷候也岐伯曰悉乎哉問也徵其脉小色不奪者新病也氣乏而神猶治也徵其脉不奪其色奪者此久病也神持而邪凌其氣也徵其脉與五色俱奪者此久病也神與氣俱衰也徵其脉與五色俱不奪者新病也神與氣俱強也肝與腎脉並至其色蒼赤當病毀傷不見血已見血濕若中水也肝色蒼心色赤赤色見當脉洪腎脉見當色黑今腎脉來反見心色故當因傷而血不見也若已見血則是濕氣及水在腹中也何者以心腎脉色中外之候不相應也尺內兩傍則季脅也尺內謂尺澤之內也兩傍各謂尺之外側也季脅近腎尺主之故尺內兩傍則季脅也尺外以候腎尺裏以候腹中尺外謂尺之外側尺裏謂尺之內側也次尺外下兩傍則季脅之分季脅之上腎之分季脅之內則腹之分也附上左外以候肝內以候鬲肝主賁賁鬲也右外以候胃內以候脾脾居中故以內候之胃為市故以外候之上附上右外以候肺內以候胷中肺葉

[illegible]外故以外候之脊中主氣胃故以內候之左外以候心○內以候膻中○心主鬲中也膻中則氣海也嗌
也前以候前○後以候後○上前謂左寸口下前謂胷之前膺及氣海也上後謂右寸口下後謂胷之後背及氣
管也上竟上者○胷喉中事也○下竟下者○少腹腰股膝脛足中事也○上竟
上至魚際也下竟下謂盡尺之脈動處也小腹胞以海在膀胱腰股膝脛足中之氣動靜皆分其近遠及連接處所名目以候之知
其善惡也麤大者○陰不足陽有餘○為熱中也○麤大謂氣洪大也洪為熱熱故曰熱中脈來疾
去徐○上實下虛○為厥巔疾○來徐去疾○上虛下實○為惡風也○亦脈狀也故
中惡風者○陽氣受也○以上虛故陰氣受也有脈俱沉細數者○少陰厥也○尺中之有
脈沉細數者腎少陰氣逆也何者尺脈不當見數有數故言脈也俱沉細數者言左右尺中也沉細數散者○寒
熱也○陽手於陰脈氣不足故寒熱也正理論曰數為陽浮而散者為眴仆○脈浮為虛散為不足氣虛而血
不足故為頭眩而仆倒者也○眴音順諸浮不躁者○皆在陽○則為熱○其有躁者在手○
言大法也但浮不躁則病在足陽脈之中躁者病在手陽脈之中也故又曰其有躁者在手也陽為火氣故為熱諸細而
沉者○皆在陰○則為骨痛○其有靜者在足○細沉而躁則病生於手陰脈之中靜者病生於足陰

脉之中也故又以其亦静骨在足也脉主骨故骨痛數動一代者病在陽之脉也洩及便膿血代止也數動一代是脉氣之不病故云病在陽之脉所以然者以洩倂及膿血脉乃尔諸過者切之濇者陽氣有餘也滑者陰氣有餘也阝有餘則血少故脉濇也队有餘則氣多故脉滑也陽氣有餘則身熱無汗陰氣有餘為多汗身寒血少氣多斯可知也陰陽有餘則無汗而寒队餘先汗队餘身寒若队队有餘則當先汗而寒也于推而外之內而不外有心腹積也脉附臂筋取之不審推筋令疾使脉外行內而不出外者心腹中有積乃尔推而內之外而不內身有熱也脉遠臂筋推之令近遠而不近是队氣有余故身有熱也推而上之上而不下腰足清也按筋按之尋之而上脉上涌盛是队氣有余故腰足清冷也推而下之下而不上頭項痛也推筋按之尋之而下脉沉下掣是队氣有余故致頭項痛也按之至骨脉氣少者腰脊痛而身有痺也队氣大過故尔

●平人氣象論篇第十八

黄帝問曰平人何如平人謂氣候平調之人也岐伯對曰人一呼脉再動一吸

脉亦再動，呼吸定息，脉五動，閏以大息，命曰平人。平人者，不病也。
經脉一周於身，凡長十六丈二尺，呼吸脉各再動，定息一脉又一動，則五動也。計二百七十定息，氣行環周[illegible]盡五十營，以一万三千
五百定息，則氣都行八百一十丈。如是則應天常度，脉氣无不及大过，氣象平調，故曰平人，宜細玩之。
常以不病調病人，醫不病，故為病人平息以調之為法。人一呼脉一動，一吸脉
一動，曰少氣。呼吸脉各一動，準候減平人之半，計二百七十定息，氣行八丈一尺，以一万三千五百定息，都行四百五
丈，少氣之理，從此可知。人一呼脉三動，一吸脉三動而躁，尺熱曰病溫，尺不
熱，脉滑曰病風，脉澀曰痺。呼吸脉各三動，準過平人之半，計二百七十息，氣凡行三三十四丈三尺，病生之
兆由斯著矣。夫尺者陰分位也，寸者陽分位也。然陰陽俱熱，是則為溫，狀獨躁盛，則風中陽也。脉要精微論曰：中惡風者，陽氣受也。
滑為狀盛，故病為風；濇為无血，故為瘰痺也；躁謂煩躁。人一呼脉四動以上曰死，脉絕不至
曰死，乍踈乍數曰死。呼吸脉各四動，準候過平人之倍，計二百七十息，氣凡行三十二丈四尺，况其以上耶？脉
法曰：脉四至曰脫精，五至曰死。然四至以上，亦近五至也，故死矣。然脉絕不至，天真之氣已無，年數年踈，胃谷之精亦斷，此皆死之
候，是以下文曰：平人之常氣稟於胃，胃者，平人之常氣也。常平之氣胃海致之。靈樞經曰：

胃為水谷之海也正理論曰谷入於胃脉道乃行人無胃氣曰逆逆者死逆謂反平人之候也春胃微弦曰平言微似弦不謂微而弦也鈎及耎弱毛石義並同弦多胃少曰肝病但弦無胃曰死謂急而益勁如新張弓弦也胃而有毛曰秋病毛秋脉金氣也毛甚曰今病木受金邪故今病藏真散於肝肝藏筋膜之氣也象陽氣之散發故藏真散也藏氣法時論曰肝欲散急食辛以散之取其順氣夏胃微鈎曰平鈎多胃少曰心病但鈎無胃曰死謂前曲后倨如操帶鈎也胃而有石曰冬病石冬脉水氣也石甚曰今病火被水浸故今病藏真通於心心藏血脉之氣也象陽氣之炎盛也藏氣法時論曰心欲耎食鹹以耎之取其順氣長夏胃微耎弱曰平弱多胃少曰脾病但代無胃曰死謂動而中止不能自還也耎弱有石曰冬病石冬脉水氣也次其勝尅石當為弦長夏土絕故云勝也弱甚曰今病弱甚為土氣不足故今病藏真濡於脾脾藏肌肉之氣也以含藏水谷故藏真濡也秋胃微毛曰平毛多胃少曰肺病但毛無胃曰死謂如物之浮如風吹毛也毛而有弦曰春病弦春脉木氣也次其乘尅弦當為鈎金氣逼肝則脉弦來見故不鈎而反弦也弦甚曰今病木氣逆來[illegible]則金病[illegible]

藏真高於肺以行榮衛陰陽也肺處上焦故藏真高也靈樞經曰榮氣之道內穀為寶穀入於胃氣
傳於肺流溢於中布散於外精專者行於經隧以其自肺宣布故云以行榮衛陰陽之氣也冬胃微石曰平石
多胃少曰腎病但石無胃曰死謂如奪索辟辟如彈石也石而有鉤曰夏病鉤夏
脉火熱土氣也次其乘也鉤當云弱土王長夏不見正形故石而有鉤無其土也鉤甚曰今病水受火土之邪故金
病藏真下於腎腎藏骨髓之氣也腎居下焦故云藏真下也腎下骨髓故藏骨髓之氣也胃
之大絡名曰虛里貫鬲絡肺出於左乳下其動應衣脉宗氣也宗尊
也主也謂十二經脉之尊主也貫鬲絡肺出於左乳下者自鬲而出於乳下乃絡肺也盛喘數絕者則病在
中絕謂暫斷絕也結而橫有積矣絕不至曰死皆左乳下脉動狀也中謂腹中也乳之下
其動應衣宗氣泄也泄謂發泄也欲知寸口大過與不及寸口之脉中
手短者曰頭痛寸口脉中手長者曰足脛痛短為陰氣不及故病於頭長為陽氣大过
故病於足寸口脉中手促上擊者曰肩背痛陽盛於上故肩背痛寸口脉沉而堅
者曰病在中寸口脉浮而盛者曰病在外沉堅為陰故病在中浮盛為陽故病在外也

寸口脉沉而弱曰寒熱及疝瘕少腹痛沉為寒弱為熱故曰寒熱也又沉為陰陰盛弱為陽餘餘盛相薄當寒熱不當為疝瘕而少腹痛應古之錯簡耳寸口脉沉而横曰脇下有積腹中有横積痛亦陰氣内結也寸口脉沉而喘曰寒熱喘為陽吸沉為陰爭爭吸相薄故寒熱也脉盛滑堅者曰病在外脉小實而堅者曰病在内盛滑為陽小實為陰陰病病在内陽病病在外脉小弱以濇謂之久病小為氣虚濇為无血血氣虚弱故云久遠之病也脉滑浮而疾者謂之新病滑浮為陽足脉疾為氣全陽足氣全故云新淺之病也脉急者曰疝瘕少腹痛此復前疝瘕少腹痛之脉也言沉弱不必為疝瘕沉急乃與診相應脉滑曰風脉濇曰痺滑為陽陽受病則為風濇為陰陰受病則為痺緩而滑曰熱中盛而緊曰脹緩謂縱緩之狀非動之遲緩也陽盛於中故脉緩滑寒氣否滿故脉盛緊也盛謂盛滿也脉從陰陽病易已脉逆陰陽病難已脉病相應謂之從脉病相反謂之逆脉得四時之順曰病無他脉反四時及不間藏曰難已春得秋脉夏得冬脉秋得夏脉冬得四季脉皆謂反四時氣不相應故難已也臂多青脉曰脫血血少脉空客寒因入寒凝血汁故脉色青也尺脉緩濇謂之解㑊尺為陰部腹腎主之緩為熱中濇為无血熱而无血

故解㑊而不可名之然寒不寒熱不熱弱不弱壯不壯寧不可名謂之解㑊也脈要精微論曰尺外以候腎尺裏以候腹中則腹腎主尺之義也㑊音亦脈發濇㑊音寧困弱也安臥脈盛謂之脫血卧久傷氣〻傷則脈診進微今脈盛而不微則血去而氣无所主乃尒盛謂数急而大鼓也尺濇脈滑謂之多汗謂尺膚濇而尺脈滑也膚濇者榮血内涸脈滑為陰氣内餘血涸而陽氣尚餘多汗而脈乃如是也尺寒脈細謂之後泄尺主下焦診應腸腹故膚寒脈細泄利乃然脈法曰脈微即下言尺氣虚少尺麤常熱者謂之熱中謂下焦中也肝見庚辛死庚辛為金伐肝木也心見壬癸死壬癸為水滅心火也脾見甲乙死甲乙為木尅脾土也肺見丙丁死丙丁為火爍肺金也腎見戊己死戊己為土刑腎水也是謂真藏見皆死此亦通明三部九候論中真藏脈見者勝死也尺麤而藏見亦然頸脈動喘疾欬曰水水氣上溢則肺被熱熏陽氣上逆故頸脈盛鼓而欬喘也頸脈謂耳下及結喉傍人迎脈也目裏微腫如臥蠶起之狀曰水評熱論病曰水者陰也目下亦陰也腹者至陰之所居也故水在腹中者必使目下腫也溺黃赤安臥者黃疸疸勞也腎勞胞熱故溺黃赤也正理論曰謂之勞疸以女勞得之也已食如飢者胃疸是則胃熱也熱則消穀故食已如飢也面腫曰風加之面腫則胃風之診也何者胃陽明脈起於鼻交頞中下循鼻外故尒足脛腫曰

水足謂下焦有水也腎少陰脈出於足心上循脛足脛腫從腎上貫肝鬲故下焦有水足脛腫也目黃者曰黃疸陽升於上熱積以中陰然上燔故目黃也靈樞經曰目黃者病在胃婦人手少陰脈動甚者任子也手少陰脈謂掌後陷者中當小指動而應手者也靈樞經曰少陰無輸心不病乎岐伯曰其外經病而藏不病故獨取其經於掌后銳骨之端此之謂也動謂動脈也動脈者大如豆厥厥動搖也正理論曰脈陰陽相薄名曰動也又經脈別論曰陰搏陽別謂之有子脈有逆從四時未有藏形春夏而脈瘦秋冬而脈浮大命曰逆四時也風病作熱而脈靜泄而脫血脈實病在中脈虛病在外脈澀堅者皆難治風熱當脈躁而反靜泄而脫血當脈虛而反實邪氣在內當脈實而反虛病氣在外當脈本滑而反堅消故皆難治也命曰反四時也皆反四時之氣乃如是矣人以水穀為本故人絕水穀則死脈無胃氣亦死所謂無胃氣者但得真藏脈不得胃氣也所謂脈不得胃氣者肝不弦腎不石也不弦不石皆謂不微似也太陽脈至洪大以長氣盛故能尒少陽脈至乍數乍疏乍短乍長以氣有暢未暢者也陽明脈至浮大而短穀氣滿盛故也夫平心脈來累累如連珠如循琅玕曰心平

言脈滿而盛微似珠形之中手琅玕珠之類也夏以胃氣為本脈有胃氣則累累而微似連珠也病心脈
來喘喘連屬其中微曲曰心病曲謂中手而偃曲也死心脈來前曲後居如
操帶鉤曰心死居不動也操執持也鉤謂革帶之鉤平肺脈來厭厭聶聶如落榆莢
曰肺平浮薄而虛者也秋以胃氣為本脈有胃氣則微似榆莢之輕虛也病肺脈來不上
不下如循雞羽曰肺病謂中央堅而兩傍虛死肺脈來如物之浮如風吹毛
曰肺死如物之浮瞥瞥然如風吹毛紛紛然也平肝脈來耎弱招招如揭長竿末梢
曰肝平如竿末梢言長耎也春以胃氣為本脈有胃氣乃長耎如竿之末梢矣病肝脈來盈
實而滑如循長竿曰肝病長而不耎故若循竿死肝脈來急益勁如新張弓
弦曰肝死勁謂勁弩急之甚也平脾脈來和柔相離如雞踐地曰脾平言脈來動
數相離緩急和而調長夏以胃氣為本胃少則脈實數也病脾脈來實而盈數如雞
舉足曰脾病胃少故脈實急矣舉足謂如雞走之舉足也死脾脈來銳堅如烏之喙如
鳥之距如屋之漏如水之流曰脾死烏喙鳥距言銳堅也水流屋漏言其至也水流謂平至不鼓

停至而謂立待動復生腎脉也喘喘累累如鈎按之而堅曰腎平謂如心脉而鈎按之小堅尔冬以胃氣為本胃少則不安亦堅也病腎脉來如引葛按之益堅曰腎病形如引葛言不按且堅明按之則尤甚也死腎脉來發如奪索辟辟如彈石曰腎死發如奪索猶蛇之走降辟如彈石言促又堅也

●玉機真藏論篇第十九

黃帝問曰春脉如弦何如而弦岐伯對曰春脉者肝也東方木也萬物之所以始生也故其氣來耎弱輕虛而滑端直以長故曰弦言端直而長狀如弦也反此者病反謂反常平之候帝曰何如而反岐伯曰其氣來實而強此謂太過病在外其氣來不實而微此謂不及病在中氣餘則病形如外氣少則病在如中也帝曰春脉太過與不及其病皆何如岐伯曰太過則令人善忘忽忽眩冒而巔疾其不及則令人胷痛引背下則兩脇胠滿忽忽不爽也眩謂目眩視如轉也冒謂冒悶也胠謂下脅也忘當為怒字之誤也靈樞經曰肝氣實則怒肝

脉從目從而上入毛中又上貫鬲布胷脇循脅喉嚨從啎上入頏顙上出額與督脉會於巔故病如是帝曰善夏脉
如鈎何如而鈎岐伯曰夏脉者心也南方火也萬物之所以盛長
也故其氣來盛去衰故曰鈎言其脉來盛去衰如鈎之曲也反此者病帝曰何如
而反岐伯曰其氣來盛去亦盛此謂大過病在外其脉來盛去盛是似之盛也心
氣有余是為太过其氣來不盛去反盛此謂不及病在中帝曰夏脉大過
與不及其病皆何如岐伯曰大過則令人身熱而膚痛為浸淫其
不及則令人煩心上見欬唾下為氣泄心少陰脉起於心中出屬心系下鬲絡小腸大從心
系却上肺故心大过則身熱膚痛而浸淫流布於形分不及則心煩上見欬唾下為氣泄帝曰善秋脉而浮何
如而浮岐伯曰秋脉者肺也西方金也萬物之所以收成也故其
氣來輕虛以浮來急去散故曰浮脉來輕虛故名浮也來急以陰未沉下去散以陰氣上升也
反此者病帝曰何如而反岐伯曰其氣來毛而中央堅兩傍虛此
為大過病在外其氣來毛而微此謂不及病在中帝曰秋脉太過

與不及其病皆何如岐伯曰大過則令人逆氣而背痛慍慍然其不及則令人喘呼吸少氣而欬上氣見血下聞病音肺太陰脉起於中焦下絡大腸還循胃口上鬲屬肺從肺系橫出腋下復藏氣爲欬主喘息故氣盛則肩背痛氣逆不及則喘息變易呼吸少氣而欬上氣見血也下聞病音謂喘息則肺中有声也帝曰善冬脉如營何如而營脉沉而深如營動也岐伯曰冬脉者腎也北方水也萬物之所以合藏也故其氣來沉以搏故曰營言沉而搏擊於手也反此者病帝曰何如而反岐伯曰其氣來如彈石者此謂大過病在外其去如數者此謂不及病在中帝曰冬脉大過與不及其病皆何如岐伯曰大過則令人解㑊脊脉痛而少氣不欲言其不及則令人心懸如病飢䏚中清脊中痛少腹滿小便變腎少陰脉自股內后廉貫脊屬腎絡膀胱其直行者從腎上貫肝鬲入肺中循喉嚨俠舌本其支別者從肺出絡心注胸中故病如是也䏚者季脅之下俠脊兩傍空軟處也腎外當䏚故䏚中清冷也帝曰善帝曰四時之序逆從之變異也脉春弦夏鉤秋浮冬營爲逆順之變見異狀也然脾脉獨何主主謂主時月岐伯

曰脾脉者土也孤藏以貫四傍者也（納水谷化津液既灌於肝心肺腎也以不正主四時故謂之孤藏（匹）古代反）帝曰然則脾善惡可得見之乎岐伯曰善者不可得見惡者可見（不正主時寄王於四季故善不可見惡可見也）帝曰惡者何如可見岐伯曰其來如水之流者此謂太過病在外如鳥之喙者此謂不及病在中帝曰夫子言脾為孤藏中央土以灌四傍其太過與不及其病皆何如岐伯曰太過則令人四支不舉（以主四支故病不舉）其不及則令人九竅不通名曰重強（脾之孤藏以貫四傍今病則五藏不和故九竅不通也八十以難經曰五藏不和則九竅不通重謂藏氣重疊強謂氣不和順也）帝瞿然而起再拜而稽首曰善吾得脉之大要天下至數五色脉變揆度奇恒道在於一（瞿然忙貌也言以太過不及而一貫之揆度奇恒皆申專通也）神轉不迴迴則不轉乃失其機（五氣循環不愆時序是為神氣流轉不迴若却行衰王反天之常氣是則却迴而不轉由是却迴不轉乃失生氣之机矣）至數之要迫近以微（得至數之要迫則應用切近以微妙也迫切也）著之玉版藏之藏府每旦讀之名曰玉機（著之玉版故以爲名言也）

主收生氣之机五藏受氣於其所生傳之於其所勝氣舍於其所生死於
其所不勝病之且死必先傳行至其所不勝病乃死受氣所生者謂受病氣於
己之所生者也傳所勝者謂傳於己之所尅者也氣舍所生者謂舍於生己者也死所不勝者謂死於尅己者之分位也所傳不順
故必死焉此言氣之逆行也故死所為逆者次如下說肝受氣於心傳之於脾氣
舍於腎至肺而死心受氣於脾傳之於肺氣舍於肝至腎而死脾
受氣於肺傳之於腎氣舍於心至肝而死肺受氣於腎傳之於肝
氣舍於脾至心而死腎受氣於肝傳之於心氣舍於肺至脾而死
此皆逆死也一日一夜五分之此所以占死生之早暮也肝死於肺位秋
庚辛餘四倣此然朝主甲乙晝主丙丁四季上主戊己晡主庚辛夜主壬癸由此則死生之早暮可知也黃帝曰五藏
相通移皆有次五藏有病則各傳其所勝以主次逆傳而死故言是逆傳所勝之次也
不治法三月若六月若三日若六日傳五藏而當死是順傳所勝
之次三月者謂一藏氣之遷移六月謂至其所勝之位三日者三陽數以合日也六日者謂兼三陰以數之尔熱論曰傷寒

一日巨陽受三日陽明受二日少陽受四日之陰受五日少陰受六日厥陰受則其義也故曰別於陽者知病從來別於陰者知死生之期主辨三陰三陽之候則知中風邪氣之所不勝矣故下文曰言知至其所困而死困謂至所不勝也上文曰死於其所不勝是故風者百病之長也言先百病而有之今風寒客於人使人毫毛畢直皮膚閉而為熱客謂客止於人形也風擊皮膚寒勝腠理故毫毛畢直玄府閉密而熱生也當是之時可汗而發也邪在皮毛故汗可泄也陰陽應象大論曰善治者治毛皮此之謂也或痹不仁腫痛病生而變故如是也熱中血氣則痹痺不仁寒氣傷形故為腫痛陰陽應象大論云寒傷形熱傷氣氣傷痛形傷腫當是之時可湯熨及火灸刺而去之皆謂汁散寒邪宣揚正氣弗治病入舍於肺名曰肺痹發欬上氣邪入諸陰則病而為痹故入於肺名曰痹焉宣明五氣論曰邪入於陰則狂邪入於陰則痹肺在變動為欬故欬則氣上故上氣也弗治肺即傳而行之肝病名曰肝痹一名曰厥脅痛出食肺金伐木氣下入肝故曰弗治行之肝也肝氣通膽膽善為怒怒者氣逆故一名厥也肝厥陰脈從少腹屬肝絡膽上貫膈布脅肋循喉嚨之後上入頏顙故脅痛而食入腹故曰出食當是之時可按若刺耳弗治肝傳之脾病名曰脾風發癉腹

中熱煩心出黃肝氣應風木勝脾土土受風氣故曰脾風盖為風氣通肝而為名也脾之為病善發黃癉故發癉也脾太陰脉入腹屬脾絡胃上鬲俠咽連舌本散舌下其支別者復從胃別上鬲注心中故腹中熱而煩心出黃色於便寫之所也當此之時可按可藥可浴弗治脾傳之腎病名曰疝瘕少腹冤熱而痛出白一名曰蠱腎少陰脉自股內后廉貫脊屬腎絡膀胱故少腹冤熱而痛溲出白液也冤熱內結消鑠脂肉如虫之食日內損削故一名曰蠱當此之時可按可藥弗治腎傳之心病筋脉相引而急病名曰瘛腎不足則水不生水不生則筋燥急故相引也陰氣內弱陽氣外燔筋脉受熱而自跳掣故名曰瘛瘛音熾當此之時可灸可藥弗治滿十日法當死至心而氣極則如是矣若復傳行當如下說腎因傳之心心即復反傳而行之肺發寒熱法當三歲死因腎傳心心不受病即而復反傳於肺金肺已再傷故寒熱也三歲者肺至腎一歲腎至肝一歲肝至心一歲火又乘肺故云三歲死此病之次也謂傳勝之次第然其卒發者不必治於傳不必依傳之次故不必以次傳治之或其傳化有不以次不以次入者憂恐悲喜怒令不得以其次故令人有大病矣憂恐悲喜怒發無常分觸遇則發故令病氣亦不次而生因而喜大虛則

腎氣乘矣喜則心氣移於肺心氣不守故腎氣乘矣宣明五氣篇曰精氣并於心則喜矣怒則肝氣乘矣
怒則氣逆故肝氣乘脾矣悲則肺氣乘矣悲則肺氣移於肝肝氣受邪故肺氣乘矣宣明五氣篇曰精氣并於肺則悲矣
恐則脾氣乘矣恐則腎氣移於心腎氣不守故脾氣乘矣宣明五氣篇有曰精氣并於腎則恐矣憂則心氣乘矣
憂則肝氣移於脾肝氣不守則肝氣乘矣宣明五氣篇曰精氣并於肝則憂矣此其道也此其不次之常道
故病有五五五二十五變反其傳化五藏相并而各五之五而乘之則二十五變也
然其變化以勝相傳傳而不次變化多端傳乘之名也言傳者何相乘之異名爾
大骨枯槁大肉陷下胸中氣滿喘息不便其氣動形期六月死真藏脈見乃予之期日
皮膚乾著骨間肉陷謂大骨枯槁大肉陷下也諸附骨際及空窌處亦同其類也胸中氣滿喘息不便是肺無主也肺司治節氣息由之其氣動形為無氣相接故聳舉肩背以遠求報氣矣夫如是皆形藏已敗神藏亦傷見是證者期後一百八十日內死矣候見真藏之脈乃與死日之期爾真藏脈診下經備矣此肺之藏也瘉音愈字
大骨枯槁大肉陷下胸中氣滿喘息不便內痛引肩項期一月死真藏見乃予之期日
火精外出陽氣上燔金受火灾故內痛肩項如是者期後三十日內死此心之藏也
大骨枯槁大肉陷下胸中

氣滿喘息不便中痛引肩項身熱脫肉破䐃真藏見十月之內死陰氣微弱陽氣內燔故身熱也䐃者肉之標脾主肉故肉如脫盡䐃如破敗也見斯證者期后二百日內死䐃謂肘膝后肉如塊者此脾之藏也䐃渠損反大骨枯槁大肉陷下肩髓內消動作益衰真藏來見來一作未期一歲死見其真藏乃予之期日肩髓內消謂缺盆深也衰於動作謂交接漸微以餘藏尚全故期后三百六十五日內死此腎之藏也大骨枯槁大肉陷下胸中氣滿腹內痛心中不便肩項身熱破䐃脫肉目眶陷真藏見目不見人立死其見人者至其所不勝之時則死木生其火肝氣通心脈抵少腹上布脅肋循喉嚨之后上入頏顙故腹痛心中不便項肩身熱破䐃脫肉也肝主木故目眶陷及不見人立死也不勝之時謂於庚辛之月此肝之藏也急虛身中卒至五藏絕閉脈道不通氣不往來譬於墮溺不可為期言五藏相移傳其不勝則可待真藏脈見乃與死日之期卒急虛邪中於身內則五藏絕閉脈道不通氣不往來譬於墮々沒溺不可與為期日之期也其脈絕不來若人一息五六至其形肉不脫真藏雖不見猶死也是則急虛卒至之脈真肝脈至中外急如循刀刃責々然如按琴瑟絃

色青白不澤毛折乃死真心脈至堅而搏如循薏苡子累累然色
赤黑不澤毛折乃死真肺脈至大而虛如以毛羽中人膚色白赤
不澤毛折乃死真腎脈至搏而絕如指彈石辟辟然色黑黃不澤
毛折乃死真脾脈至弱而乍數乍疏色黃青不澤毛折乃死諸真
藏脈見者皆死不治也黃帝曰見真藏曰死何也岐伯曰五藏者皆
稟氣於胃胃者五藏之本也胃為水谷之海故五藏稟焉藏氣者不能自致於
手太陰必因於胃氣乃至於手太陰也平人之常稟氣於胃胃氣者平人之常氣故藏氣因
胃乃能至於手太陰也故五藏各以其時自為而至於手太陰也自為其狀至於手太
陰也故邪氣勝者精氣衰也故病甚者胃氣不能與之俱至於手太
陰故真藏之氣獨見獨見者病勝藏也故曰死是所謂脈无胃氣也平人氣象論曰
人无胃氣曰逆逆者死帝曰善黃帝曰凡治病察其形氣色澤脈之盛衰病
之新故乃治之無後其時欲以其時而取之形氣相得謂之可治氣盛形盛氣虛

形虛氣相得也色澤以浮謂之易已氣色浮潤血氣相營故易已脈從四時謂之可治脈春弦夏鉤秋浮冬營謂順四時從順也脈弱以滑是有胃氣命曰易治取之以時候可取之時而取之則萬舉萬全當以四時血氣所在而為療尔形氣相失謂之難治形盛氣虛氣盛形虛皆相失也色夭不澤謂之難已夭謂不明而惡不澤謂枯燥也脈實以堅謂之益甚脈實以堅是邪氣盛故益甚也脈逆四時為不可治以氣逆故候上四句是謂四難所以下文曰必察四難而明告之此四相之所易語工之所難為所謂逆四時者春得肺脈夏得腎脈秋得心脈冬得脾脈其至皆懸絕沉濇者命曰逆四時春得肺脈秋來見也夏得腎脈冬來見也秋得心脈夏來見也冬得脾脈春來見也懸絕謂如懸物之絕去也未有藏形於春夏而脈沉濇秋冬而脈浮大名曰逆四時也未有謂来有藏脈之形伏也病熱脈靜泄而脈大脫血而脈實病在中脈實堅病在外脈不實堅者皆難治若雖治者以其與証不相應也黃帝曰余聞虛實以決死生願聞其情岐伯曰五實死五虛死五實謂五藏之實五虛謂五藏之虛帝曰願聞五實五虛岐伯曰脈盛

皮熱腹脹前後不通悶瞀此謂五實 實謂邪氣盛實然脉盛心也皮熱肺也腹脹脾也前后不通腎也悶瞀肝也瞀莫候反 脉細皮寒氣少泄利前後飲食不入此謂五虛 虛謂真氣不足也然脉細心也皮寒肺也氣少肝也泄利前后腎也飲食不入脾也 帝曰其時有生者何也岐伯曰漿粥入胃泄注止則虛者活身汗得後利則實者活此其候也 全注飲粥得入於胃胃氣和調其利漸止胃氣得實虛者得活言實者得汗外通後得便利自然調平

●三部九候論篇第二十 新校正云按全元起本在第一卷篇名決死生

黄帝問曰余聞九鍼於夫子衆多博大不可勝數余願聞要道以屬子孫傳之後世著之骨髓藏之肝肺歃血而受不敢妄泄 歃血飲血也歃所甲反 令合天道必有終始上應天光星辰歷紀下副四時五行貴賤更立冬陰夏陽以人應之奈何願聞其方 天光謂日月星也歷紀謂日月行歷於天二十八宿三百六十五度之分紀也言以人形血氣榮衛周流合時候之遷都應日月之行道然斗極旋運黄赤道差冬時日依黄道近南故陰多夏時月依黄道近北故陽盛也夫四時五行之氣以王者為貴相者為賤也 岐伯對曰妙乎

哉問也此天地之至數道貫精微故云妙問至數謂至極之數也帝曰願聞天地之至數合於人形血氣通決死生為之奈何岐伯曰天地之至數始於一終於九焉九奇數也故天地之數斯為極矣一者天二者地三者人因而三之三三者九以應九野爾雅曰邑外為郊郊外為甸甸外為牧牧外為林林外為坰坰外為野言其遠也坰古螢反故人有三部部有三候以決死生以處百病以調虛實而除邪疾所謂三部者言身之上中下部非謂寸關尺也三部之內經隧由之故察候存亡悉因於是鍼之補寫邪疾可除也

帝曰何謂三部岐伯曰有下部有中部有上部部各有三候三候者有天有地有人也必指而導之乃以為真言必當諮受於師也徵四失論曰受師不卒妄作雜術謬言為道更名自功妄用砭石后必遺身咎此其誡也禮曰疑自無質成也上部天兩頷之動脈在額兩傍動應於手足少陽脉氣所行也上部地兩頰之動脈在鼻孔下兩傍近於巨髎之分動應於手足陽明脉氣之所行上部人耳前之動脈在耳前陷者中動應於手手少陽脉氣之所行也中部天手太陰也謂肺脉也在掌后寸口中是謂經渠動應於手中部地手陽明也謂大腸脉也在手指次指岐骨間合谷

之分動應於手也中部人手少陰也謂心脉也在掌后鋭骨之端神門之分動應於手也灵樞經持鍼縱舍論問曰少陰无輸心不病乎對曰其外經病而藏不病故獨取其經於掌后鋭骨之端正謂此也下部天足厥陰也謂肝脉也在毛際外羊矢下一寸半陷中五里之分卧而取之動應於手也女子取大衝在足大指本節後二寸陷中是下部地足少陰也謂腎脉也在足内踝后跟骨上陷中大谿之分動應於手下部人足太陰也謂脾脉也在魚腹上越筋間直五里下箕門之分寬鞏足單衣沉取乃得之而動應於手也候胃氣者當取足跗之上衝陽之分穴中動脉乃應手也故下部之天以候肝足厥陰脉行其中也地以候腎足少陰脉行其中也人以候脾胃之氣足太陰脉行其中也脾藏與胃以膜相連故以候脾兼候胃也帝曰中部之候奈何岐伯曰亦有天亦有地亦有人天以候肺手太陰脉當其處也地以候胷中之氣手陽明脉當其處也經云腸胃同候故以候胷中也人以候心手少陰脉當其處也帝曰上部以何候之岐伯曰亦有天亦有地亦有人天以候頭角之氣位在頭角之分故以候頭角也地以候口齒之氣位近口齒故以候之人以候耳目之氣以位當耳前脉抵於目外眥故以候之三部者各有天各有地各有人三而成天三而成地三

而成人，三而三之，合則為九，九分為九野，九野為九藏。以是故應天地之至數。故神藏五，形藏四，合為九藏。所謂神藏者，肝藏魂，心藏神，脾藏意，肺藏魄，腎藏志也。以其皆神氣居之，故云神藏五也。所謂形藏者，皆如器外張，虛而不屈，合藏於物，故云形藏也。所謂形藏四者，一頭角，二耳目，三口齒，四胸中也。五藏已敗，其色必夭，夭必死矣。夭謂死色，異常之候也。色者神之旗，藏者神之舍，故神去則藏敗，藏敗則色見異常之候死也。帝曰：以候奈何？岐伯曰：必先度其形之肥瘦，以調其氣之虛實，實則寫之，虛則補之。度謂量也。實寫虛補，此所謂順天之道也。老子曰：天之道，損有餘，補不足也。必先去其血脈而後調之，無問其病，以平為期。血脈滿堅，謂邪留止，故先刺其血而後乃調之，不當詢問病者盈虛，要以脈氣平調為之期準耳。帝曰：決死生奈何？度形肥瘦，調氣盈虛，不問病人，以平為準，死生之證以決之也此。岐伯曰：形盛脈細，少氣不足以息者危。形氣相反，故生氣至危。玉机真藏論曰：形氣相得，謂之可治。金脈氣不足，形盛有餘，證不相失，故當危也。危者，言其近死，由有生者也。刺志論曰：氣實形實，氣虛形虛，此其常也，反此者病。今脈細少氣，是為氣弱；體壯盛，是為形盛。形盛氣弱，故生氣傾危。形瘦脈大，胸中多氣者死。是則形氣不足，脈氣有餘，故死。形瘦脈大，胸中氣多，形藏已傷，故云死也。凡如是類，皆形氣不相得

也形氣相得者生參伍不調者病參謂參校伍謂類伍參校類伍而有不調謂不率其常則病也
三部九候皆相失者死失謂氣候不相類也相失之候診凡有七七診之狀如下文云上下左右
之脉相應如參舂者病甚上下左右相失不可數者死三部九候上下左右
凡十八診也如參舂者謂大數而鼓如參舂杵之上下也脉要精微論曰大則病進故病甚也不可數者謂一息十至已上也脉法
曰人一呼脉再至一吸脉亦再至曰平三至曰離經四至曰脫精五至曰死六至曰命盡今相失而不可數者是過十至之外也至
五尚死況至十者乎中部之候雖獨調與衆藏相失者死中部之候相減者
死中部左右凡六診也上部下部已不相應中部獨調固非其久減於上下是亦氣衰敗將死也減謂偏少也目內陷
者死言太陽也太陽之脉起於目內眥目內陷者太陽絶也故死所以言太陽者太陽主諸陽之氣故獨言之也帝曰
何以知病之所在岐伯曰察九候獨小者病獨大者病獨疾者病
獨遲者病獨熱者病獨寒者病獨陷下者病相失之候診凡有七者此之謂也然脉見
七診謂參伍不調隨其獨異以言其病耳以左手足上上去踝五寸按之庶右手足當
踝而彈之手足皆取之然手踝之上手太陰脉足踝之上足太陰脉足太陰脉主肉應於下部手太陰脉主氣應於中部

是以下文云脫肉身不去者死中部乍疎乍數者死其應過五寸以上蠕蠕然者不病氣和故也其應疾中手渾渾然者病中手徐徐然者病渾渾亂也徐徐緩也其應上不能至五寸彈之不應者死氣絕故不應也是以脫肉身不去者死谷氣外衰則肉如脫盡天真內竭故身不能行真谷並衰故死之至矣去猶行去也中部乍疎乍數者死乍疎乍數氣之喪亂也故死其脈代而鉤者病在絡脈鉤謂夏脈又夏氣在絡故病在絡脈也絡脈受邪則經脈滯否故代止也九候之相應也上下若一不得相失上下若一言遲速小大等也一候後則病二候後則病甚三候後則病危所謂後者應不俱也俱者猶同也一也察其府藏以知死生之期夫病入府則愈入藏則死故死生期準察以知之必先知經脈然後知病脈經脈四時五藏之脈真藏脈見者勝死所謂真藏脈者真肝脈至中外急如循刀刃責責然如按琴瑟弦真心脈至堅而搏如循薏苡子累累然真脾脈至弱而乍數乍疎真肺脈至大而虛如毛羽中人膚真腎脈至搏而絕如指彈石辟辟然凡此五者皆謂得真藏脈而無胃氣也平人氣象論曰胃者平人之常氣也人無胃氣曰逆逆者死此之謂也勝死者謂勝剋於己之時則死也平人氣象論曰肝見庚辛死心見壬癸死脾見甲乙死肺見丙丁死腎見戊己死是謂[illegible][illegible]死也

足太陽氣絶者其足不可屈伸死必戴眼足太陽脉起於目内眥上額交巔上從巔入絡腦還出別下項循肩髆内俠脊抵腰中其支者從肩髆別下貫胂過髀樞下合膕中貫腨循踵至足外側太陽氣絶死如是矣帝曰冬陰夏陽奈何言死時也岐伯曰九候之脉皆沉細懸絶者為陰主冬故以夜半死盛躁喘數者為陽主夏故以日中死位無常居物極則反也乾坤之義陰極則龍戰于野陽極則亢龍有悔是以陰陽極脉死于夜半日中也是故寒熱病者以平旦死亦物極則變也平曉木王木氣為風故木王之時寒熱病死生氣通天論曰因於露風乃生寒熱由此則寒熱之病風薄所為也熱中及熱病者以日中死陽之極也病風者以日夕死卯酉衝也病水者以夜半死水王故也其脉乍踈乍數乍遲乍疾者日乘四季死辰戌丑未土寄王之脾氣内絶故日乘四季而死也形肉已脫九候雖調猶死亦謂形氣不相得也訂前脫肉身不去者九候雖平調亦死也七診雖見九候皆從者不死但九候須四時之令雖七診互見亦生矣從謂順從也所言不死者風氣之病及經月之病似七診之病而非也故言不死風病之脉診大而數月經之病脉小以微雖候與七診之狀畧同而死生之證亦異故不死也若有七診之

其脈候亦敗者死矣（言雖七診見，九候從者不死；若病同七診之狀，而脈應敗亂，縱九候皆順，猶不得生也）。必發噦噫（胃精內竭，神不安心，故死之時發斯噦噫。宣明五氣篇曰：心為噫，胃為噦也）。必審問其所始病，與今之所方病（方，正也。言必當原其始而要其終也），而後各切循其脈，視其經絡浮沉，以上下逆從循之。其脈疾者不病（氣強盛故），其脈遲者病（氣不足故），脈不往來者死（精神去也），皮膚著者死（骨乾枯也）。帝曰：其可治者奈何？岐伯曰：經病者治其經（求有過者），孫絡病者治其孫（二孫字疑衍）絡血（有血留止，刺而去之），血病（二字疑衍）身有痛者治其經絡（靈樞經曰：經脈為裏，支而横者為絡，絡之別者為孫絡。由是孫絡則經之別支而横也）。其病者在奇邪，奇邪之脈則繆刺之（奇謂奇繆不偶之氣，而與經脈繆處也。由是故繆刺之。繆刺者，刺絡脈，左取右，右取左也）。留瘦不移，節而刺之（病氣淹留，形容減瘦，證不移易，則消息節級，養而刺之。此又重明前經无別其病以下為期者也）。上實下虛，切而從之，索其結絡脈，刺出其血，以見通之（結，謂血結於絡中也。血去則經隧通矣。前經云：先去血脈而後調，復明其結絡乃先去也）。瞳子高者太陽不足，戴眼者太陽已經，此決死生之要，不可不察

此後所前太陽氣說過絕及函絕之後後也手指及手外踝上五指留鍼錯簡文也

黄帝素問三卷終

新刊校正黃帝內經素問卷之四

●經脉別論篇第二十一

黃帝問曰：人之居處動靜勇怯去劫反畏也，脉亦為之變乎？岐伯對曰：凡人之驚恐恚勞動靜，皆為變也。變謂變易常候是以夜行則喘出於腎，腎生於夜，氣合幽冥，故夜行則喘息內從腎出也淫氣病肺。夜行腎勞，因而喘息，氣淫不次，則病肺也有所墮恐，喘出於肝，恐生於肝，墮損筋血，因而奔喘，故出於肝也淫氣害脾。肝木妄淫害脾土也有所驚恐，喘出於肺，驚則心无所依，神无所歸，氣亂胷中，故喘出於肺也淫氣傷心。驚則神越，故氣淫反傷心矣渡水跌仆，喘出於腎與骨。溼氣通腎骨上之故度水跌仆喘出腎骨矣。跌謂足跌，仆謂身倒也。跌音迭，仆音朴當是之時，勇者氣行則已，怯者則著而為病也。氣有強弱，神有壯懦，故殊狀也故曰：診病之道，觀人勇怯骨肉皮膚，能知其情，以為診法也。通達性懷，得其情狀，乃為深識，診契物宜也故飲食飽甚，汗出於胃。飽甚胃滿，故汗出於胃也驚而奪精，汗出於心。驚奪心精，神氣浮越，陽內薄之，故汗出於心也持重遠行，汗出於腎。骨勞氣越，腎復

過疲故持重遠行汗出於腎也疾走恐懼汗出於肝暴役於筋肝氣罷極故疾走恐懼汗出於肝也搖體
勞苦汗出於脾搖體勞苦謂動作施力非疾走遠行也然動作用力則谷精四布脾化水谷故汗出於脾也故
春秋冬夏四時陰陽生病起於過用此為常也不適其性而強云為過即病生此其
常理五藏受氣蓋有常分用而過耗是以病生故下文曰食氣入胃散精於肝淫氣於筋肝養筋故
胃散谷精之氣入於肝則浸淫滋養於筋絡矣食氣入胃濁氣歸心淫精於脈濁氣谷氣也心居胃
上故谷氣歸心淫溢精微入於脈也何者心主脈故脈氣流經經氣歸於肺肺朝百脈輸精
於皮毛言脈氣流運乃為大經經氣歸宗上朝於肺肺為華蓋位復居高治節由之故受百脈之朝會也平人氣象論曰藏
真高於肺以行榮衛陰陽由此故肺朝百脈然乃布化精氣輸於皮毛矣毛脈合精行氣於府府謂氣之所聚
處也是謂氣血在兩乳間名曰膻中也府精神明留於四藏氣歸於權衡膻中之布氣者分為
三隧其下者走於氣街上者走於息道宗氣留於海積于胸中命曰氣海也如是分化乃四藏安定三焦平均中外上下各得其所
也權衡以平氣口成寸以決死生三世脈法皆以三寸為寸關尺之分故中外高下氣緒均平則
氣口之脈而成寸也夫氣口者脈之大要會也百脈盡朝故以其分決死生也飲入於胃遊溢精氣上輸

於脾水飲入胃至于中焦水化精微上為云霧云霧散變乃注於脾靈樞經曰上焦如霧中焦如樞此之謂也脾氣散
精上歸於肺通調水道下輸膀胱水上合化上滋肺金〻氣通腎故調水道轉注下焦膀胱稟化
乃為溲矣靈樞經曰下焦如瀆此之謂也水精四布五經並行合於四時五藏陰陽揆
度以為常也從是水精布經氣行筋骨成血氣順配合四時寒暑証符五藏陰陽揆度盈虛用為常道度量也以用也
太陽藏獨至厥喘虛氣逆是陰不足陽有餘也陰謂腎陽謂膀胱也故下文曰表
裏當俱寫取之下俞陽獨至謂陽氣盛至也陽獨至為陽有餘陰不足則陰邪入故表裏俱寫取足下俞也下
俞足俞也陽明藏獨至是陽氣重并也當寫陽補陰取之下俞陽氣重并故寫
陽補陰少陽藏獨至是厥氣也蹻前卒大取之下俞蹻謂陽蹻脉在足外踝下足少
陽脉行抵絕骨之端下出外踝之前循足附然蹻前卒大則少陽之極盛也故取足俞少陽也少陽獨至者一陽
之過也一陽少陽也过謂大过也以其大过故蹻前卒大焉太陰藏搏者用心省真見太陰之脉伏
鼓則當用心省察之若是真藏之脉不當治也五脉氣少胃氣不平三陰也三陰太陰脾之脉也五藏
脉少胃氣不調是亦太陰之脉也宜治其下俞補陽寫陰以陰氣大過故一陽獨嘯少陽

厥也嘯謂耳中鳴如嘯声也膽及三焦脉皆入耳故氣逆上則耳中鳴陽并於上四脉爭張氣歸於腎心脾肝肺四脉爭張陽并於上者是腎氣不足故氣歸於腎也宜治其經絡瀉陽補陰陰氣足則陽氣不復并於上矣一陰至厥陰之治也真虛痟心厥氣留薄發爲白汗調食和藥治在下俞一或作二誤也厥陰一陰也上言二陰至則當少陰治下言厥陰治則當一陰至也然三陰之經俗文論墜人少波胃字尋傳寫誤痟爲玄亥骨節疼也帝曰太陽藏何象岐伯曰象三陽而浮也帝曰少陽藏何象岐伯曰象一陽也一陽藏者滑而不實也帝曰陽明藏何象岐伯曰象大浮也太陰藏搏言伏鼓也二陰搏至腎沉不浮也明前獨至之脉狀也

● 藏氣法時論篇第二十二

黄帝問曰合人形以法四時五行而治何如而從何如而逆得失之意願聞其事岐伯對曰五行者金木水火土也更貴更賤以知生死以決成敗而定五藏之氣間甚之時死生之期也帝曰願卒

問之岐伯曰肝主春以應木也足厥陰少陽主治厥陰肝脉少陽膽脉肝與膽合故治同其日甲乙甲乙為木東方肝也肝苦急急食甘以緩之甘性和緩心主夏以應火也手少陰太陽主治少陰心脉太陽小腸脉心與小腸合故治同其日丙丁丙丁為火南方干也心苦緩急食酸以收之酸性收斂脾主長夏長夏謂六月也夏為土母土長於中以長而治故云長夏足太陰陽明主治太陰脾脉陽明胃脉脾與胃合故治同其日戊己戊己為土中央干也脾苦溼急食苦以燥之苦性乾燥肺主秋以應金也手太陰陽明主治太陰肺脉陽明大腸脉肺與大腸合故治同其日庚辛庚辛為金西方干也肺苦氣上逆急食苦以泄之苦性宣泄故肺用之腎主冬以應水也足少陰太陽主治少陰腎脉太陽膀胱脉腎與膀胱合故治同其日壬癸壬癸為水北方干也腎苦燥急食辛以潤之開腠音湊理致津液通氣也辛性津潤也然腠理開津液達則肺氣下流腎與肺通故云通氣也病在肝愈於夏子制其鬼也餘愈同不愈甚於秋子休鬼復王也餘甚同秋不死持於冬兒休而母養故氣執持於父母之猶也餘持同起於春自得其位故復起於起同禁當風以風氣通於肝故禁而勿犯肝病者愈在丙丁丙丁

應夏丙丁不愈加於庚辛庚辛應秋庚辛不死持於壬癸壬癸應冬起於甲乙
甲乙應春木也肝病者平旦慧下晡甚夜半靜木王之時故爽慧也金王之時故加甚也水王之時故靜
退也餘慧甚同其靜小異晡博孤反甲時肝欲散急食辛以散之以藏氣當散故以辛發散也陰陽應象大
論曰辛甘發散為陽也平人氣象論曰藏真散於肝言其常發散者也用辛補之酸瀉之辛味散故補酸未收
故寫病在心愈在長夏長夏不愈甚於冬冬不死持於春起於夏如府
例也禁溫食熱衣熱則心燥故禁止之心病者愈在戊己戊己應長夏也戊己不愈加
於壬癸壬癸應冬壬癸不死持於甲乙甲乙應春也起於丙丁應夏火也心病者
日中慧夜半甚平旦靜亦休王之義也心欲耎急食鹹以耎之以藏氣好耎故以鹹
柔耎也平人氣象論曰藏真通於心言其常欲柔耎也耎音軟言其柔弱也用鹹補之甘寫之鹹補取其柔耎
甘寫取其舒緩病在脾愈在秋秋不愈甚於春春不死持於夏起於長夏
禁溫食飽食濕地濡衣溫七及飽並傷脾氣故禁止之濡音日濡閏也脾病者愈在庚辛
應秋氣也庚辛不愈加於甲乙應春氣也甲乙不死持於丙丁應夏氣也起於戊

已。（應長夏也）脾病者，日昳慧，日出甚，下晡靜。（土王則爽慧，木尅[illegible]，金扶則靜退，亦休[illegible]之義。此一本或云日中持者，謬也。夫五藏之病，皆以勝則加，至其所生而愈，至其所不勝而甚，至於所生而持，自得其位而起，由是故皆有間甚之時，死生之期也）脾欲緩，急食甘以緩之。（甘性和緩，順其靜也）用苦瀉之，甘補之。（苦寫取其堅燥，甘補取其安緩）病在肺，愈在冬；冬不愈，甚於夏；夏不死，持於長夏，起於秋。（例如肝也）禁寒飲食寒衣。（肺惡寒氣，故衣食禁之。《靈樞經》曰：形寒匕飲則傷肺。飲尚傷肺，其食寒焉）（肺不獨惡匕寒，畏熱也）肺病者，愈在壬癸，（應冬水也）壬癸不愈，加於丙丁，（應夏火也）丙丁不死，持於戊己，（應長夏土也）起於庚辛。（應秋金也）肺病者，下晡慧，日中甚，夜半靜。（金王則慧，水王則靜，火王則甚）肺欲收，急食酸以收之，（以酸性收斂故也）用酸補之，辛瀉之。（酸收斂故補，辛發散故寫）病在腎，愈在春；春不愈，甚於長夏；長夏不死，持於秋，起於冬。（例如肝也）禁犯焠烪熱食溫炙衣。（腎性惡燥，故此禁之。焠作焠，青對反；烪，烏來反。煩熱也）腎病者，愈在甲乙，（應春木也）甲乙不愈，甚於戊己，（應長夏土也）戊己不死，持於庚辛，（應秋金也）起於壬癸。（應冬水也）腎病者，夜半慧，四季甚，下晡靜。

水王則慧土王則甚金干則靜腎欲堅○急食苦以堅之○以苦性堅燥也用苦補之鹹寫之○
若補取其堅也鹹寫取其耎也耎溫土制也故用寫之夫邪氣之客於身也○以勝相加○邪者不正
之目風寒暑濕飢飽勞逸皆是邪也非惟鬼毒疫癘也至其所生而愈○謂至己所生也至其所不勝
而甚○謂不勝己之氣也至於所生而持○謂至生己之氣也自得其位而起○居所主處謂自
得其位也必先定五藏之脉○乃可言間甚之時○死生之期也○五藏之脉者謂肝弦
心鉤肺浮腎營脾代如是則可言死生間甚矣三部九候論曰以先知經脉然后知病脉者此之謂也肝病者○兩脇
下痛引小腹○令人善怒○肝厥陰脉自足而上環陰器抵小腹又上貫肝鬲布脇肋故兩脇下痛引小腹也其
氣實則善怒灵樞經曰肝氣實則怒虛則目䀮䀮無所見○耳無所聞○善恐○如人將捕
之○肝厥陰脉自脅肋循喉嚨入頏顙連目系膽少陽脉其支者從耳後入耳中出走耳前至目銳背後故病如是也恐謂恐懼魂
不安也䀮乎光反目不明也取其經厥陰與少陽○經謂經脉也非其絡病故取其經也取厥陰以治肝氣取
少陽以調氣逆也故下文曰氣逆則頭痛○耳聾不聰頰腫○肝厥陰脉自目背上出額與督脉會於巔
故頭痛膽少陽脉之別者從耳中出走耳前又支別者加頰重入厥陰之脉支別者從目系下頰裏故耳聾不聰頰腫也是以上文

熱取少陽也取血者胷中血滿獨異於常乃氣逆之診隨其左右有則刺之心病者胸中痛脇支
滿脇下痛膺背肩甲間痛兩臂內痛心少陰脈支別者循胷出脇又手心主厥陰之脈起於胷
中其支別者亦循胷出脇下腋三寸上抵腋下下循臑內行太陰
少陰之間入肘中下循臂行兩筋之間又心少陰之脈直行者復
從心系却上肺上出腋下下循臑內後廉行太陰心主之後下肘
內循臂內後廉抵掌后銳骨之端又小腸太陽之脈自臂臑上繞
肩甲交肩上故病如是臑人朱反虛則胸腹大脇下與腰相引而痛手心主厥陰之脈從胷中
出屬心包下鬲歷絡三焦其支別者循胷出脇心少陰之脈自心系下鬲絡小腸故病如是也取其經少陰太陽
舌下血者少陰之脈從心系上俠咽喉故取舌本下及絡脈血也其變病刺郄中血者其或嘔變
則刺少陰之郄血滿者也手少陰之郄在掌后脈中去腕半寸當小指之後脾病者身重善肌肉痿足
不收行善瘈脚下痛脾象土而主肉故身重肉痿也痿謂痿弱無力也脾太陰之脈起於足大指之端循指內側
上內踝前廉上腨內腎少陰之脈起於足小指之下斜趣足心上腨內出膕內廉故病則足不收行善瘈脚下痛也故下取少陰痿
於危反溫病足不能行也瘈音係小兒病又尺制反虛則腹滿腸鳴飧泄食不化脾太陰脈從股內前
廉入腹屬脾絡胃故病如是靈樞經曰中氣不足則腹為之善滿腸為之善鳴也取其經太陰陽明少陰

血者少陰腎脉也以前病行善瘛腳下痛故取之而出血血滿者出之肺病者喘咳氣逆肩背痛汗出○尻陰股膝髀腨胻足皆痛肺藏氣而主喘息在變動為咳故病則喘欬逆氣也背為胸中之府肩接近之故肩背痛也肺養皮毛邪盛則心液外泄故汗出也腎少陰之脉從足下上循腨内出膕内廉上股内后廉貫脊屬腎絡膀胱今肺病則腎脉受邪故尻陰股膝髀腨胻足皆痛耳故下取少陰也尻苦高反腨時轉反跟也胻胡郎反脛也虛則少氣不能報息○耳聾嗌乾○氣虛少故不足以報入息也肺太陰之絡會於耳中故聾也腎少陰之脉從腎上貫肝鬲入肺中循喉嚨俠舌本金肺虛則腎氣不足以上潤於嗌故嗌乾也是以下文兼取少陰也取其經太陰足太陽之外厥陰内血者足太陰之外厥陰内者正謂腨内側内踝后之直上則少陰脉也視左右足脉少陰部分有血滿異於常者即而取之腎病者○腹大脛腫○喘欬身重○寢汗出○憎風○腎少陰脉起於足而上循腨復從橫骨中俠臍循腹裏上行而入肺故腹大脛腫而喘欬也腎病則骨不能用故身重也腎邪攻肺心氣内微心液為汗故寢汗出也脛既腫矣汗復津泄陰凝玄府陽燥上焦内熱外寒故憎風也憎風謂深惡之也虛則胸中痛大腹小腹作大腸小腸痛清厥意不樂○腎少陰脉從肺出絡心注胸中然腎氣既虛心无所制心氣熏肺故痛聚胸中也足太陽脉從項下行而至足腎虛則太陽之氣不能盛行於足故足冷而氣逆也清謂氣清冷厥謂氣逆也以清

氣逆故大腹小腹痛志不足則神躁擾故不樂也取其經少陰太陽血者凡刺之道虛則補之實則寫之不盛不虛以經取之是謂得道經絡有血刺而去之是謂守法猶當揣形定氣先去血脉而后乃平有余不足焉三部九候論曰必先度其形之肥瘦以調其氣之虛實實則寫之虛則補之必先去其血脉而后調之此之謂也肝色青宜食甘粳米牛肉棗葵皆甘肝性喜急故食甘物而取其寬緩也心色赤宜食酸小豆犬肉李韭皆酸心性喜緩故食酸物而取其收斂也肺色白宜食苦麥羊肉杏薤皆苦肺性喜氣逆故食苦物而取其宣泄也脾色黃宜食鹹大豆豕肉栗藿皆鹹究斷宜食乃調利關鐵之又也腎為胃關脾與胃合故假鹹柔耎以利其關關利而胃氣乃行胃氣乃行而脾氣方化故應脾宜味與衆未實不同也腎色黑宜食辛黃黍雞肉桃葱皆辛腎性喜燥故食辛物而取其津潤也辛散酸收甘緩苦堅鹹耎五者皆自然之氣也然辛味苦味匪唯堅散而已辛亦能潤能散苦亦能燥能泄故上文曰脾苦濕急食苦以燥之肺苦氣逆上急食苦以泄之則其謂苦之燥泄也又曰腎苦燥急食辛以潤之則其謂辛之濡潤也耎音軟毒藥攻邪藥謂金玉土石草木菜果蟲魚鳥獸之類皆可以袪邪養正者也然辟邪安正惟毒乃能以其能然故通謂之毒藥也五穀為養謂粳米小豆麥大豆黃黍也五果為助謂桃李杏栗棗也五畜為益謂牛羊豕犬雞也五

菜為充。謂葵藿薤蔥韭也氣味合而服之。以補精益氣。氣曰陽化味曰陰施氣味合和則補益精氣矣陰陽應象大論曰陽為氣陰為味〻歸形〻歸氣〻歸精〻歸化精食氣形食味又曰形不足者溫之以氣精不足者補之以味由是則補精益氣其義可知此五者。有辛酸甘苦鹹。各有所利。或散或收。或緩或急。或堅或耎。四時五藏。病隨五味所宜也。用五味而調五藏配肝以甘心以酸脾以鹹肺以苦腎以辛者各隨其宜欲緩欲收欲耎欲散欲堅而為用所以相生相養者而為義也

●宣明五氣篇第二十三

五味所入。酸入肝。肝合木而味酸也辛入肺。肺合金而味辛苦也苦入心。心合火而味苦也鹹入腎。腎合水而味鹹也甘入脾。脾合土而味甘也是謂五入。五氣所病。心為噫。象火炎上烟隨焰出心不受穢故噫出之肺為欬。象金堅勁叩之有声邪擊於肺故為欬也欬苦蓋反肝為語。象木枝條而形之別語宣委曲故出於肝脾為吞。象土包容物歸於內翕如皆受故為吞也翕音吸腎為欠。為嚏。象水下流上生云霧氣鬱於胃故欠生焉太陽之氣和利而滿於心出鼻則生嚏胃為氣逆。為噦。為恐。胃為水穀之海腎與為關〻閉不利則氣逆而上行也以包容水谷性喜受寒寒穀相搏故為噦也寒盛則噦起熱盛則恐生何者胃熱則腎

気微弱故為恐也下文曰精気并於腎則恐也噦呼會反鳥声也

大腸小腸為泄

大腸為傳道之府小腸為受盛之府受盛之気既虚傳道之司不禁故為泄利也

下焦溢為水

下焦為分注之所気窒不寫則溢而為水窒步栗反

膀胱不利為癃不約為遺溺

膀胱為津液之府水注由之然足三焦脉實約下焦而不通則不得小便足三焦脉虚不約下焦則遺溺也灵樞經曰足三焦者太陽之別也並太陽之正入絡膀胱約下焦実則閉癃虚則遺溺癃音隆

膽為怒

中正決断无私无偏其性剛決故為怒也六節藏象論曰凡十一藏取決於膽也

是謂五病○五精所并精氣并於心則喜

精気謂火之精気也肺虚而心精并之則為喜灵樞經曰喜樂无極則傷魄魄為肺神明心火并於肺金也

并於肺則悲

肝虚而肺気并之則為悲灵樞經曰悲哀動中則傷魂魂為肝神明肺金并於肝木也

并於肝則憂

脾虚而肝気并之則為憂灵樞經曰愁憂不解則傷意意為脾神明肝木并於脾土也

并於脾則畏

一經云肌也腎虚而脾気并之則為畏畏謂畏俱也灵樞經曰恐俱而不解則傷精精為腎神明脾土并於腎水也

并於腎則恐

心虚而腎気并之則為恐灵樞經曰怵惕思慮則傷神神為心主明腎水并於心火也怵惕驚惧也此皆正気不足而勝気并之乃為是矣故下文曰

是謂五并虚而相并者也○五藏所惡心惡熱

熱則脉濆濁

肺惡寒

寒則氣留滯

肝惡風

風則筋燥急

脾惡濕

濕則肉痿腫

腎惡燥〔燥則精竭涸〕是謂五惡○五藏化液心為汗〔泄於皮腠也〕肺為涕〔於鼻竅也〕肝為淚〔注如眼目也〕脾為涎〔流於脣口也〕腎為唾〔生於牙口齒也〕是謂五液○五味所禁辛走氣氣病無多食辛〔病謂力少不自勝也〕鹹走血血病無多食鹹苦走骨骨病無多食苦甘走肉肉病無多食甘酸走筋筋病無多食酸〔是皆為行其氣速故不欲多食多食則病甚故病者無多食也〕是謂五禁無令多食○五病所發陰病發於骨陽病發於血陰病發於肉〔骨肉陰靜故陽氣從之血脈陽動故陰氣乘之〕陽病發於冬陰病發於夏〔夏陽氣盛故陰病發於夏冬陰氣盛故陽病發於冬各隨其少也〕是謂五發○五邪所亂邪入於陽則狂邪入於陰則痺〔邪居於陽脈之中則四支熱盛故為狂邪陰於入脈之内則六經凝泣而不通故為痺泣音澁〕搏陽則為顛疾〔邪内搏於陽則脈流薄疾故為上巔之疾〕搏陰則為瘖〔邪内搏於陰則脈不流故令瘖不能言〕陽入之陰則靜○陰出之陽則怒〔隨所之而為疾也之往也〕是謂五亂○五邪所見春得秋脈夏得冬脈長夏得春脈秋得夏脈冬得長夏脈名曰陰出之陽病善怒不治是

謂五邪皆同命死不治○五藏所藏心藏神精氣之化成也灵樞經曰兩情相薄謂之神肺藏魄精氣之匡佐也灵樞經曰並精而出入者謂之魄肝藏魂神氣之輔弼也灵樞經曰脈神而往来者謂之魂脾藏意記而不忘者也灵樞經曰心有所憶念謂之意腎藏志專意而不移者也灵樞經曰意之所存謂之志腎受五藏六府之精元氣之本生成之根為胃之関是以志能則命通是謂五藏所藏○五藏所主心主脈壅遏榮氣應息而動也肺主皮包裹筋肉閑拒諸邪也肝主筋束絡機関應運而動脾主肉覆藏筋骨通行衛氣也腎主骨張筋化髓幹以立身也是謂五主○五勞所傷久視傷血勞於心也久卧傷氣勞於肺也久坐傷肉勞於脾也久立傷骨勞於腎也久行傷筋勞於肝也是謂五勞所傷○五脈應象肝脈弦耎虛而滑端直以長也心脈鉤如鉤之偃来盛去衰也脾脈代耎而弱也肺脈毛輕浮而虛如毛羽也腎脈石沉堅而搏於石之故也是謂五藏之脈

●血氣形志篇第二十五

夫人之常數太陽常多血少氣少陽常少血多氣陽明常多氣多

血。少陰常少血多氣。厥陰常多血少氣。太陰常多氣少血。此天之常數。血氣多少，此天之常數，故用鍼之道，常寫其多也。足太陽與少陰為表裏，少陽與厥陰為表裏，陽明與太陰為表裏，是為足陰陽也。手太陽與少陰為表裏，少陽與心主為表裏，陽明與太陰為表裏，是為手之陰陽也。今知手足陰陽所苦，凡治病必先去其血，乃去其所苦，伺之所欲，然後寫有餘，補不足。先去其血，謂見血脈盛滿獨異於常者乃去之，不謂常刺則先去其血也。欲知背俞，先度其兩乳間，中折之，更以他草度去半已，即以兩隅相拄也。乃舉以度其背，令其一隅居上，齊脊大推，兩隅在下，當其下隅者，肺之俞也。度謂度量也。言以草量其乳間，四分去一，使斜與等，折為三隅，以上隅齊脊大推，則兩隅下當肺俞也。〔釋〕音度〔拄〕知俞反，撐也。〔推〕直追反。復下一度，心之俞也。謂以上隅齊脊三推也。復下一度，左角肝之俞也。右角脾之俞也。復下一度，腎之俞也。是謂五藏之俞，灸刺之度也。灵樞經及中誥咸云，肺俞在三推之旁，心俞在五推之傍，肝俞在九推之傍，脾俞在下一推之傍，腎俞在

十四椎之傍尋此經草量之法則合度之人其初度兩隅之下鍼
當肺俞再度兩隅之下約當心俞三度兩隅之下約當七椎七椎
之傍乃鬲俞之位此經云左角肝之俞右角脾之俞殊與中誥等
經不同以四度則兩隅之下約當九椎九椎之傍乃肝俞也經云背俞未定其源形樂志苦病生於脈治之以灸刺形謂身形志謂心志細而言之則七神殊守通
而論之則約形志以為中外尒然形樂謂不甚勞役志苦謂結慮
深思不甚勞役則筋骨平調結慮深思則榮衛乖否氣血不順故
病生於脈然夫盛寫虛補是灸刺之道猶當去其血絡而后調之
故上文曰凡治病必先去其血乃去其所苦伺之所欲然后寫有余補不足則其義也形樂志樂病生於肉治之以針石志樂謂悅懌忘憂也然筋骨不勞心神悅
懌則肉理相比氣道滿填衛氣怫結故病生於肉也夫衛氣留滿
以針寫之結聚膿血石而破之石謂石鍼則砭石也今亦以鲱鍼
代之鈹音鈹形苦志樂病生於筋治之以熨引形苦謂修業就役也然修業以為就役而作一
生其用則致勞傷勞用以傷故病生於筋熨謂藥熨引謂導引形苦志苦病生於咽嗌治之以甘
藥修業就役結慮深思憂則肝氣并於脾肝與膽合嗌為之使故病生於嗌也宣明五氣篇曰精氣并於肝則憂其病論曰肝者
中之將也取決於膽咽為之使也形數驚恐經絡不通病生於不仁治之以按摩
醪藥驚則脈氣并恐則神不收脈併神遊故經絡不通而為不仁之病矣夫按摩者所以開通閉塞導引陰陽醪藥者所以養

正於邪調中理気故方之為用宜以此焉醪藥謂酒藥也不仁謂不應其用則痛痺矣醪音勞酒也是謂五形志也

刺陽明出血氣刺太陽出血惡氣刺少陽出氣惡血刺太陰出氣惡血刺少陰出氣惡血刺厥陰出血惡氣也明前三陽三陰血氣多少之刺約也

●寶命全形論篇第二十五

黄帝問曰天覆地載萬物悉備莫貴於人人以天地之氣生四時之法成天以德流地以氣化德氣相合而乃生焉易曰天地絪縕萬物化淳此之謂也則假以溫涼寒暑生長收藏四時運行而方成立君王衆庶盡欲全形貴賤雖殊然其寶命一矣故好生惡死者貴賤之常情也形之疾病莫知其情留淫日深著於骨髓心私慮之余欲鍼除其疾病為之奈何虛邪之中人微先見于色不知于身有形无形故莫知其情狀也留而不去淫衍日深邪氣襲虛故著於骨髓帝今不豫故請行其針岐伯對曰夫鹽之味鹹者其氣令器津泄鹹謂鹽之味苦浸淫而潤物者也夫鹹為苦而生[redacted]從水而有水也潤下而苦泄故鹹令器中生津液潤滲泄焉凡虛中而受物者皆謂之器其於體外則謂之膚其於身中所同則謂膀胱矣然以病配於五藏則心氣微於骨中而不去乃為是矣何者腎象水而味鹹心合火而味苦出流

汗出使陰虛火為水持故陰虛裹之外津潤如汗而滲泄不止也凡此之病氣天陰則潤在土則浮在人則變濕而皮膚剝起也
弦絕者其陰嘶敗陰虛衰津液而弦絕者診當言音嘶嗄敗易傷声且何者肝氣傷也肝氣傷則金本缺金本缺
則肺氣不全肺主音声故言音嘶嗄音西馬反嗄所嫁反木敷者其葉發敷布也言木氣散布外榮於所部者
其病當發於肺葉之中也何者以木氣發散故也平人氣象論曰藏真散於肝〻又合木也病深者其聲噦噦謂
声濁惡也肺藏惡血故如是噦於月反人有此三者是謂壞府府胷也以肺處胷中故也壞謂損壞其府而取
病也抱朴子云仲景開胷以納赤餅由此則胷可啓之而後病矣三者謂脉弦絕肺葉發声濁藏者也毒藥無治短
鍼無取此皆絕皮傷肉血氣爭黑病內潰於肺中故毒藥无治外不在於經絡故短針无取是矣
絕皮傷肉乃如攻之以惡血久與肺氣交爭故當血見而色黑也帝曰余念其痛心為之亂惑反
甚其病不可更代百姓聞之以為殘賊為之奈何殘謂殘害賊謂損劫言恐涉於
不仁致慊於黎庶也岐伯曰夫人生於地懸命於天天地合氣命之曰人形假
物成故生於地命惟天賦故懸於天德氣同歸故謂之人也靈樞經曰天之在我者德地之在我者氣德流氣薄而生者也然德者
道之用氣者生之母也人能應四時者天地為之父母人能應四時和氣而養生者天地恒養

之故為父母四氣調神大論曰夫四時陰陽者萬物之根本也所以聖人春夏養陽秋冬養陰以從其根故與萬物沉浮於生長之門也知萬物者謂之天子知萬物之根本者天地常育養之故謂曰天之子也天有陰陽人有十二節節謂節氣外所以應十二月內所以主十二經脈也天有寒暑人有虛實寒暑有盛衰之紀虛實表多少之殊故人以虛實應天寒暑也能經天地陰陽之化者不失四時知十二節之理者聖智不能欺也經常也言能常應順天地陰陽之道而修養者則合四時生長之宜能知十二節氣之所遷至者雖聖智亦不欺侮而奉行之能存八動之變五勝更立能達虛實之數者獨出獨入呿吟至微秋毫在目存謂心存達謂明達呿謂欠呿吟謂吟嘆秋毫在目言細必察也八動謂八節之風變動五勝謂五行之氣相勝立謂當其王時變謂氣至而變易知是三者則應效明著速猶影響此自神之獨出獨入亦非鬼靈能召遣也呿祛遮反謂露齒出氣帝曰人生有形不離陰陽天地合氣別為九野分為四時月有大小日有短長萬物並至不可勝量虛實呿吟敢問其方請說用鍼之意岐伯曰木得金而伐火得水而滅土得木而達金得火而缺水得土而絕萬物盡然不可勝竭達通也言物類雖不可竭盡而

數變之皆如五行之氣而有勝負之性分尔故鍼有懸布天下者五黔首共餘食莫知
之也言鍼之道有若高懸示人彰布於天下者五矣而有姓共知餘食咸弃茂之不務于本而崇乎未莫知其要深於其中所
謂五者次如下句一曰治神專精其心不妄乱動也所以云手如握虎神无營於衆物盖欲調治精神專其心也二
曰知養身知养己身之法亦如养人之道矣陰陽應象大論曰用針者以我知彼用之不殆此之謂也三曰知
毒藥為真毒藥攻邪順宜而用正真之道其在兹乎四曰制砭石小大古者以砭石為鍼故不舉九鍼
但言砭石針當制其大小者隨病所宜而用之砭悲瀰反以石刺也五曰知府藏血氣之診諸陽為府諸陰
為藏故血氣形志篇曰太陽多血少氣少陽少血多氣陽明多氣少血少陰少血多氣厥陰多血少氣太陰多氣少血是以刺陽明
出血氣刺太陽出血惡氣刺少陽出氣惡血刺太陰出氣惡血刺少陰出氣惡血刺厥陰出血惡氣也精知多少則補寫萬全五
法俱立各有所先事宜則應者先用今末世之刺也虛者實之滿者泄之
此皆衆工所共知也若夫法天則地隨應而動和之者若響隨之
者若影道無鬼神獨來獨往隨應而動言其効也若影若響言其近也夫知影之隨形響之應声豈復
有鬼神之召遣耶盖由隨應而動之自得尔帝曰願聞其道岐伯曰凡刺之真必先治

神專其精神寂无動乱刺之真要其在斷焉五藏已定九候已備後乃存鍼元定五藏之脉備諸九候之診而有大过不及者然后乃存意於用針之法衆脉不見衆凶弗聞外内相得無以形先衆脉謂七診之脉衆凶謂五藏相乘外内相得言形勢相得也先以形先言不以已形之衰盛寒温料病人之形氣使同於已也故下文曰可玩往來乃施於人玩謂玩弄言精熟批標本病傳論曰備熟陰陽无與衆謀此其類也人有虚實五虚勿近五實勿遠至其當發間不容瞚音舜一作瞚人之虚实非其遠近而有之盖由血氣一時之盈縮尒然其未發則如云垂而視之可久至其發也則如電滅而指所不及遲速之殊有如此矣手動若務鍼耀而勻手動用針心如專務於一事也針經曰一其形听其動靜而知邪正此之謂也針耀而勻謂針形光净上下勻平也靜意視義觀適之變是謂冥冥莫知其形冥冥言血氣變化之不可見也故靜意視息以義斟酌觀所調適經脉之變易尒雖且針下用意精微而測量之猶不知變易形容誰為其象也見其烏烏見其稷稷從見其飛不知其誰烏烏嘆其氣至稷稷嘆其盛應言所針得失如從空中見飛鳥之往來豈復知其所使之元主耶但見經脉盈虚而為信亦不知其誰之所召遣耳伏如横弩起如發機血氣之未應針則伏如横弩之安靜其應針也則起如機發之迅疾帝曰何如而虚何如而實

言血氣既伏如横弩起於發機然其虛實豈留呼而可為準定耶虛實之形何如而約之岐伯曰刺虛者須其實刺實者須其虛言要以氣至有効而為約不必守息數而為定法也經氣已至慎守勿失无變法而失經氣也深淺在志遠近若一如臨深淵手如握虎神無營於衆物言精心專一也所針經脉雖淺深不同然其補寫皆如一俞之專意故手如握虎神不外營焉

八正神明論篇第二十六

黃帝問曰用鍼之服必有法則焉今何法何則服事也法象也則準也約也岐伯對曰法天則地合以天光謂合日月星辰之行度帝曰願卒聞之岐伯曰凡刺之法必候日月星辰四時八正之氣氣定乃刺之候日月者謂候日之寒温月之空滿也星辰者謂先知二十八宿之分應水漏刻者也畧而言之常以日加之於宿上則知人氣在太陽否日行一舍人氣在三陽與陰分矣細而言之從房至畢十四宿水下五十刻半日之度也從昴至心亦十四宿水下五十刻終日之度也是故從房至畢者為陽從昴至心者為陰陽主晝陰主夜也凡日行一舍故水下三刻與七分刻之四也靈樞經曰水下一刻人氣在太陽水下二刻人氣在少陽水下三刻人氣在陽明水下四刻人氣在陰分水下不止氣行亦爾又曰日行一舍人氣行於身一周與十分

分身之八日行三舍人氣行於身三周與十分身之六日行三舍人氣行於身五周與十分身之四日行四舍人氣行於身七周與十分身之二日行五舍人氣行於身九周然日行二十八舍人氣亦行於身五十周與十分身之四由是故以候日月星辰也四時八正之氣者謂四特正氣八節之風來朝於太乙者也謹候其氣之所在而刺之氣定乃刺之若謂八節之風氣靜定乃可以刺經脉謂虛實也故曆忌云八節前後各五日不可刺灸凶是則謂氣未定故不可刺灸也是故天溫日明則人血淖液而衛氣浮故血易瀉氣易行天寒日陰則人血凝泣而衛氣沉泣謂如水中居雪也淖如散亦易也月始生則血氣始精衛氣始行月郭滿則血氣實肌肉堅月郭空則肌肉減經絡虛衛氣去形獨居是以因天時而調血氣也是以天寒無刺血凝泣而衛氣沉也天溫無疑血淖夜而氣易行也月生無寫月滿無補月郭空無治是謂得時而調之謂得天時也因天之序盛虛之時移光定位正立而待之候日遷移定氣所在南面正立待氣至而調之也故日月生而寫是謂藏虛血氣弱也月滿而補血氣揚溢絡有留血命曰重實絡亦為經誤血氣盛也留一為流非也月郭空而治是謂亂經陰陽相錯真

邪不別，沉以留止，外虛內亂，淫邪乃起。（氣失[illegible]故淫邪起。）帝曰：星辰八正何候？岐伯曰：星辰者，所以制日月之行也。（制謂制度，星辰則可知日月行之制度矣。略而言之，周天二十八宿，三十六分，人氣行一周天，凡一千八分，周身十六丈二尺，以應二十八宿，合漏水百刻，都行八百一十丈，一分晝夜也。故人十息，氣行六尺，日行二分；二百七十息，氣行十六丈二尺，一周於身，水下二刻，日行二十分；五百四十息，氣行再周於身，水下四刻，日行四十分；二千七百息，氣行十周於身，水下二十刻，日行五宿二十分；一萬三千五百息，氣行五十周於身，水下百刻，日行二十八宿也。細而言之，則常以一十周加之一分又十分分之六，乃奇分盡矣。是故星辰所以制日月之行度也。）八正者，所以候八風之虛邪以時至者也。（八正謂八節之正氣也。八風者，東方嬰兒風，南方大弱風，西方剛風，北方大剛風，東北方凶風，東南方弱風，西南方謀風，西北方折風也。虛邪謂乘人之虛而為病者也。以時至，謂天應太乙移居，以八節之前後風朝中宮而至者也。）四時者，所以分春秋冬夏之氣所在，以時調之也，八正之虛邪而避之勿犯也。（四時之氣所在者，謂春氣在經脈，夏氣在孫絡，秋氣在皮膚，冬氣在骨髓也。然觸冒虛邪，動傷真氣，避而勿犯，乃不病焉。故《靈樞經》曰：聖人避邪，如避矢石。蓋以其能傷真氣也。）以身之虛而逢天之虛，兩虛相感，其氣至骨，入則傷五藏，（以虛感虛，同氣而相應也。）工候救之勿能傷也（候知而止故弗能傷之救止也）故曰天忌不可不知也（人忌於天故云天忌犯之則病故不可不知也）帝曰善其法星辰者余聞之矣願聞法往古者岐伯曰法往古者先知鍼經也驗於來今者先知日之寒溫月之虛盛以候氣之浮沉而調之於身觀其立有驗也（候氣不差故立有驗）觀其冥冥者言形氣榮衛之不形於外而工獨知之（明前篇靜意視義觀適之變是謂冥冥莫知其形也雖形氣榮衛不形見於外而工以心神明悟獨得知其衰盛焉善惡悉可明之）以日之寒溫月之虛盛四時氣之浮沉參伍相合而調之工常先見之然而不形於外故曰觀於冥冥焉（工所以常先見者何以守法而神通明也）通於無窮者可以傳於後世也是故工之所以異也（法者故可傳后世后世不絕則應用通於無窮矣以獨見知故工所以異於俗也）然而不形見於外故俱不能見也（工異於粗者以粗俱不能見也）視之無形嘗之無味故謂冥冥若神髣髴（言形氣榮衛不形於外以不可見故視無形嘗無味伏如橫弩起如發機窈窈冥冥莫知元主謂如神運髣髴焉若如也）虛邪者八正之虛邪氣也（八正之虛邪謂八節之虛邪也）

以從虛之鄉來襲虛而入為病故謂之八正虛邪正邪者身形若用力汗出腠理開逢虛
風其中人也微故莫知其情莫見其形正邪者不從虛之鄉來也以中人微故莫知其情意
莫見其形狀上工救其萌牙必先見三部九候之氣盡調不敗而救之
故曰上工下工救其已成救其已敗救其已成者言不知三部九
候之相失因病而敗之也義備離合真邪論中知其所在者知診三部九候
之病脉處而治之故曰守其門戶焉莫知其情而見邪形也三部九候
為候邪之門戶也守門戶故見邪形以中人微故莫知其情狀也帝曰余聞補寫未得其意岐伯
曰寫必用方方者以氣方盛也以月方滿也以日方溫也以身方
定也以息方吸而內鍼乃復候其方吸而轉鍼乃復候其方呼而
徐引鍼故曰寫必用方其氣而行焉方猶正也寫邪氣出則真氣流行矣補必用員
員者行也行者移也行謂宣不行之氣令必宣行移謂移未復之脉俾其平復刺必中其榮復
以吸排鍼也針入至血謂之中榮故員與方非針也所言方員者非謂鍼形正謂行移之義者也

故養神者必知形之肥瘦榮衛血氣之盛衰血氣者人之神不可不謹養神安則壽神去則形敝故不可不謹養也帝曰妙乎哉論也合人形於陰陽四時虛實之應冥冥之期其非夫子孰能通之然夫子數言形與神何謂形何謂神願卒聞之神謂神智通悟形謂形診可觀岐伯曰請言形形乎形目冥冥問其所病索之於經慧然在前按之不得不知其情故曰形外隱其无形故目冥冥而不見內藏其有象故以診而可索於經也慧然在前按之不得言三部九候之中卒然逢之不可為之期準也離合真邪論曰在陰與陽不可為度從而察之三部九候卒然逢之早遏其路此其義也帝曰何謂神岐伯曰請言神神乎神耳不聞目明心開而志先慧然獨悟口弗能言俱視獨見適若昏昭然獨明若風吹云故曰神耳不聞言神用之微密也目明心開而志先者言心之通如昏昧開卷目之見如氣開關明神雖內融志已先往矣慧然謂清爽也悟猶了達也慧然獨悟口弗能言者謂心中清爽而了達口不能宣吐以為心也俱視獨見適若昏者叢見之異速也言與衆俱視我忽獨別適猶若昏昧尔既獨見了心眼昭然獨能明察若云隨同卷毋翳天明至此神乎妙用如是不可得而言也三部九候為之

原九鍼之論不必存也以三部九候經脈爲之本原則可通神悟之妙用若以九針之論僉議則其旨惟博其知彌遠矣故曰三部九候爲之原九針之論不必從也

離合眞邪論篇第二十七

黄帝問曰余聞九針九篇夫子乃因而九之九九八十一篇余盡通其意矣經言氣之盛衰左右傾移以上調下以左調右有餘不足補寫於榮輸余知之矣此皆榮衛之傾移虛實之所生非邪氣從外入於經也余願聞邪氣之在經也其病人何如取之奈何岐伯對曰夫聖人之起度數必應於天地故天有宿度地有經水人有經脈宿謂二十八宿度謂天之三百六十五度也經水者謂海水淸水渭水湖水沔水汝水江水淮水漯水河水漳水濟水也以其內合經脈故名之經水焉經脈者謂手足三陰三陽之脈所以言者以內外參合人氣應通故言之也天地溫和則經水安靜天寒地凍則經水凝泣天暑地熱則經水沸溢卒風暴起則經水波涌而隴起大經脈亦應之隴力腫反下同夫邪之入於脈也寒

則血凝泣暑則氣淖澤虛邪因而入客亦如經水之得風也經之
動脈其至也亦時隴起其行於脈中循循然循〻然順動貌言隨順經脈之動息因循
呼吸之往來但形狀或異耳循〻一爲輴〻輴敕倫反其至寸口中手也時大時小大則邪
至小則平其衝無常處大謂大常平之形診小者非純小之謂也以其比大則謂之小若无大以比則自是
平常之以氣耳然邪氣者因其陰氣則入陰經因其陽氣則入陽脈故其行无常處也宜詳審之在陰與陽不可
爲度以隨經脈之流運也從而察之三部九候卒然逢之早遏其路逢謂名遏謂遏之
遏絕三部君中卜候之邪卒然逢遇當按而上之卽而寫之逕路既絕則大邪之氣无能爲也所謂寫者如下文云吸而金
鍼無令氣忤靜以久留無令邪布吸則轉鍼以得氣爲故候呼引
鍼呼盡乃去大氣皆出故命曰寫按經之旨先補真氣乃爲其邪也何以言之下文坫之子反內
針靜以久留此段寫去吸則內針又靜以久留然乎反可八其吸至則不㧞乎內針〻候既同久留之理復一則先補之義略然
可知針經云寫曰迎之〻〻急必持而內之心而出之排陽出針
疾憶得泄補曰隨之〻〻意若亡之若行若海如蚊虻上如留如
遂則神之必欠留也所以先補者真氣不足針乃寫之則經脈不
滿邪氣无所排遣故先補真氣令足后乃寫出其邪矣引謂引出

去謂離穴候呼而引至其門呼盡乃離穴戶則經氣審以平定邪氣無所拘留故大邪之氣隨針而出也呼謂氣出吸謂氣入轉謂
轉動也大氣謂大邪之氣錯亂陰陽者也帝曰不足者補之奈何岐伯曰必先捫而循
之切而散之推而按之彈而怒之抓而下之通而取之外引其門
以閉其神捫循謂手摸切謂指按也捫而循之欲氣舒緩切而散之使經脈宣散推而按之排蹙其皮也彈而怒之使脈
氣䐜滿也抓而下之置針準也通而取之以常法也外引其門以閉其神則推而按之者也謂蹙按穴外之皮令當應針之出針也
放之則不破之皮蓋其所刺之門〻戶不開則神氣內守故云以閉其神也調經論曰外引其皮令當其門戶又曰推闔其門令神
氣存此之謂也音門抓側交反呼盡內鍼靜以久留以氣至為故呼盡內針亦同吸也言
以氣至而為去針之故不以息之多數而便去針也針經曰刺之而氣不至无問其數刺之氣至去之勿復針此之謂也无問息數
以為遲速之約要當以氣至而針去不當以針下氣未至而針出乃更為也如待所貴不知日暮諭人事於
候氣也暮晚也其氣以至適而自護適謂適也護慎守也言氣已平調則當慎守勿令改變使疾更生也針經
曰經氣已至慎守勿失此其義也所謂慎守當如下說候吸引鍼氣不得出各在其處推闔
其門令神氣存大氣留止故命曰補正言也外門已閉神氣復存候吸引針大氣不泄補之為

義斯可知焉然此大氣謂大經之氣流行榮衛者帝曰候氣奈何謂候可取之氣也岐伯曰夫邪
去絡入於經也舍於血脈之中繆刺論曰邪之客於形也必先舍於皮毛留而不去入舍於孫脈留
而不去入舍於絡脈留而不去入舍於經脈故云去絡入於經也其寒溫未相得如涌波之起也
時來時去故不常在以周遊於十六丈二尺經脈之分故不常在於所候之處也故曰方其來
也必按而止之止而取之無逢其衝而寫之衝謂應水刻數之平氣也靈樞經曰水下
一刻人氣在太陽水下二刻人氣在少陽水下三刻人氣在陽明水下四刻人氣在陰分然氣在太陽則太陽獨盛氣在少陽則少
陽獨盛夫見獨盛者便謂邪來以針寫之則反傷真氣故下文曰真氣者經氣也經氣太虛其來
不可逢此之謂也經氣應刻乃謂為邪工若寫之則深誤也故曰其來不可逢故曰候邪不審
大氣已過寫之則真氣脫脫則不復邪氣復至而病益蓄不悟其邪反誅
無罪則真氣泄脫邪氣復侵經氣大虛故病彌甚故曰其往不可追此之謂也已隨經脈之流去不
可復追召使還不可掛以髮者待邪之至時而發鍼寫矣言輕微而有尚且知之況若波
涌不知其至也若先若後者血氣已盡其病不可下言不可取而取失時也故曰知

其可取如發機不知其取如扣椎故曰知機道者不可挂以髮不知機者扣之不發此之謂也機者動之微言貴知其微也帝曰補寫奈何岐伯曰此攻邪也疾出以去盛血而復其真氣視有血者乃取之此邪新客溶溶未有定處也推之則前引之則止逆而刺之溫血也言邪之新客未有定居推針補之則隨補而前進若引針致之則隨引而留止也若不出盛血而反溫之則邪氣內盛反■其害故下文曰刺出其血其病立已帝曰善然真邪以合波隴不起候之奈何岐伯曰審捫循三部九候之盛虛而調之盛者寫之虛者補之不盛不虛以經取之則其法也察其左右上下相失及相減者審其病藏以期之氣之在陰則候其氣之在於陰分而刺之氣之在陽則候其氣之在於陽分而刺之是謂逢時靈樞經曰水下一刻人氣在太陽水下四刻人氣在陰分也積刻不已氣亦隨在周而復始故審其病藏以期其氣而刺之不知三部者陰陽不別天地不分地以候地天以候天人以候人調之中府以定三部故曰刺不知三部九候病脈之處雖有大過且至工不能禁也禁謂禁止也然候[illegible]處尚未能知病後能[illegible]

止其候氣耶誅罰無過命曰大惑反亂大經真不可復用實為虛以邪為真用鍼無義反為氣賊奪人正氣以從其逆榮衛散亂真氣已失邪獨內著絕人長命予人天殃不知三部九候故不能久長失非精辨學未該明且亂夫經又為氣賊動為殘害安可久乎因不知合之四時五行因加相勝釋邪攻正絕人長命非推脈三部九候之為辨指一不知四時五行之氣序亦尾以殘絕其生靈也邪之新客來也未有定處推之則前引之則止逢而寫之其病立已再言之者其法必然也

●通評虛實論篇第二十八

黃帝問曰何謂虛實岐伯對曰邪氣盛則實精氣奪則虛奪謂精氣減少如奪去也帝曰虛實何如言五藏虛實之大体也岐伯曰氣虛者肺虛也氣逆者足寒也非其時則生當其時則死非時謂年有之前後也當時謂正直之年也餘藏皆如此五藏同帝曰何謂重實岐伯曰所謂重實者言大熱病氣熱脈

是謂重實。帝曰：經絡俱實何如？何以治之？岐伯曰：經絡皆實，是寸脈急而尺緩也，皆當治之。故曰滑則從，濇則逆也。脈急謂脈口也。夫虛實者，皆從其物類始，故五藏骨肉滑利，可以長久也。物之生則滑利，物之死則枯濇，故濇為逆，滑為從，此謂順也。帝曰：絡氣不足，經氣有餘，何如？岐伯曰：絡氣不足，經氣有餘者，脈口熱而尺寒也，秋冬為逆，春夏為從，治主病者。春夏陽氣高，故脈口熱，尺中寒為順也。十二經十五絡，各隨左右而有太過不足，工當尋其至中應以施針艾，故云治主病者也。帝曰：經虛絡滿何如？岐伯曰：經虛絡滿者，尺熱滿，脈口寒濇也，此春夏死，秋冬生也。秋冬陽氣下，故尺中熱，脈口寒為順也。帝曰：治此者奈何？岐伯曰：絡滿經虛，灸陰刺陽；經滿絡虛，刺陰灸陽。以陰分主絡，陽分主陰，故。帝曰：何謂重虛？此則反問前重實也。岐伯曰：脈氣上虛尺虛，是謂重虛。言尺寸脈俱虛也。帝曰：何以治之？岐伯曰：所謂氣虛者，言無常也。尺虛者，行步恇然。則脈動無常，尺虛則行步恇然不足，恇謂怯也。脈虛者，不象陰也。不象太陰之[illegible]以言之[illegible]

要会云手之陰之動也如此者滑則生濇則死也帝曰寒氣暴上脈滿而實何
如言氣熱脈滿已謂重實滑則從濇則逆今言寒脈滿亦可謂重實乎其於滑濇生死逆從何如岐伯曰實而滑
則生實而逆則死逆謂濇也帝曰脈實滿手足寒頭熱何如岐伯曰春
秌則生冬夏則死大略言之夏手足寒非病也是夏行冬令則冬死冬脈實滿頭熱亦非病也是冬行夏令
令得則夏亡反冬冬夏以言之則皆不死春秋得之是病故生死皆在時之盛月也脈浮而濇濇而身有熱
者死帝曰其形盡滿何如岐伯曰其形盡滿者脈急大堅尺濇作一
濇而不應也形盡滿謂四形藏盡滿也如是者從則生逆則死帝曰何謂從則
生逆則死岐伯曰所謂從者手足溫也所謂逆者手足寒也帝曰
乳子而病熱脈懸小者何如懸謂如懸物之動也岐伯曰手足溫則生寒則
死帝曰乳子中風熱喘鳴肩息者脈何如岐伯曰喘鳴肩息者脈
實大也緩則生急則死緩謂如縱緩急謂如弦張之急非往來之緩急也正理傷寒命曰緩則中風故乳子
中風脈緩則生急則死帝曰腸澼便血何如岐伯曰身熱則死寒則生熱為血敗

（故死寒爲榮氣在故生○辟普擊反）帝曰：腸澼下白沫何如？岐伯曰：脈沉則生，脈浮
則死。（陰病而見陽脈與證相反故死）帝曰：腸澼下膿血何如？岐伯曰：脈懸絕則死，
滑大則生。帝曰：腸澼之屬，身不熱，脈不懸絕，何如？岐伯曰：滑大者
曰生，懸濇者曰死，以藏期之。（肝見庚辛死心見壬癸死肺見丙丁死腎見戊己死脾見甲乙死是謂以
藏期之）帝曰：癲疾何如？岐伯曰：脈搏大滑，久自已；脈小堅急，死不治。
（脈小堅急爲陰陽病而見陰脈故死不治）帝曰：癲疾之脈，虛實何如？岐伯曰：虛則可治，
實則死。（以反證之故）帝曰：消癉虛實何如？岐伯曰：脈實大，病久可治；脈
懸小堅，病久不可治。（久病血氣衰脈不當實大故不可治○癉徒干反熱也）帝曰：形度、骨度、脈
度、筋度，何以知其度也？（形度具三備經筋度脈度骨度並具在靈樞經中此問亦合在彼經篇首錯簡也）
（經以此問爲逆從論首非也）帝曰：春亟治經絡，夏亟治經俞，秋亟治六府，冬則
閉塞。閉塞者，用藥而少鍼石也。（亟猶急也閉塞謂氣之門戶閉塞也）所謂少鍼石者，
非癰疽之謂也。（冬月雖氣門閉塞然癰疽氣烈內作大膿不急瀉之則爛筋腐骨故雖冬月亦宜鍼石以開除之）

癰疽不得頃時回所以癰疽之病冬月猶得用鍼石者何此病頃時回轉之間過而不寫則內爛筋骨穿通藏府

癰不知所按之不應手乍來乍已刺手太陰傍三痏與纓脈各二但覓有癰疽之候不的知發在何處故按之不應手也乍來乍已言不定痛於一處也手太陰傍足陽明脈謂胃部氣戶等六穴之分也纓脈亦足陽明脈也近纓之脈故曰纓脈纓謂冠帶也以有左右故云各二

掖癰大熱刺足少陽五刺而熱不止刺手心主三刺手太陰經絡者大骨之會各三大骨会肩也謂肩貞穴在肩髃后骨解間陷者中

暴癰筋緛隨分而痛魄汗不盡胞氣不足治在經俞癰若暴發隨脈所過筋怒緛急肉分中痛汗液參泄如不盡兼胞氣不足者悉可以本經脈穴俞補瀉之

腹暴滿按之不下取太陽經絡者胃之募也太陽爲手太陽也手太陽經絡之所生故取中脘穴即胃之募也中誥曰中脘胃募也居蔽骨與臍之中手太陽少陽足陽明脈所生故云經絡者胃募也

少陰俞去脊椎三寸傍五用員利鍼謂取足少陰俞外夫脊椎三寸兩傍穴各五痏也少陰俞謂第十四椎下兩傍腎之俞也

霍亂刺俞傍五霍亂若取少陰俞傍志室穴

足陽明及上傍三足陽明言胃俞也取胃俞兼取少陰俞外兩傍向上第三穴則胃藏穴也

刺癇驚脈五謂陽陵泉在膝上外陷者中也手太陰各五

刺經太陽五刺手少陰經絡傍者一足陽明一上踝五寸刺三鍼經太陽謂足太陽也手太陰五謂魚際穴在手大指本節后內則散脉經太陽五謂承山穴在足腨腸下分肉間陷者中也手少陰經絡傍者謂支正穴在腕后同身寸之五寸骨上廉肉分間手太陽絡別走少陽者足陽明一者謂解谿穴在足腕上陷者中也上踝五寸謂足少陽絡光明穴故內經非當中諸呂四經悉主霍亂各具名反凡治消癉仆擊偏枯痿厥氣滿發逆肥貴人則高梁之疾也隔則閉絕上下不通則暴憂之病也暴厥而聾偏塞閉不通內氣暴薄也不從內外中風之病故瘦留著也蹠跛寒風濕之病也消謂內消癉謂伏熱厥謂氣逆高膏也梁粱也蹠謂足也夫肥者令人熱中甘者令人中滿故熱氣內薄發為消渴偏枯氣滿逆也逆者謂違背常候與平人異也然愁憂者氣閉塞而不行故隔塞否閉氣脈斷絕而上下不通也氣固於內則大小便道偏不得通泄也向者藏府氣不化禁固而不宣散故尔外風中人伏藏不去則陽氣內受為熱外燔肌肉消爍故留薄肉分消瘦而皮膚著於筋骨也濕勝於足則筋不利寒勝於足則攣急風濕寒勝則衛氣結聚衛氣結聚則肉痛故足跛而不可履也蹠之石反跛音波上声黃帝曰黃疸暴痛癲疾厥狂久逆之所生也五藏不平六府閉塞之所生也頭痛耳鳴九竅不利腸

胃之所生也。足之三陽從頭走足，然久厥逆而不下行，則氣憤於上焦，故爲黃疸，暴痛顛疾，氣逆矣。食飲失宜，吐利過節，故六府閉塞而令五藏之氣不和平也。腸胃否塞則氣不順，否氣不順，否則上下中外互相勝負，故頭痛耳鳴，九竅不利者也。瘖音腤○癲一作瘨

●太陰陽明論篇第二十九

黃帝問曰：太陰陽明爲表裏，脾胃脉也。生病而異者何也？脾胃藏府皆合，別生病而異，故問不同。岐伯對曰：陰陽異位，更虛更實，更逆更從，或從內或從外，所從不同，故病異名也。脾藏爲陰，胃府爲陽，陽脉下行，陰脉上行，陽脉從外，陰脉從內，故言所從不同病異名也。帝曰：願聞其異狀也。岐伯曰：陽者天氣也，主外；陰者地氣也，主內。是所謂陰陽異位也。故陽道實，陰道虛。是所謂更實更虛也。故犯賊風虛邪者，陽受之；食飲不節，起居不時者，陰受之。是所謂或從內或從外也。陽受之則入六府，陰受之則入五藏。入六府則身熱不時臥，上爲喘呼；入五藏則䐜滿閉塞，下爲飧泄，久爲腸澼。是所謂所從不同病異名也。故喉主天氣，咽

土地氣故陽受風氣陰受濕氣同氣相求故陰氣從足上行至頭而下行循臂至指端陽氣從手上行至頭而下行至足是所謂更逆更從也靈樞經曰手之三陰從藏走手手之三陽從手走頭足之三陽從頭走足足之三陰從足走腹所行而異故更逆更從也故曰陽病者上行極而下陰病者下行極而上此言其大凡爾然足少陰脉下行則不同諸陰之氣也故傷於風者上先受之傷於濕者下先受之陽氣炎上故受風陰氣潤下故受濕蓋同氣相合故爾帝曰脾病而四支不用何也岐伯曰四支皆稟氣於胃而不得至經必因於脾乃得稟也脾氣布化水穀精液四支乃可以稟受也經一作徑至今脾病不能為胃行其精液四支不得稟水穀氣日以衰脉道不利筋骨肌肉皆無氣以生故不用焉帝曰脾不主時何也肝主春心主夏肺主秋腎主冬四藏皆有正應而脾無正主也岐伯曰脾者土也治中央常以四時長四藏各十八日寄治不得獨主於時也脾藏者常著胃土之精也土者生萬物而法天地故上下至頭足不得主時也治主也著謂常約著於胃也土氣於

四時之中各於季終寄王十八日則五行之氣各王七十二日以終一歲之日矣外主四季則在人內應於手足也帝曰脾與胃以膜相連耳而能為之行其津液何也岐伯曰足太陰者三陰也其脉貫胃屬脾絡嗌故太陰為之行氣於三陰陽明者表也胃是脾之表也五藏六府之海也亦為之行氣於三陽藏府各因其經而受氣於陽明故為胃行其津液四支不得禀水穀氣日以益衰陰道不利筋骨肌肉無氣以生故不用焉又覆明脾主四支之義也

● 陽明脉解篇第三十

黃帝問曰足陽明之脉病惡人與火聞木音則惕然而驚鍾鼓不為動聞木音而驚何也願聞其故前篇言入六府則身熱不時臥上為喘呼然陽明者胃脉也今病不知前篇之言而反聞木音而驚故問其異也岐伯對曰陽明者胃脉也胃者土也故聞木音而驚者土惡木也陰陽書木尅土故土惡木也帝曰善其惡火何也岐伯曰陽明主肉其脉脉一作肌血氣盛邪客之則熱熱甚則惡火帝曰

其惡人何也岐伯曰陽明厥則喘而惋惋則惡人惋熱內鬱故惡人也為煩心帝曰或喘而死者或喘而生者何也岐伯曰厥逆連藏則死連經則生經謂經脉藏謂五神藏所以連藏則死者神去故也帝曰善病甚則棄衣而走登高而歌或至不食數日踰垣上屋所上之處皆非其素所能也病反能者何也素本也踰垣謂蓦墻也佐其稍盛於常也岐伯曰四支者諸陽之本也陽盛則四支實實則能登高也陽受氣於四支故四支爲諸陽之本也帝曰其棄衣而走者何也弁不用也岐伯曰熱盛於身故棄衣欲走也帝曰其妄言罵詈不避親踈而歌者何也岐伯曰陽盛則使人妄言罵詈不避親踈而不欲食不欲食故妄走也足陽明胃脉下鬲屬胃絡脾足太陰脾脉入腹屬脾絡胃上鬲俠咽連舌本散舌下故病如是

京本校正黃帝內經素問四卷終

· 白頁 ·

重刊補註釋文黄帝内經素問卷之五

●熱論篇第三十一 新校正云按全元起本在第五卷

黄帝問曰今夫熱病者皆傷寒之類也或愈或死其死皆以六七日之間其愈皆以十日已上者何也不知其解願聞其故寒者冬氣也冬時嚴寒萬類深藏君子固密不傷於寒觸冒之者乃名傷寒其傷於四時之氣者皆能為病以傷寒為毒者最乘殺厲之氣中而即病名曰傷寒不即病者寒毒藏於肌膚至夏至前變為溫病夏至後變為熱病然其發起皆為傷寒致之故曰熱病者皆傷寒之類也○新校正云按傷寒論云至春變為溫病至夏變為暑病與王注異王注本素問為說傷寒論本陰陽大論為說故此不同岐伯對曰巨陽者諸陽之屬也巨大也大陽之氣經絡氣血榮衛於身故諸陽氣皆所宗屬其脈連於風府風府穴名也在項上入髮際同身寸之一寸宛宛中是故為諸陽主氣也足太陽脈浮氣之在頭中者凡五行故統主諸陽之氣人之傷於寒也則為病熱熱雖甚不死寒毒薄於肌膚陽氣不得散發而內怫結故傷寒者反為病熱其兩感於寒而病者必不免於死藏府相應而俱受寒謂之兩感帝曰願聞其病謂非兩感者之形證岐伯曰傷寒一日巨陽受之

三陽之氣大陽脉浮脉浮者外在於皮毛故傷寒一日大陽先受之故頭項痛腰脊強上文云其脉連於風府畧
言也細而言之者足大陽脉從巔入絡腦還出別下項循肩髆內俠脊抵腰中故頭項痛腰脊強○新校正云按甲乙經及大素作
頭項腰脊皆強二曰陽明受之○以陽盛熱同氣相求故自大陽入陽明也陽明主肉其脉俠鼻
絡於目故身熱目疼○而鼻乾○不得卧也○身熱者以肉受邪胃中熱煩故不得卧餘隨脉絡之
所生也三曰少陽受之○少陽主膽新校正云按全元起本膽作骨元起注云少陽者肝之表肝候筋筋
會於骨是少陽之氣所榮故言主於骨甲乙經大素等並作骨其脉循脇絡於耳○故胷脇痛而耳
聾三陽經絡皆受其病而未入於藏者故可汗而已○以病在表故可汗也○新
校正云按全元起本藏作府元起注云傷寒之病始入皮膚之腠理漸勝於諸陽而未入府故須汗發其寒熱而散之大素亦作府
四曰太陰受之○陽極而陰受也太陰脉布胃中○絡於嗌○故腹滿而嗌乾○五
曰少陰受之○少陰脉貫腎絡於肺○繫舌本○故口燥舌乾而渴○六曰
厥陰受之○厥陰脉循陰器而絡於肝○故煩滿而囊縮○三陰三陽五
藏六府皆受病榮衛不行五藏不通則死矣○死猶澌也言精氣皆澌也是以其死皆病

六七日間者此也[illegible]區次反其不兩感於寒者七日巨陽病衰頭痛少愈邪氣漸退
經氣漸和故少愈八日陽明病衰身熱少愈九日少陽病衰耳聾微聞十
日太陰病衰腹減如故則思飲食十一日少陰病衰渴止不滿舌
乾已而嚏十二日厥陰病衰囊縱少腹微下大氣皆去病日已矣
大氣謂大邪之氣也是故其愈者病十日已上者以此也帝曰治之柰何岐伯曰治之各通其
藏脈病日衰已矣其未滿三日者可汗而已其滿三日者可泄而
已此言表裏之大体也正理傷寒論曰脈大浮數病為在表可發其汗脈細沉數病為在裏可下之由此則雖日過多但有表證
而脈大浮數猶宜發汗日數雖少即有裏證而脈細沉數猶宜下之正應隨脈証以汗下之帝曰熱病已愈時
有所遺者何也邪氣衰去不盡如遺之在人也岐伯曰諸遺者熱甚而強食之故
有所遺也若此者皆病已衰而熱有所藏因其穀氣相薄兩熱相
合故有所遺也帝曰善治遺柰何岐伯曰視其虛實調其逆從可
使必已矣審其虛實而補瀉之則必已帝曰病熱當何禁之岐伯曰病熱少愈

食肉則復多食則遺此其禁也是所謂戒食勞也熱雖少愈猶未盡除脾胃氣虛故未能消化肉堅食駐故熱復生復謂復舊病也帝曰其病兩感於寒者其脉應與其病形何如岐伯曰兩感於寒者病一日則巨陽與少陰俱病則頭痛口乾而煩滿新校正云按傷寒論云煩滿而渴二日則陽明與太陰俱病則腹滿身熱不欲食譫言譫言謂妄謬而不次也○新校正云按楊上善云多言也譫之闇反三日則少陽與厥陰俱病則耳聾囊縮而厥水漿不入不知人六月死巨陽與少陰為表裏陽明與太陰為表裏少陽與厥陰為表裏故兩感寒氣同受其邪帝曰五藏已傷六府不通榮衛不行如是之後三日乃死何也岐伯曰陽明者十二經脉之長也其血氣盛故不知人三日其氣乃盡故死矣以上承氣海故三日氣盡乃死凡病傷寒而成溫者先夏至日者為病溫後夏至日者為病暑暑當與汗皆出勿止此以熱多少盛衰而為義也陽熱未盛為寒所制故為病曰溫陽熱大盛寒不能制故為病曰暑然暑病者當與汗之令愈勿反止之令其甚也○新校正云按凡病傷寒已下全元起本在奇病論中王氏移於此楊上善云冬傷於寒輕者夏至以前發

為病冬傷於寒甚者夏至以後發為暑病

◎刺熱篇第三十二

新校正云按全元起本在第五卷

肝熱病者小便先黃腹痛多臥身熱肝之脈環陰器抵小腹而上故小便不過先黃腹痛多臥也寒薄生熱身故熱焉熱爭則狂言及驚脇滿痛手足躁不得安臥經絡雖已受熱而神藏猶未納邪〻正相薄故云爭也餘爭同之又肝脈從少腹上挾胃貫鬲布脇肋循喉嚨之後絡舌本故在言脇滿痛也肝性靜而主驚駭故病則驚手足躁擾臥不得安庚辛甚甲乙大汗氣逆則庚辛死肝主木庚辛為金〻尅木故甚死於庚辛也甲乙為木故大汗於甲乙刺足厥陰少陽厥陰肝脈少陽膽脈其損則頭痛員員脈引衝頭也肝之脈自舌本循喉嚨之後上出頏顙與督脈會於巔故頭痛員員然脈引衝於頭中也員之謂似急也

心熱病者先不樂數日乃熱夫所以任治於物者謂心病熱氣入於經絡則神不安治故先不樂數日乃熱也熱爭則卒心痛煩悶善嘔頭痛面赤無汗心手少陰脈起於心中其支別者從心系上俠咽小腸之脈直行者循咽下鬲抵胃其支別者從缺盆循頸上頰至目外眥故卒心痛煩悶善嘔頭痛面赤也心任液為汗今病熱故無汗以出○新校正云按甲乙經外眥作兌眥王注厥論亦作兌眥外當作兌壬癸甚丙丁

大汗氣逆則壬癸死心主火壬癸為水水滅火故甚死於壬癸也丙丁為火故大汗於丙丁氣逆之證與闕其文也刺手少陰太陽少陰心脈太陽小腸脈脾熱病者先頭重頰痛煩心顏青欲嘔身熱胃之脈起於鼻交頞中下循鼻外入上齒中還出俠口環脣下交承漿卻循頤後下廉出大迎循頰車上耳前過客主人循髮際至額顱故頭重頰痛頷青也脾之小支別者復從胃別上鬲注心中其血行者上咽俠咽故煩心欲嘔而身熱也○新校正云按甲乙經大素云脾熱病先頭重頰痛無顏青二字熱爭則腰痛不可用俛仰腹滿泄兩頷痛胃之脈支別者起胃下口循腹裏下至氣街中而合以下髀氣街若腰之前故腰痛也脾之脈入腹屬脾絡胃又胃之脈自交承漿卻循頤後下廉出大迎循頰車故腹滿泄而兩頷痛頷胡然及甲乙甚戊已大汗氣逆則甲乙死脾主土甲乙為木木代土故甚死於甲乙也戊已為土故大汗於戊已氣逆之證經所未論刺足大陰陽明大陰脾脈陽明胃脈○新校正云按甲乙經熱病篇云者先頭重頰痛煩心身熱熱爭則腰痛不可用俛仰腹滿兩頷痛其暴泄善飢而不欲食善噫熱中足清腹脹食不化善嘔泄有膿血苦嘔無所出先取三里後取太白章門肺熱病者先淅然厥起毫毛惡風寒舌上黃身熱肺主皮膚外養於毛故熱中之則先淅然而後寒起毫毛也肺之脈起於中焦下絡大腸還循胃口今肺熱入胃胃熱上升故舌上黃而身熱熱爭則喘欬痛走

膺背不得大息頭痛不堪汗出而寒肺居鬲上氣主胷膺復在變動為欬又藏氣而主呼吸背復為胷中之府故喘欬痛走胷膺背不得息也肺之絡脉上会耳中今熱氣上熏故頭痛不堪汗出而寒丙丁甚庚辛大汗氣逆則丙丁死肺主金丙丁為火火爍金故甚死於丙丁也庚辛為金故大汗於庚辛也氣逆之証經闕未書刺手太陰陽明出血如大豆立已太陰肺脉陽明大腸脉當視其絡脉盛者乃刺而出之

腎熱病者先腰痛胻痠苦渴數飲身熱膀胱之脉從肩髆内俠脊抵腰中又腰為腎之府故先腰痛也入腎之脉自循内踝之後上腨内出膕内廉又直行者從腎上貫肝鬲入肺中循喉嚨俠舌本故胻痠苦渴數飲身熱痠音酸胻户當反熱爭則項痛而強胻寒且痠足下熱不欲言膀胱之脉從腦出別下項又腎之脉起於小指之下斜趨足心出於然骨之下循内踝之后別入跟中以上腨内又其直行者從腎上貫肝鬲入肺中循喉嚨俠舌本故項痛而強胻寒且痠足下熱不欲言也○新校正云按甲乙經然骨作然谷跟音根其逆則項痛員員澹〻然腎之筋循脊内俠膂上至項結于枕骨與膀胱之筋合膀胱之脉又並下于項故項痛員〻然也澹〻為似欲不定也戊己甚壬癸大汗氣逆則戊己死腎主水戊己為土土刑水故甚死於戊己也壬癸為水故大汗於壬癸刺足少陰太陽少陰腎脉　太陽膀胱脉

諸汗者至其所勝日汗出

也氣王日為所勝正則勝邪故各當其王日汗肝熱病者左頰先赤肝氣合木木氣應春南面正理之則
其左也心熱病者顏先赤心氣合火火氣炎上指家明候故候於顏〻額也脾熱病者鼻先
赤脾氣合土土王於中鼻爲面中故占鼻也肺熱病者右頰先赤肺氣合金〻氣應秋南面正理之則其右
頰也腎熱病者頤先赤腎氣合水水惟潤下指家明候故候於頤也病雖未發見赤色者
刺之名曰治未病圣人不治已病治未病不治已乱治未乱此之謂也熱病從部所起者至
期而已期為大汗之日也如肝甲乙心丙丁脾戊已肺庚辛腎壬癸是為期日也其刺之反者三周而
已反謂反取其氣也如肝病刺脾〻病刺腎腎病刺心心病刺肺肺病刺肝者皆是反刺五藏之氣也三周謂三周於三陰三陽
之脈狀也又太陽病而刺寫陽明陽明病而刺寫少陽少陽病而刺寫太陰太陰病而刺寫少陰少陰病而刺寫厥陰如此是為反
取三陰三陽之脈氣也重逆則死先刺已反病氣流傳又反刺之是為重逆重逆刺之尚至三周乃以況其重逆而得
生耶諸當汗者至其所勝日汗大出也王則勝邪故名當其王日汗〇新校正云按此條文注二
十四字與前文重復當刪去甲乙經太素亦不重出諸治熱病以飲之寒水乃刺之必寒衣
之居止寒處身寒而止也寒水在胃陽氣外盛故飲寒乃刺熱退則凉生故身寒而止針熱病先

胸脅痛，手足躁，刺足少陽，補足太陰。

此則舉正取之例。然足少陽木病而寫足少陽之木氣，補足太陰之土氣者，恐木傳於土也。胸脅痛也，盧主之。血盧在足外踝下，如前陷者中，足少陽脈之所過也，刺可入同身寸之五分，留七呼；若灸者，可灸三壯。熱病手足躁，經無所主治之，自然請足太陰之脈，當於井滎取之也。○新校正云：詳足太陰，全元起本及太素作手太陰。楊上善云：手太陰上屬肺，從肺出腋下，故胸脇痛。又按靈樞經云：熱病而胸脇痛，手足躁，取之筋間，以第四針索筋於肝，不得索之於金，金肺也。以此決之，作手太陰者為是。

病甚者為五十九刺。

五十九刺者，謂頭上五行行五者，以越諸陽之熱逆也。大杼、膺俞、缺盆、背俞，此八者以寫胸中之熱也。氣街、三里、巨虛上下廉，此八者以寫胃中之熱也。雲門、髃骨、委中、髓空，此八者以寫四支之熱也。五藏俞傍五，此十者以寫五藏之熱也。凡此五十九穴者，皆熱之左右也。故病甚則尔刺之。然頭上五行者，當中行謂上星、顖會、前頂、百會、後頂，次兩傍謂五處、承光、通天、絡却、玉枕，又刺兩傍謂臨泣、目窓、正營、承靈、腦空也。上星在顖上直鼻中央，入髮際同身寸之一寸陷者中，容豆，刺可入同身寸之四分。○新校正云：按甲乙經四分作三分，水熱穴論注亦作三分。詳此注下文云刺如上星法，又云刺如顖會法，既有二法，則當依甲乙經及水熱穴論注，上星刺入三分，顖會刺入四分。顖會在上星後同身寸之一寸陷者，刺如上星法。前頂在顖會後同身寸之一寸五分骨間陷者中，刺如顖會法。百會在前頂後同身寸之一寸三分，頂中央旋毛中陷容指，督脉、足太陽脉之交會，刺如上星法。後頂在百會後後同身寸之一寸五分枕骨上，刺與頗會法然是五者皆督脈氣之所發也上星留六呼若灸者並灸五壯次兩傍穴五處在上星兩傍同身寸之一寸五分承光在五處後同身寸之一寸通天在承光後同身寸之一寸五分絡卻在通天後同身寸之一寸五分玉枕在絡卻後同身寸之七分然是五者並足太陽脈氣所發刺可入同身寸之三分五處通天各留七呼絡卻留五呼玉枕留三呼若灸者可灸三壯○新校正云按甲乙經承光不可灸玉枕刺入二分又次兩傍臨泣在頭直目上入髮際同身寸之五分足太陽少陽陽維三脈之會目窗正營遞相去同身寸之一寸承靈腦空遞相去同身寸之一寸五分然是五者並足少陽陽維二脈之會腦空一穴刺可入同身寸之四分餘並可刺入同身寸之三分臨泣留七呼若灸者可灸五壯大杼在項第一椎下兩傍相去各同身寸之一寸半陷者中督脈別絡足太陽手太陽三脈氣之會刺可入同身寸之三分留七呼若灸者可灸五壯○新校正云按甲乙經作七壯氣穴注作七壯刺瘧注熱穴注作五壯膺俞者膺中俞也正名中府在胸中行兩傍相去同身寸之六寸云門下一寸乳上三肋間動脈應手陷者中仰而取之手足太陰脈之會刺可入同身寸之三分留五呼若灸者可灸五壯缺盆在肩上橫骨陷者中手陽明脈氣所發刺可入同身寸之三分留七呼若灸者可灸二壯背俞當是風門熱府在第二椎下兩傍各同身寸之一寸半督脈足太陽脈之會刺可入同身寸之五分留七呼若灸者可灸五驗今明堂中誥圖經不言背俞未詳果何處也○新校正云按王注水熱穴論以風門熱府為背俞又注氣穴論以大杼為背俞此注云未詳盡疑之也○氣衝在腹臍下橫骨兩端鼠鼷上同身寸之一寸動應手足陽明脈氣

所發刺可入同身寸之三分留七呼若灸者可灸五壯三里在膝
下同身寸之三寸骱外廉兩筋肉分間足陽明脉之所入也刺可
入同身寸之一寸留七呼若灸者可灸三壯巨虛上廉足陽明與
大陽合在三里下同身寸之三寸足陽明脉氣所發刺可入同身
寸之八分若灸者可灸三壯巨虛下廉足陽明與少陽合在上廉
下同身寸之三寸是陽明脉氣所發刺可入同身寸之三分若灸者
可灸三壯雲門在巨骨下胷中行兩傍○新校正云按氣穴論注
胷中行兩傍作俠任脉傍橫去任脉文雖異穴之處所則同各相
去同身寸之六寸動脉應手中府其下同身寸之一寸雲門手太
陰脉氣所發舉臂取之刺可入同身寸之七分若灸者可灸五壯
驗今明堂中誥圖經不載髃骨穴尋其穴以寫四肢之熱恐是肩
髃穴一在肩端兩骨間手陽明蹻脉之會刺可入同身寸之六分
留六呼若灸者可灸三壯委中在足膝後屈處膕中央約文中動
脉○新校正云詳委中穴與氣穴注骨空注刺瘧論注并此王氏
四處注之彼此注無足膝後屈處五字與此注異者非實有異蓋
注詳畧爾○足太陽脉之所入也刺可入同身寸之五分留七呼
若灸者可灸三壯髓空者正各一要俞在脊中第二十一推節下間
督脉氣所發刺可入同身寸之一分○新校正云按甲乙經作二
寸水熱穴論注亦作二寸氣府論注骨空論注作一分○留七呼
若灸者可灸三壯五藏俞傍五者謂魄戶神堂譆門意舍志室五
穴也在俠脊兩傍各相去同身寸之三寸並足太陽脉氣所發也
魄戶在第三推下兩傍正坐取之刺可入同身寸之五分若灸者
可灸五壯神堂在第五推下兩傍刺可入同身寸之三分若灸者
可灸五壯魂門在第九推下兩傍正坐取之刺可入同身寸之五

分若灸者可灸三壯意舍在十一推下兩傍正坐取之刺可入同身寸之五分若灸者可灸三壯志室在十四推下兩傍正坐取之刺可入同身寸之五分若灸者可灸三壯是所謂此經之五十九刺法也若針經所指五十九刺則殊與此經不同雖俱治熱病之要究然合用之理全向背猶當以病候形證所應經法即隨所證而刺之

熱病始手臂痛者刺手陽明太陰而汗出止手臂痛列缺主之列缺者手太陰之絡去腕上同身寸之二寸半別走陽明者也刺可入同身寸之三分留三呼若灸者可灸之五壯欲出汗商陽主之商陽者手陽明脈之井在手大指大指內則去爪甲角如韭葉手陽明脈之所出也刺可入同身寸之一分若灸者可灸一壯

熱病始於頭首者刺項太陽而汗出止天柱主之天柱在俠項後髮際大筋外廉陷者中足太陽脈氣所發刺可入同身寸之二分留六呼若灸者可灸三壯

熱病始於足脛者刺足陽明而汗出止新校正云按此條素問本元太素亦無今按甲乙經添入

熱病先身重骨痛耳聾好瞑刺足少陰據經無正主穴當補寫井榮尔○新校正云按靈樞經云熱病而身重骨痛耳聾而好瞑取之骨以第四針索骨於不得索之上土脾也

病甚為五十九刺如古法

熱病先眩冒而熱胸脇滿刺足少陰少陽亦井榮也

太陽之脈色榮顴骨熱病也○榮飾也謂赤色見於顴骨如榮飾也顴骨謂目下當外眥也太陽合火故見色赤○新校正云按楊上善云赤色榮顴者

腎熱病也與王氏注不同榮未交新校正云按甲乙經太素作榮未夭下文榮未交亦作夭曰今且得汗待時而已榮一爲營字之誤也曰者引古經法之由也言色雖明盛但陰陽之氣不交錯者故法云今且得汗之而已待時者謂肝病待甲乙心病待丙丁脾病待戊己肺病待庚辛腎病待壬癸是謂待時而已所謂交者次如下句與厥陰脈爭見者死期不過三日外見太陽之赤色內應厥陰之弦脈然太陽受病當傳入陽明今又厥陰之脈來見者是土敗而木賊之也故死然土氣已敗木復狂行木主數三故期不過三日其熱病內連腎少陽之脈色也病或爲氣恐字誤也若赤色氣內連鼻兩傍者足少明之脈色非厥陰色何者腎部近於鼻也○新校正云詳或者欲改腎作鼻按甲乙經太素並作腎楊上善云太陽水也厥陰木也水以生木木盛水衰故太陽水色見時有木爭見者水死以其熱病內連於腎腎爲熱傷故死本舊無少陽之脈色也六字乃王氏所添王注非當從上善之說少陽之脈色榮頰前熱病也○頰前即顴骨下近鼻兩傍也○新校正云按甲乙經太素前字作筋楊上善云足少陽部在頰赤色榮之即知筋熱病也榮未交曰今且得汗待時而已○與少陰脈爭見者死○期不過三日少陽受病當傳入於太陰今反少陰脈來見亦土敗而水賊之也故死不過三日亦木之數然○新校正云詳或者欲改少陰作厥陰按甲乙經太素作少陰楊上善云少陽爲水少陰爲水少陽色見之時有少陰爭見者是無勝子故木無狂作此少

注亦非舊本及甲乙經太素並無死期不過三日六字此是王氏足成此文也熱病氣穴三推下間主胷中熱四推下間主鬲中熱五推下間主肝熱六推下間主脾熱七推下間主腎熱榮在骶也脊節之謂推脊窮之謂骶言腎熱之氣外通尾骶也尋此文推間所主神藏之熱又不正當其藏俞而云主療在理未詳項上三推陷者中也此舉數脊之大法也言三推下間主胷中熱者何以數之言皆當以陷者中為氣發之所也頰下逆顴為大瘕下牙車為腹滿顴後為脇痛頰上者鬲上也此所以證面部之色發明腹中之病診

●評熱病論篇第三十三

黄帝問曰有病温者汗出輙復熱而脈躁疾不為汗衰狂言不能食病名為何岐伯對曰病名陰陽交交者死也交謂交合陰陽之氣不分別也帝曰願聞其說岐伯曰人所以汗出者皆生於穀穀生於精言穀氣化為精精氣勝乃為汗今邪氣交爭於骨肉而得汗者是邪卻而精勝也言初汗也精勝則當能食而不復熱復熱者邪氣也汗者精氣也今汗出而輙

復熱也是邪勝也不能食者精無俾也無俾言無可使為汗也穀不化則精不生精不化流
故無可使病而留者其壽可立而傾也如是者若汗出疾速留著而不去則其人壽命立致傾危也○
新校正云詳病而留者按王注病當作疾又按甲乙經作而熱留者且夫熱論曰汗出而脉尚躁盛
者死熱論為上古熱論也凡汗後脉當遲靜而反躁急以盛滿者是真氣竭而邪盛故知必死也今脉不與汗
相應此不勝其病也其死明矣脉不靜而躁盛是不相應狂言者是失志失志
者死志舍於精今精無可使是志無所居志不留居則失志也今見三死不見一生雖愈必死
也汗出脉躁盛一死不勝其病二死狂言失志者三死也帝曰有病身熱汗出煩滿煩滿不
為汗解此為何病岐伯曰汗出而身熱者風也汗出而煩滿不解
者厥也病名曰風厥帝曰願卒聞之岐伯曰巨陽主氣故先受邪
少陰與其為表裏也得熱則上從之從之則厥也上從之謂少陰隨從於太陽而
上也帝曰柰何治之岐伯曰表裏刺之飲之服湯謂寫太陽補少陰也飲之湯者謂止
逆上之腎氣也帝曰勞風為病何如岐伯曰勞風法在肺下從勞風生故曰勞風勞謂

腎勞也腎脉者從腎上貫肝鬲肺中故腎勞風生上居肺下也其為病也使人強上冥視新校正云

按楊上善云強上好仰也冥視謂合眼視不明也又千金方冥視作目眩[illegible]若涕惡風而振寒此為

勞風之病膀胱脉起於目內眥上額交巔上入絡腦還出別下項循肩髆內俠脊抵腰中入循膂絡腎今腎精不足外吸

膀胱膀胱氣不能上營故使人頭項強而視不明也肺被風薄勞氣上熏故令唾出若鼻涕狀腎氣不足陽氣內攻勞熱相合故惡

風而振寒帝曰治之奈何岐伯曰以救俛仰救俛止也俛仰謂屈伸也言止屈伸於動作不使勞

氣滋蔓巨陽引精者三日中年者五日不精者七日新校正云按甲乙經作三日中

若五日千金方作候之三日及五日中不精明者是也與此不同欬出青黃涕其狀如膿大如彈

丸從口中若鼻中出不出則傷肺傷肺則死也巨陽者膀胱之脉也膀胱與腎為表

裏故巨陽引精也巨大也然太陽之脉吸引精氣上攻於腎者三日中年者五日素不以精氣用事也七日當欬出稠涕其色青黃

如膿狀平調欬者從咽而上出於口暴卒欬者氣衝突於蓄門而出於鼻夫如是者皆腎氣勞竭肺氣內虛陽氣奔迫之所為故不

出則傷肺也肺傷則榮衛散解魄不內治故死〇新校正云按王氏云卒暴故若氣衝突於蓄門而出於鼻按難經云衝門無蓄門

之名胃是賁門楊操云賁者鬲也胃氣之所出胃出谷氣以傳於肺肺在鬲上故胃為賁門帝曰有病腎風者

胕痝然壅害於言可刺不痝然腫起貌壅謂目下壅如卧蚕形也腎之脉從腎上貫肝鬲入肺中循喉嚨挾舌本故妨害於言語痝莫江反岐伯曰虚不當刺不當刺而刺後五日其氣必至至謂病氣來至也然謂藏配一日而五日至腎夫腎已不足風內薄之謂腫為實以針大泄反傷藏氣真氣不足不可復故刺後五日其氣必至也帝曰其至何如岐伯曰至必少氣時熱時熱從胷背上至頭汗出手熱口乾苦渴小便黄目下腫腹中鳴身重難以行月事不來煩而不能食不能正偃正偃則欬病名曰風水論在刺法中刺法篇名今經亡帝曰願聞其說岐伯曰邪之所湊其氣必虛陰虛者陽必湊之故少氣時熱而汗出也小便黄者少腹中有熱也不能正偃者胃中不和也正偃則欬甚上迫肺也諸有水氣者微腫先見於目下也帝曰何以言岐伯曰水者陰也目下亦陰也腹者至陰之所居故水在腹者必使目下腫也真氣上逆故口苦舌乾卧不得正偃正偃則欬出清水也諸水病者故不得卧卧則驚〻

則欬甚也腹中鳴者病本於胃也薄脾則煩不能食〻不能下者胃脘隔也身重難以行者胃脈在足也月事不來者胞脈閉也胞脈者屬心而絡於胞中今氣上迫肺心氣不得下通故月事不來也若上文所釋之義未解熱從胷背上至頭汗出手熱口乾苦渴之義應古論簡脫而此差謬之耳如是者何腎少陰之脈從腎上貫肝鬲入肺中循喉嚨俠舌本又膀胱太陽之脈從目内眥上額交巔上其支者從巔至耳上角其直者從巔入絡腦還出別下項循肩髆内俠脊抵腰中入循膂令陰不足而陽有餘故熱從胷背上至頭而汗出口乾苦渴也然心者陽藏也其脈行於臂手腎者陰藏也其脈循於胷足腎不足而心氣有餘故手熱矣又以心腎之脈俱是少陰脈也帝曰善

●逆調論篇第三十四

黄帝問曰人身非常溫也非常熱也爲之熱而煩滿者何也異於常疾故曰非常〇新校正云按甲乙經無爲之熱三字岐伯對曰陰氣少而陽氣勝故熱而煩滿也帝曰人身非衣寒也〇中非有寒氣也寒從中生者何言不知誰爲元主耶岐伯曰是人多痺氣也陽氣少陰氣多故身寒如從水中出

由形氣陰陽之為是非衣寒而中有寒也帝曰人有四支熱逢風寒如炙如火者何也
新校正云按全元起本無如火二字太素云如炙於人當從太素云岐伯曰是人者陰氣虛陽氣盛
四支者陽也兩陽相得而陰氣虛少少水不能滅盛火而陽獨治
獨治者不能生長也獨勝而止耳水為陰火為陽今陽氣有餘陰氣不足故云少水不能滅盛火
也治者王也勝者盛盛也故云獨勝而止逢風而如炙如火者是人當肉爍也爍者言消也言
久久此人當肉消削也○新校正云詳如炙如火當從太素作如灸如火帝曰人有身寒湯火不能熱
厚衣不能溫然不凍慄是為何病岐伯曰是人者素腎氣勝以水
為事太陽氣衰腎脂枯不長一水不能勝兩火腎者水也而生於
骨腎不生則髓不能滿故寒甚至骨也以水為事言盛欲也所以不能凍慄
者肝一陽也心二陽也腎孤藏也一水不能勝二火故不能凍慄
病名曰骨痹是人當攣節也腎不生則髓不滿髓不滿則筋乾縮故節攣拘帝曰人之肉
苛者雖近於衣絮猶尚苛也是謂何疾苛謂㾕重苛胡歌反岐伯曰榮氣虛

衛氣實也。榮氣虛則不仁，衛氣虛則不用，榮衛俱虛則不仁且不用，肉如故也。人身與志不相有，曰死。身用志不應，志爲身不親，兩者似不相有也。○新校正云：按甲乙經曰死作三十日死也。帝曰：人有逆氣不得臥而息有音者，有不得臥而息無音者，有起居如故而息有音者，有得臥行而喘者，有不能行而喘者，有不得臥臥而喘者，皆何藏使然？願聞其故。岐伯曰：不得臥而息有音者，是陽明之逆也。足三陽者下行，今逆而上行，故息有音也。陽明者胃脈也，胃者六府之海，水穀海也。其氣亦下行，陽明逆不得從其道，故不得臥也。下經曰：胃不和則臥不安。此之謂也。下經，上古經也。夫起居如故而息有音者，此肺之絡脈逆也。絡脈不得隨經上下，故留經而不行，絡脈之病人也微，故起居如故而息有音也。夫不得臥，臥則喘者，是水氣之客也。夫水者循津液而流也，腎者水藏，主津液，主臥與喘也。帝曰：善。尋經所解之旨，不得臥而息無音，有得臥行而喘

者不得臥不能行而喘者三悉闕而未論故存之脫簡也

◎瘧論篇第三十五

黃帝問曰：夫痎瘧皆生於風，其蓄作有時者何也？痎猶老也，亦瘦也。◎新校正云：按《甲乙經》云：夫瘧疾者，皆生於風，其以日作，以時發，何也？與此文異。《太素》同。今文楊上善云：皆有云二日一發為痎瘧，此經但夏傷於暑，至秋為病，或云痎瘧，或但云瘧，不必以日發間日以定痎也，但應四時其形有異以為痎爾。岐伯對曰：瘧之始發也，◎先起於毫毛，◎伸欠乃作，◎寒慄鼓頷，◎慄謂戰慄，鼓謂振動。腰脊俱痛，寒去則內外皆熱，◎頭痛如破，渴欲冷飲。◎帝曰：何氣使然？願聞其道。岐伯曰：陰陽上下交爭，◎虛實更作，◎陰陽相移也。◎陽氣者下行極而上，陰氣者上行極而下，故曰陰陽上下交爭也。陽虛則外寒，陰虛則內熱，陽盛則外熱，陰盛則內寒。由此寒去熱生，則虛實更作，陰陽之氣相移易也。陽并於陰，則陰實而陽虛，◎陽明虛則寒慄鼓頷也。◎陽并於陰，言陽氣入於陰分也。陽明，胃脈也。胃之脈，自交承漿，卻分行，循頤後下廉，出大迎；其支別者，從大迎前下人迎，故氣不足則惡寒戰慄而頤頷振動也。巨陽虛則腰背頭項痛，巨陽者，膀胱脈，其脈從頭別下項，循肩髆內，俠脊抵腰中，故氣不足則腰背頭項痛也。

痛三陽俱虛則陰氣勝陰氣勝則骨寒而痛寒生於內故中外皆
寒陽盛則外熱陰虛則內熱外內皆熱則喘而渴故欲冷飲也熱傷
氣故內外皆熱則喘而渴此皆得之夏傷於暑熱氣盛藏於皮膚之內腸胃
之外此榮氣之所舍也腸胃之外榮氣所主故云榮氣所舍也舍猶居也此令人汗空疏新校
正云按全元起本作汗出空疏甲乙經太素同腠理開因得秋氣汗出遇風及得之以浴
水氣舍於皮膚之內與衛氣并居衛氣者晝日行於陽夜行於陰
此氣得陽而外出得陰而內薄內外相薄是以日作作發作也帝曰其
間日而作者何也間日謂隔日也岐伯曰其氣之舍深內薄於陰陽氣獨
發陰邪內著陰與陽爭不得出是以間日而作也不與衛氣相逢會故隔日發也
帝曰善其作日晏與其日早者何氣使然晏猶日暮也岐伯曰邪氣客
於風府循膂而下風府穴名在項上入髮際同身寸之二寸大筋內宛宛中也膂謂脊兩傍衛氣一日
一夜大會於風府其明日日下一節故其作也晏此先客於脊背

也。每至於風府。則腠理開。腠理開則邪氣入。邪氣入則病作。以此日作稍益晏也。節謂脊骨之節。然邪氣遠則逢會遲。故發暮也。其出於風府。日下一節。二十五日下至骶骨。二十六日入於脊內。注於伏膂之脉。項已下至尾骶凡二十四節。故日下一節。二十五日下至骶骨。二十六日入於脊內。注於伏膂之脉也。伏膂之脉者。謂膂筋之間腎脉之伏行者也。腎之脉循股內後廉貫脊屬腎。其直行者從腎上貫肝鬲入肺中。以其貫脊又不正應行。但循膂伏行。故謂之伏膂脉。〇新校正云。按全元起本二十五日作二十一日。二十六日作二十二日。甲乙經太素並同。伏膂之脉甲乙經作大衝之脉。巢元方作伏衝。其氣上行。九日出於缺盆之中。其氣日高。故作日益早也。以腎脉貫脊屬腎上入肺中。肺者缺盆為之道。其氣之行速。故其氣上行九日出於缺盆之中。其間日發者。由邪氣內薄於五藏。橫連募原也。其道遠。其氣深。其行遲。不能與衛氣俱行。不得皆出。故間日乃作也。募原謂膈募之原系。〇新校正云。按全元起本募原作膜原。太素巢元方並同。舉痛論亦作膜原。帝曰。夫子言衛氣每至於風府。腠理乃發。發則邪氣入。入則病作。今衛氣日下一節。其氣之發也。不當風府。其日作者奈何。岐伯曰新校正云按全元起本乃甲乙經太素自此邪氣客於頭項至下則病作故八十八字並無此邪氣客於頭項循膂而下者也故虛實不同邪中異所則不得當其風府也故邪中於頭項者氣至頭項而病中於背者氣至背而病中於腰脊者氣至腰脊而病中於手足者氣至手足而病故下篇各以居邪之所而刺之衛氣之所在與邪氣相合則病作故風無常府衛氣之所發必開其腠理邪氣之所合則其府也虛實不同邪中異所衛邪相合病則溪焉不必悉當風府而發作也○新校正云按甲乙經巢元方則其府也作其病作帝曰善夫風之與瘧也相似同類而風獨常在瘧得有時而休者何也風瘧皆有盛衰故云相似同類岐伯曰風氣留其處故常在瘧氣隨經絡沉以內薄新校正云按甲乙經作次以內傳故衛氣應乃作留謂留止隨謂隨從帝曰瘧先寒而後熱者何也岐伯曰夏傷於大暑其汗大出腠理開發因遇夏氣淒滄之水寒新校正云按甲乙經太素水寒作小寒迫之藏於腠理皮膚之中秋傷於風則病成矣暑為陽氣中風者陽氣受之故秋傷於風則病成矣

夫寒者陰氣也，風者陽氣也，先傷於寒而後傷於風，故先寒而後熱也，病以時作，名曰寒瘧。（露形觸冒，則風寒傷之。）帝曰：先熱而後寒者何也？岐伯曰：此先傷於風而後傷於寒，故先熱而後寒也，亦以時作，名曰溫瘧。（以其先熱，故謂之溫。）其但熱而不寒者，陰氣先絕，陽氣獨發，則少氣煩冤，手足熱而欲嘔，名曰癉瘧。（癉，熱也，極熱為之也。癉，徒干反。）帝曰：夫經言有餘者瀉之，不足者補之。今熱為有餘，寒為不足。夫瘧者之寒，湯火不能溫也，及其熱，冰水不能寒也，此皆有餘不足之類。當此之時，良工不能止，必須其自衰乃刺之，其故何也？願聞其說。（言何暇不早使其盛極而自止乎。）岐伯曰：經言無刺熇熇之熱，（新校正云：按全元起本及太素熱作氣。熇，火沃反。）無刺渾渾之脈，無刺漉漉之汗，故為其病逆，未可治也。（熇熇，盛熱也。渾渾，言無端緒也。漉漉，言汗大出也。漉，音鹿。）夫瘧之始發也，陽氣并於陰，當是之時，陽虛而陰盛，外無氣，故先寒慄也。陰氣逆極，則復出之陽，陽與陰復并於外，則陰虛而陽實故先熱而渴陰盛則胃寒故先寒戰慄陽盛則胃熱故先熱欲飲也夫瘧氣者并於陽則陽勝并於陰則陰勝陰勝則寒陽勝則熱瘧者風寒之氣不常也病極則復復謂復舊也言其氣發至極復還如舊至新校正云按甲乙經依瘧者風寒之暴氣不常病極則復至全元起本及太素作瘧風寒氣也不常病極則復至至字連上句與王氏之意異病之發也如火之熱如風雨不可當也以其盛熾故不可當也故經言曰方其盛時必毀新校正云按太素云勿敢必毀因其衰也事必大昌此之謂也方正也正盛瀉之或傷真氣故必毀病氣衰已補其經氣則邪氣彌退正氣安平故必大昌也夫瘧之未發也陰未并陽陽未并陰因而調之真氣得安邪氣乃亡所寫必中所補必當故真氣得安邪氣方亡也故工不能治其已發為其氣逆也真氣寖息邪氣大行真不勝邪是為逆也帝曰善攻之柰何早晏何如岐伯曰瘧之且發也陰陽之且移也必從四末始也陽已傷陰從之故先其時堅束其處令邪氣不得入陰氣不得出審候見之在孫絡盛堅而血者皆取之此真往而未得并者也言牢縛四支令氣各

在其處則邪所居處必自見之既見之則刺出其血尔往猶去也○新校正云按甲乙經真邪作其邪大素作直往帝曰瘧不發其應何如岐伯曰瘧氣者必更盛更虛當氣之所在也病在陽則熱而脈躁在陰則寒而脈靜陰靜陽躁故脈亦隨之極則陰陽俱衰衛氣相離故病得休衛氣集則復病也相薄至極物極則反故極則陰陽俱衰帝曰時有間二日或至數日發或渴或不渴其故何也岐伯曰其間日者邪氣與衛氣客於六府而有時相失不能相得故休數日乃作也氣不相會故數日不能發也瘧者陰陽更勝也或甚或不甚故或渴或不渴陽勝陰甚則渴陽勝陰不甚則不渴也勝謂強盛於彼之氣也帝曰論言夏傷於暑秋必病瘧新校正云按生氣通天論并陰陽應象大論二論俱云夏傷於暑秋必痎瘧今瘧不必應者何也言不必皆然岐伯曰此應四時者也其病異形者反四時也其以秋病者寒甚秋氣清涼陽氣下降熱藏肌肉故寒甚也以冬病者寒不甚冬氣嚴冽陽氣伏藏不與寒爭故寒不甚以春病者惡風春氣溫和陽氣外泄內腠開發故惡於風以夏病者多汗夏氣暑熱津液充盈外泄皮膚故多汗也

帝曰：夫病温瘧與寒瘧而皆安舍？舍於何藏？安，何也。舍，居止也。藏，謂五神藏也。岐伯曰：温瘧得之冬中於風寒，氣藏於骨髓之中，至春則陽氣大發，邪氣不能自出，因遇大暑，腦髓爍，肌肉消，腠理發泄，或有所用力，邪氣與汗皆出，此病藏於腎，其氣先從內出之於外也。腎主於冬，冬主骨髓，腦為髓海，上下相應，厥熱上熏，故腦髓銷爍。銷爍則熱氣外薄，故肌肉減削而病藏於腎也。如是者，陰虛而陽盛，陽盛則熱矣；陰，氣謂腎藏氣虛；陽盛，謂膀胱太陽氣盛。衰則氣復反入，入則陽虛，陽虛則寒矣，故先熱而後寒，名曰温瘧。衰，謂病衰退也。復反入，謂入腎陰脉中。帝曰：癉瘧何如？岐伯曰：癉瘧者，肺素有熱，氣盛於身，厥逆上衝，中氣實而不外泄，因有所用力，腠理開，風寒舍於皮膚之內、分肉之間而發，發則陽氣盛，陽氣盛而不衰則病矣。其氣不及於陰，新校正云：按全元起本及《太素》作"不反之陰"，巢元方作"不及之陰"。故但熱而不寒，寒氣內藏於心，而外舍於分肉之間，令人消爍脫肉，故命曰癉瘧。帝曰：善。

刺瘧篇第三十六

足太陽之瘧令人腰痛頭重寒從背起足太陽脈從巔入絡腦出別下項循肩髆內俠脊抵腰中其支別者從膂內左右別下貫胂過髀樞故令腰痛頭重寒從背起○新校正云按三部九候論注貫胂作貫臀刺腰痛注亦作貫臀厥論注作貫胂甲乙經作貫胂先寒後熱熇熇暍暍然熇熇甚熱狀暍暍亦熱盛也太陽不足故先寒寒極則生熱故後熱也暍音謁熱止汗出難已○熱生是為氣虛熱止則為氣復氣復而汗反出此為邪氣盛而真不勝故難已○新校正云按全元起本并甲乙經太素巢元方並作先寒後熱渴渴止汗出與此文異刺郄中出血太陽之郄是謂金門金門在足外踝下一名曰關梁陽維所別屬也刺可入同身寸之三分若灸者可灸三壯黃帝中誥圖經云委中主之則古法以委中為郄中也委中在膕中央約文中動脈足太陽脈之所入也刺可入同身寸之五分留七呼若灸者可灸三壯○新校正云詳刺郄中甲乙經作膕中王氏兩注之當以膕中為正也

足少陽之瘧令人身體解㑊身体解㑊次如不句寒不甚熱不甚陽氣表盛故令其然惡見人○見人心惕惕然膽與肝合肝虛則其邪薄其氣故惡見人見人心惕惕然也熱多汗出甚○邪盛則熱多門風故汗出刺足少陽俠谿主之俠谿在足小指次指歧骨間本節前陷中少陽之榮者刺可入同身寸之三分留三呼若灸者可灸三壯足陽明

之瘧令人先寒洒淅洒淅寒甚久乃熱熱去汗出喜見日月光火
氣乃快然陽虛則外先寒陽虛極則復盛故寒甚久乃熱也熱去汗已陰又内強陽不勝陰故喜見日月光火氣乃快然
也刺足陽明跗上衝陽穴也在足跗上同身寸之五寸骨閒動脈上去陷谷同身寸之二寸陽明之原刺可入同
身寸之三分留十呼若灸者可灸三壯跗音付足太陰之瘧令人不樂好太息心氣流於脈則喜今
脾拔受病心毋救之火氣下入於脾不上行於肺又太陰脈支別者復從胃上鬲注心中故令人不樂好大息也不嗜食
多寒熱汗出脾主化穀榮物四傍今邪薄之諸藏無稟上寄四季王則邪氣交爭故不嗜食多寒熱而汗出〇新校正
云按甲乙經云多寒少熱病至則善嘔嘔已乃衰足太陰脈入腹屬脾絡胃上鬲俠咽故病氣來至則嘔嘔
已乃衰退也即取之待病衰去即而取之其言衰即取之井俞及公孫也公孫在足大指本節後同身寸之一寸太陰絡
也刺可入同身寸之四分留七呼若灸者可灸三壯足少陰之瘧令人嘔吐甚多寒熱熱多
寒少足少陰脈貫肝鬲入肺中循喉嚨故嘔吐甚多寒熱也腎為陰藏陰氣主寒今陰氣不汗故熱多寒少〇新校正云按甲
乙經云嘔吐甚多寒少熱也欲閉戶牖而處其病難已胃陽明脈病故欲獨閉戶牖而處今腎胃上病諸
列見脊水之中上刑於水故其病難已也太鍾大絡悉來於鍾在足內踝後街中少陰絡也刺可入同身寸之二分留七呼若灸者

可灸三壯。太谿在足內踝後跟骨上動脈陷者中，少陰俞也，刺可入同身寸之三分，留七呼，若灸者可灸三壯。○新校正云：按甲乙經云其病難已，取太谿，又取太鍾。太鍾穴甲乙經作跟後衝中，刺腓腸篇注作跟後衝中動脈，水泉穴注云在內踝後，此注云內踝後衝中，諸注不同，當以甲乙經為正。

足厥陰之瘧，令人腰痛少腹滿，小便不利如癃狀，非癃也，數便意，恐懼，氣不足，腹中悒悒，足厥陰脈循股陰入髦中，環陰器抵少腹，故病如是。癃謂不得小便也。悒悒，不暢之貌。○新校正云：按甲乙經數便意三字作數噫一字。刺足厥陰。太衝主之，在足大指本節後同身寸之二寸陷者中，厥陰俞也，刺可入同身寸之三分，留十呼，若灸者可灸三壯。○新校正云：按刺腰痛篇注云在本節後內間動脈應手。

肺瘧者，令人心寒，寒甚熱，熱間善驚，如有所見者，刺手太陰陽明。列缺主之。列缺在手腕後同身寸之一寸半，手太陰絡也，刺可入同身寸之三分，留三呼，若灸者可灸五壯。陽明穴合谷主之，合谷在手大指次指岐骨之間，手陽明脈之所過也，刺可入同身寸之三分，留六呼，若灸者可灸三壯。

心瘧者，令人煩心甚，欲得清水，反寒多，不甚熱，刺手少陰。神門主之，神門在掌後銳骨之端陷者中，手少陰俞也，刺可入同身寸之三分，留七呼，若灸者可灸三壯。○新校正云：按太素云欲得清水及寒多寒不甚熱甚。

肝瘧者，令人色蒼蒼然，太息，其狀若死者，刺足厥陰見血。中封主之，中封在踝

內踝前同身寸之一寸半陷者中仰足而取之伸足乃得之足厥陰經也刺出血止常刺者可入同身寸之四分留七呼若灸者可灸三壯

脾瘧者令人寒腹中痛熱則腸中鳴鳴已汗出刺足太陰

商丘主之商丘在足內踝下微前陷者中足太陰經也刺可入同身寸之三分留七呼若灸者可灸三壯

腎瘧者令人洒洒然腰脊痛宛轉大便難目眴眴然手足寒刺足太陽少陰

太鍾主之取如前足少陰瘧中治

胃瘧者令人且病也善飢而不能食食而支滿腹大

胃熱脾虛故善飢而不能食食而支腹滿大也是以下文兼刺太陰○新校正云按太素且病作疸病

刺足陽明太陰橫脉出血

厲兌解谿三里主之厲兌在足大指次指之端去爪甲如韭葉陽明井也刺可入同身寸之一分留一呼若灸者可灸一壯解谿在衝陽後同身寸之三寸半腕上陷者中陽明經也刺可入同身寸之五分留五呼若灸者可灸三壯三里在膝下同身寸之三寸胻骨外廉兩筋肉分間陽明合也刺可入同身寸之三寸留七呼若灸者可灸三壯然足陽明取此三穴足太陰刺其橫脉出血也橫脉謂足內踝前斜過大脉則太陰之經脉也○新校正云詳解谿在衝陽後三寸半按甲乙經一寸半氣穴論注二寸半

瘧發身方熱刺跗上動脉

則陽明之脉也

開其空出其血立寒

陽明之脉多血多氣熱盛氣壯故出其血而立可寒也

瘧方欲寒刺手陽明太陰足陽明太[illegible]

乃謂開穴而出其血也當陰井俞而刺之也癰脈滿大急刺背俞用中針傍五胠俞各
一適肥瘦出其血也瘦者淺刺少出血肥者深刺多出血背俞謂大杼五胠俞謂譩譆胠去魚反癰脈
少實急灸脛少陰刺指井灸脛少陰是為復留復留在內踝上同身寸之二寸陷者中足少陰經也刺可
入同身寸之三分留三呼若灸者可灸五壯刺指井謂刺至陰至陰在足少指外側去爪甲角如韭葉足太陽井也刺可入同身寸
之一分留五呼若灸者可灸三壯癰脈滿大急刺背俞用五胠俞背俞各一適行
於血也謂調適肥瘦穴度深淺循三備法而行針令至於血脈也謂大杼五胠俞謂譩譆主之○新校正云詳此條從癰脈
滿大至此注中文注共五十五字當從刪削經文與坎前脈文重複王氏隨而注之別無義例不若王安之精審不復出也癰
脈緩大虛便用藥不宜用針緩者中風大為氣實虛若血虛血虛氣實風又攻之故宜藥治以遣其邪
不宜針寫而出血也凡治癰先發如食頃乃可以治過之則失時也先其發時真邪
異居彼離不起故可治過時則真邪相合攻之則反傷真氣故戾失時○新校正云詳從前脈癰滿大至此全元起本在第四卷中
王氏後續於此也諸癰而脈不見刺十指間出血血去必已先視身之赤
如小豆者盡取之十二癰者其發各不同時察其病形以知其何

脉之病也隨其形證而病脉可知先其發時如食頃而刺之一刺則衰二刺則知三刺則已不已刺舌下兩脉出血釋具下文不已刺郄中盛經出血又不刺項已下挾脊者必已並足太陽之脉氣也郄中則委中也俠脊者謂大杼風門熱府穴也大杼同在項第一推下兩傍相去各同身寸之一寸半陷者中刺可入同身寸之三分留七呼若灸者可灸五壯風門熱府在第一推下兩傍各同身寸之一寸半刺可入同身寸之五分留七呼若灸者可灸五壯○新校正云詳大杼穴灸五壯按甲乙經作七壯氣穴論注作七壯刺熱熱穴注作五壯舌下兩脉者廉泉也廉泉穴各在[illegible]下結喉上舌本下陰維任脉之會刺可入同身寸之三分留三呼若灸者可灸三壯刺瘧者必先問其病之所先發者先刺之先頭痛及重者先刺頭上及兩額兩眉間出血頭上謂上星百會兩額謂懸顱兩眉間謂攢竹等穴也先項背痛者先刺之項風池風府主之背大杼神道主之先腰脊痛者先刺郄中出血先手臂痛者先刺手少陰陽明十指間新校正云按別本作手陰陽至本亦作手陰陽先足脛痠痛者先刺足陽明十指間出血各以邪居之所以瀉之風瘧瘧發則汗出惡風刺三陽經背俞之血者三陽太陽也○新校正云按甲乙經

云足三陽胻痠痛甚按之不可名曰胕髓病以鑱鍼〻絕骨出血立已陽輔穴也取如氣穴論中府俞法胕洪什反鑱鋤銜反身體少痛刺至陰新校正云按甲乙經無至陰二字諸陰之井無出血間日一刺諸井皆在指端足少陰井在足心宛〻中瘧不渴間日而作刺足太陽新校正云按九卷云足陽明太素同渴而間日作刺足少陽新校正云按九卷云手少陽太素同溫瘧汗不出為五十九刺自胃瘧下至此尋黃帝中誥圖經所主或有不與此文同應古之別法也

●氣厥論篇第三十七

黃帝問曰五藏六府寒熱相移者何岐伯曰腎移寒於肝癰腫少氣肝藏血然寒入則陽氣不散陽氣不散則血聚氣澀故為癰腫又為少氣也○新校正云按全元起本云腎移寒於脾元起注云腎傷於寒而傳於脾胃主肉寒生於肉則結為堅〻化為膿故為癰也血傷氣少故曰少氣甲乙經亦作移寒於脾王因誤本遂解為肝亦智者之一失也脾移寒於肝癰腫筋攣脾藏主肉肝藏主筋肉溫則筋舒肉冷則筋急故筋攣也肉寒則衛氣結聚故為癰腫肝移寒於心狂隔中心為陽藏神處其中寒薄之則神亂離故狂也陽氣與寒

相薄故閉塞而中不通也心移寒於肺肺消肺消者飲一溲二死不治心為陽藏反受諸寒寒氣不消乃移於肺寒隨心火內爍金精金受火邪故中消也然肺藏消爍氣無所持故令飲一而溲二也金火相賊故死不能治肺移寒於腎為涌水涌水者按腹不堅水氣客於大腸疾行則鳴濯濯如囊裹漿水之病也肺藏氣腎主水夫肺寒入腎腎氣有餘腎氣有餘則上奔於肺故云涌水也太陽為肺之府然肺腎俱為寒薄上下皆無所之故水氣客於大腸也腎受凝寒不能化液大腸積水而不流通故其疾行則腸鳴而濯濯有聲如囊裹漿而為水病也新校正云按甲乙經水之病也作治主肺者脾移熱於肝則為驚衄肝藏血又主驚故熱薄之則驚而鼻中血出肝移熱於心則死兩陽和合火木相燔故肝熱入心則當死也陰陽別論曰肝之心謂之生陽生陽之屬不過四日而死新校正云按陰陽別論之文義與此殊王氏不當引彼誤文附會此義心移熱於肺傳為鬲消心肺內間中有斜鬲膜鬲膜下際內連於橫鬲膜故心熱入肺久久傳化內為鬲熱消渴而多飲也肺移熱於腎傳為柔痓柔謂筋柔而無力痓謂骨痓亦不隨氣骨皆熱隨不內無故骨痓強而不舉筋柔緩而無力也痓音熾腎移熱於脾傳為虛腸澼死不可治[illegible]移熱之脾是脾土不能制水而受病久久傳為虛損也腸澼死者腎主下焦象水而冷今乃移熱是精氣內消下焦無主以[illegible]

持故腸澼除而氣不禁止

胞移熱於膀胱則癃溺血

膀胱為津液之府胞為受納之司故熱入膀胱中外熱陰絡內溢故不得小便而溺血也正理論曰熱在下焦則溺血此之謂也

膀胱移熱於小腸鬲腸不便上為口糜

小腸脈絡心循咽下隔抵胃屬小腸故受熱以下令腸隔塞而不便上則口生瘡而糜爛也糜謂爛也[illegible]武悲反

小腸移熱於大腸為虙瘕為沉

小腸熱已移入大腸兩熱相薄則血溢而為伏瘕也血澁不利則月事沉滯而不行故云為伏瘕為沉也虙與伏同瘕一為疝傳寫誤也

大腸移熱於胃善食而瘦入謂之食亦

胃為水穀之海其氣外養肌肉熱消水穀又鑠肌肉故善食而瘦入也食亦者謂食入移易而過不生肌膚也亦易也○新校正云按甲乙經入作又王氏注云善食而瘦入也殊為無義不若甲乙經作又續連下文

胃移熱於膽亦曰食亦

義同上

膽移熱於腦則辛頞鼻淵鼻淵者濁涕下不止也

腦液下滲則為濁涕〻下不止如彼水泉故曰鼻淵也頞謂鼻頞也足太陽脈起於目內眥上額交巔上入絡腦足陽明脈起於鼻交頞中傍約太陽之脈今腦熱則足太陽逆與陽明之脈俱盛薄於頞中故鼻頞辛也辛謂頞痛故下文曰

傳為衄衊瞑目

以足陽明脈交頞中傍約太陽之脈故耳熱盛則陽絡溢陽絡溢則衄出汗血也衊謂汗血也血出甚陽明太陽脈衰不能榮養於目故目瞑[illegible][illegible]也衊莫結反

故得之氣厥也

厥者氣逆也皆由氣逆而得之

●欬論篇第三十八

黄帝問曰肺之令人欬何也岐伯對曰五藏六府皆令人欬非獨肺也帝曰願聞其狀岐伯曰皮毛者肺之合也皮毛先受邪氣邪氣以從其合也 邪謂寒氣 其寒飲食入胃從肺脉上至於肺則肺寒肺寒則外内合邪因而客之則為肺欬 肺脉起於中焦下絡大腸還循胃口上鬲屬肺故云從肺脉上至於肺也 五藏各以其時受病非其時各傳以與之 時謂王月也非王月則不受邪故各傳以與之 人與天地相參故五藏各以治時感於寒則受病微則為欬甚者為泄為痛 寒氣微則外應皮毛内通肺故欬寒氣甚則入於内内裂則痛入於腸胃則泄利 乘秋則肺先受邪乘春則肝先受之乘夏則心先受之乘至陰則脾先受之乘冬則腎先受之 以當用事之時故先受邪氣○新校正云按全元起本及太素無乘秋則二字疑此文誤多也 帝曰何以異之 欲明其證也 岐伯曰肺欬之狀欬而喘息有音甚則唾血 肺藏氣而應息故欬則喘息而欬中有聲甚則肺絡逆故唾血也 心欬之狀欬則心痛喉

中介介如梗狀，甚則咽腫喉痹。手心主脈起於胷中，出屬心包；少陰之脈起於心中，出屬心系，其支別者，從心系上俠咽喉，故病如是。○新校正云：按甲乙經，介々如梗狀作喝々，又少陰之脈上俠咽，不言俠喉。肝欬之狀，欬則兩脇下痛，甚則不可以轉，轉則兩胠下滿。足厥陰脈上貫鬲，布胠肋，循喉嚨之後，故如是。胠亦脇也。脾欬之狀，欬則右胠下痛，陰陰引肩背，甚則不可以動，動則欬劇。足太陰脈上貫鬲俠咽，其支別者，復從胃別上鬲，故病如是也。脾氣連肺，故痛引肩背也。脾氣主右，故右胠下陰々然深慢痛也。劇，音極。腎欬之狀，欬則腰背相引而痛，甚則欬涎。足少陰脈上股內後廉，貫脊屬腎絡膀胱；其直行者，從腎上貫肝鬲，入肺中，循喉嚨，俠舌本。又膀胱脈從肩髆內別下俠脊抵腰中，入循膂絡腎，故病如是。帝曰：六府之欬奈何？安所受病？岐伯曰：五藏之久欬，乃移於六府。脾欬不已，則胃受之，胃欬之狀，欬而嘔，嘔甚則長蟲出。脾與胃合，又胃之脈循喉嚨入缺盆，下鬲屬胃絡脾，故脾欬不已，胃受之也。胃寒則嘔，嘔甚則腸氣逆上，故蟲出。蚘音回。肝欬不已，則膽受之，膽欬之狀，欬嘔膽汁。肝與膽合，又膽之脈從缺盆以下胷中，貫鬲絡肝，故肝欬不已，膽受之也。膽氣好逆，故嘔溫苦汁也。肺欬不已，則大腸受之，大腸欬狀，欬而遺失。肺與大腸合，又大腸脉入缺盆絡肺故肺欬不已大腸受之大腸為傳送之府故寒入則氣不禁焉○新校正云按甲乙經遺失作遺矢心欬不已○則小腸受之○小腸欬狀欬而失氣氣與欬俱失○心與小腸合又小腸脉入缺盆絡心故心欬不已小腸受之小腸寒盛氣入大腸欬則小腸氣下奔故失氣也腎欬不已○則膀胱受之○膀胱欬狀○欬而遺溺腎與膀胱合又膀胱脉從肩髆內俠脊抵腰中入循膂絡腎屬膀胱故腎欬不已膀胱受之膀胱為津液之府是故遺溺久欬不已○則三焦受之○三焦欬狀○欬而腹滿不欲食飲○此皆聚於胃關於肺使人多涕唾而面浮腫氣逆也○三焦者非謂手少陽也正謂上焦中焦耳何者上焦者出於胃上口並咽以上貫鬲布胷中走腋中焦者亦至於胃口出上焦之後此所受氣者泌糟粕蒸津液化其精微上注於肺脉乃化而為血故言皆聚於胃關於肺也兩焦受病則邪氣熏肺而肺氣滿故使人多涕唾而面浮腫氣逆也腹滿不欲食者胃寒故也胃脉者從缺盆下乳內廉下循腹至氣街其支者復從胃下口循腹裏至氣街中而合今胃受和故病如是也何以明其不謂下焦然下焦者別於回腸注於膀胱故水穀者常并居於胃中盛糟粕而俱下於大腸泌別汁循下焦而滲入膀胱尋此行化乃與胃口懸遠故不謂此也○新校正云按甲乙經胃脉下循腹作下俠臍帝曰治之柰何岐伯曰治藏者治其俞治府者治其合浮腫者治其經諸藏俞者皆脉

之所起也第三穴諸府合者皆脉之所起第六穴也經者〔莖〕依一穴所穴第四穴府脉之所起第五穴靈樞經曰脉之所注為俞所行〔為〕經所入為合此之謂也帝曰善

補註釋文黄帝内經素問卷之五終

※

※

重刊京本補註釋文黃帝內經素問卷之六

舉痛論篇第三十九

新校正云按全元起本在第三卷名五藏舉痛所以名舉痛之義未詳按本篇乃黃帝問五藏卒痛之疾疑舉乃卒字之誤也

黃帝問曰余聞善言天者必有驗於人善言古者必有合於今善言人者必有厭於己如此則道不惑而要數極所謂明明也善言天者言天四時之氣溫涼寒暑生長收藏在人形氣五藏參應可驗而指示善惡故曰必有驗於人善言古者謂言上古聖人養生損益之迹與今養生損益之理可合而與論成敗故曰必有合於今也善言人者謂言形骸骨節更相支柱筋脉束絡皮肉包裹而五藏六府次居其中假七神五藏而運用之氣絕神去則之於死是以知彼浮形不能堅久靜慮於己亦與彼同故曰必有厭於己也夫如此者是知道要數之極悉无疑惑深明至理而乃能然矣今余問於夫子令言而可知視而可見捫而可得令驗於己如發蒙解惑可得而聞乎言如發開童蒙之耳解於疑惑者之心令一一條理而目視手循驗之可得捫循也岐伯再拜稽首對曰何道之問也請示起端也帝曰願聞人之五藏卒痛何氣使然岐伯對曰經脉流行

不止環周不休寒氣入經而稽遲泣(音澀)而不行客於脉外則血少客於脉中則氣不通故卒然而痛帝曰其痛或卒然而止者或痛甚不休者或痛甚不可按者或按之而痛止者或按之無益者或喘動應手者或心與背相引而痛者或脇肋與少腹相引而痛者或腹痛引陰股者或痛宿昔而成積者或卒然痛死不知人少間復生者或痛而嘔者或腹痛而後泄(者或痛而閉不通者凡此諸痛各不同形別之奈何)(痢之所起)岐伯曰寒氣客於脉外則脉寒脉寒則縮踡縮踡則脉絀急絀急則外引小絡故卒然而痛得炅則痛立止(脉左右環故得寒則縮踡絀急縮踡絀急則衛氣不得流通故外引於小絡脉也衛氣不入寒內薄之脉急不縱故痛生也得熱則衛氣復行寒氣退辟故痛止炅熱也止已也絀丁骨反)因重中於寒則痛久矣(重寒難釋故痛久不消)寒氣客於經脉之中與炅氣相得則脉滿滿則痛而不可按也(按之寒氣皆其義具下文)寒氣稽留炅氣從上則脉充大而血氣亂故痛甚不可按也(脉既滿大血氣復亂按之則邪氣攻內故不可按也)寒氣客於腸胃之間膜原之下血不得

散小絡急引故痛按之則血氣散故按之痛止膜謂鬲間之膜原謂鬲肓之原血不得散謂按之中小絡脈內血也絡滿則急故牢引而痛生也手按之則寒氣散小絡緩故痛止寒氣客於俠脊之脈則深按之不能及故按之無益也俠脊之脈者當中之督脈也次兩傍足太陽脈也督脈者循脊裏太陽者貫膂筋故深按之不能也若按當中則脊節曲按兩傍則膂筋蹙合曲與蹙合皆衛閡氣不得行過寒氣益聚而內畜故按之無益寒氣客於衝脈衝脈起於關元隨腹直上寒氣客則脈不通脈不通則氣因之故喘動應手矣衝脈奇經脈也關元穴名在齊下三寸言起自此穴即隨腹而上非生出於此也其本生出乃起於腎下也直者謂行會於咽喉也氣因之謂衝脈不痛足少陰氣因之上滿衝脈與少陰並行故喘動而應手也矣寒氣客於背俞之脈則血脈泣脈泣則血虛血虛則痛甚俞注於心故相引而痛按之則熱氣至熱氣至則痛止矣背俞謂心俞脈亦足太陽脈也夫俞者皆內通於藏故曰其俞注於心相引而痛也按之則溫氣入溫氣入則心氣外發故痛止寒氣客於厥陰之脈厥陰之脈者絡陰器繫於肝寒氣客於脈中則血泣脈急故脇肋與少腹相引痛矣

厥陰者肝之脈入髦中環陰器抵少腹上貫肝鬲布脇肋故曰絡陰器繫於肝脈急引脇與少腹痛也厥氣客於陰
股寒氣上及少腹血泣在下相引故腹痛引陰股亦厥陰肝脈之氣也以其脈循
陰股入毛中環陰器上抵少腹故曰厥氣客於陰股寒氣上及於少腹也寒氣客於小腸膜原之間絡
血之中血泣不得注於大經血氣稽留不得行故宿昔而成積矣
言血爲寒氣之所凝結而乃成積寒氣客於五藏厥逆上泄陰氣竭陽氣未入故
卒然痛死不知人氣復反則生矣言藏氣被寒擁胃而不行氣復得通則已也○新校正云詳注
中擁胃字作擁冑寒氣客於腸胃厥逆上出故痛而嘔也腸胃客寒留止則陽氣不得下
流而反上行寒不去則痛生陽上行則嘔逆故痛而嘔也寒氣客於小腸小腸不得成聚故後
泄腹痛矣小腸爲受盛之府中滿則寒邪不居故不得結聚而傳下入於迴腸迴腸廣腸也爲傳導之府物不得停留故
後泄而痛熱氣留於小腸腸中痛癉熱焦渴則堅乾不得出故痛而閉
不通矣熱滲津液故便堅也帝曰所謂言而可知者也視而可見奈何謂候色也
岐伯曰五藏六府固盡有部謂面上之分部視其五色黃赤爲熱中熱則色黃赤

曰為寒。陽氣少血不上榮於色故白青黑為痛。血凝泣則變惡故色青黑則痛此所謂視而可
見者也。帝曰：捫而可得奈何？捫摸也以手循摸也岐伯曰：視其主病之脈堅
而血及陷下者，皆可捫而得也。帝曰：善。余知百病生於氣也。夫氣之為
用虛實逆順緩急皆能為病故發此問端怒則氣上，喜則氣緩，悲則氣消，恐則氣下，寒
則氣收，炅則氣泄，驚則氣亂，新校正云按大素驚作憂勞則氣耗，思則氣結，九
氣不同，何病之生？岐伯曰：怒則氣逆，甚則嘔血及飧泄，新校正云按甲乙經
及大素飧泄作食而氣逆故氣上矣。怒則陽氣逆上而肝氣乘脾故甚則嘔血及飧泄也何以明其然怒則面赤甚則色
蒼靈樞經曰盛怒而不止則傷志明怒則氣逆上而不下也喜則氣和志達，榮衛通利，故氣緩
矣。氣脈和調故志達暢榮衛通利故氣徐緩悲則心系急，肺布葉舉，而上焦不通，榮衛
不散，熱氣在中，故氣消矣。布葉謂布蓋之大葉□新校正云按甲乙經及大素而上焦不通作兩焦不通
又王汪[illegible]葉謂布蓋之大葉疑非全元起云悲則損於心系急則[illegible]肺氣繫諸經逆故肺布而葉舉安得謂肺布為
布蓋之大葉[illegible]則精卻，卻則上焦閉，閉則氣還，還則下焦脹，故氣不行

矣恐則陽精却上而不下流故却則上焦閉也上焦既閉氣不行流下焦陰氣亦還迴不散而聚爲脹也然上焦固禁下焦氣還各守一處故氣不行也○新校正云詳氣不行當作氣不行也寒則腠理閉氣不行故氣收矣腠謂津液滲泄之所理謂文理逢會之中閉謂密閉氣謂衛氣行謂流行收謂收斂也身寒則衛氣沉故皮膚文理及滲泄之處皆閉密而氣不流行衛氣收斂於中而不發散也○新校正云按甲乙經氣不行作營衛不行炅則腠理開榮衛通汗大泄故氣泄矣人在陽則舒在陰則慘故熱則膚腠開發榮衛大通津液外滲而汗大泄也驚則心無所倚神無所歸慮無所定故氣亂矣氣奔越故不調理○新校正云按太素驚作憂字勞則喘且汗出外内皆越故氣耗矣疲力役則氣奔速故喘息氣奔速則陽外發故汗出然喘且汗出内外皆踰越腠常細故氣耗損也思則心有所存神有所歸正氣留而不行故氣結矣繫心不散故氣亦停留○新校正云按甲乙經歸正二字作止字

腹中論篇第四十

新校正云按全元起本在第五卷

黄帝問曰有病心腹滿旦食則不能暮食此爲何病岐伯對曰名爲鼓脹心腹脹滿不能再食形如鼓脹故名鼓脹也○新校正云按太素鼓作鼓字帝曰治之奈何岐

伯曰。治之以雞矢醴。一劑知。一劑已。按古本草雞矢並不治鼓脹惟大利小便微寒今方制法當取用處湯漬服之帝曰。其時有復發者何也。復謂再發言如舊也岐伯曰。此飲食不節。故時有病也。雖然。其病且已時。故當病氣聚於腹也。飲食不節則傷胃也胃脈者循腹裏而下行故飲食不節時有病者發病氣聚於腹中也帝曰。有病胷脇支滿者。妨於食。病至則先聞腥臊臭。出清液。先唾血。四支清。目眩。時時前後血。病名為何。何以得之。清液清水也亦謂之清涕清涕者謂從窈漏中漫液而下水出清冷也眩謂目視眩轉也前後血謂前陰後陰出血也岐伯曰。病名血枯。此得之年少時有所大脫血。若醉入房中。氣竭肝傷。故月事衰少不來也。出血者謂之脫血漏中鼻衂嘔生出血皆同焉夫醉則血脈盛血脈盛則內熱因而入房髓液皆下故腎中氣竭也肝藏血以少大脫血故肝傷也然於丈夫則精液衰乏之若女子則月事衰少而不來帝曰。治之奈何。復以何術。岐伯曰。以四烏鰂骨。一藘茹。二物并合之。丸以雀卵。大如小豆。以五丸為後飯。飲以鮑魚汁。利腸中。新校正云按別本一作傷中鰂[illegible]則[illegible]藘茹上力居反下音如字及傷肝也。飯後藥先謂之後飯按古本草

經云烏鰂魚骨藘茹等並不治血枯然經法用之是攻其所生所
起爾夫醉勞力以入房則腎中精氣耗竭月事衰少不至則中有
惡血淹留精氣耗竭則陰萎不起而無精惡血淹留則血痺著中
而不散故先兹四藥用入方焉古本草經曰烏鰂魚骨味鹹冷平
無毒主治女子血閉藘茹味辛寒平有小毒主散惡血雀卵味甘
溫平無毒主治男子陰萎不起強之令熱多精有子鮑魚味辛臭
溫平無毒主治瘀血血痺在四支不散者尋文會意方義如此而
處治之也○新校正云按甲乙經及太素藘茹作蕳茹詳王注性
味乃蕳茹當改藘作蕳又按本草烏鰂
魚骨冷作微溫雀卵甘作酸與王注異
帝曰○病有少腹盛上下左
右皆有根此為何病可治不○岐伯曰○病名曰伏梁○伏梁心之積也
○新校正云詳此伏梁與心積之伏梁大異其病有各
同而實異者非一如此之類是也
帝曰○伏梁何因而得之○岐伯
曰○裹大膿血居腸胃之外不可治○治之每切按之致死○帝曰何以
然○岐伯曰○此下則因陰必下膿血上則迫胃脘生鬲俠胃脘内癰
大當衝脈帶脈之部分也帶脈者起於左脅相身一周橫於齊
下衝脈者與足少陰之絡起於腎下出於氣街循陰股其上行者
出齊下同身寸之三寸關元之分俠齊直上循腹各行會於咽喉
故病當其分則少腹盛上下左右皆有根也以其上下堅盛如有
潛梁故曰病名伏梁不可治也以裹大膿血居腸胃之外按之痛
悶不堪者每切按之致死也以衝脈下行者絡陰上行者循腹故

也上則迫近於胃脘下則因薄於陰器也若因薄於陰則便下膿血若迫近於胃則病氣上出於鬲復挾胃脘內長其癰也何以然
故以本有大膿血在腸胃之外故也生當爲出傳文誤也○新校正云按大素脘胃作使胃此久病也難治居
齊上爲逆居齊下爲從勿動亟奪若裹大膿血居齊上則漸傷心藏故爲逆居齊下則去心稍遠
猶得漸攻故爲從從順也亟數也奪去也言不可按動但數數去之則可矣論在刺法中今經亡帝曰人
有身體髀股䯒皆腫環齊而痛是爲何病岐伯曰病名伏梁此二十六
字錯簡在奇病論中若不有此二十六字則下文无據也○新校正云詳此並无注辭尽在下卷奇病論中此風根也
此四字此篇本有奇病論中亦有之其氣溢於大腸而著於肓肓之原在齊下故環
齊而痛也不可動之動之爲水溺濇之病亦衝脉也齊下謂脖胦在齊下同身寸之一寸
半靈樞經曰肓之原名曰脖胦脖胦蒲没反胦烏朗反帝曰夫子數言熱中消中不可服高梁
芳草石藥石藥發瘨芳草發狂多飲數溲謂之熱中多食數溲謂之消中多喜曰瘨多怒曰狂芳美
味也夫熱中消中者皆富貴人也今禁高梁是不合其心禁芳草石
藥是病不愈願聞其說熱中消中者脾氣之上溢甘肥之所致故禁食高梁芳美之草也通評虛實論曰凡

治消癉甘肥貴人則高梁之疾也又奇病論曰夫五味入口藏於胃脾為之行其精氣津液在脾故令人口甘此肥美之所發也此人必數食甘美而多肥也肥者令肥內熱甘者令人中滿故氣其上溢轉為消渴此之謂也夫富貴人者驕恣縱欲輕人而无推二之禁之則逆其志順之則加其病帝思難詰故或問之氣高梁米也石藥英乳也芳草濃美也然此五者富貴人常服之推禁也岐伯曰夫芳草之氣美石藥之氣悍二者其氣急疾堅勁故非緩心和人不可以服此二者脾氣溢而生病氣美則重盛於脾消熱之氣躁疾氣悍則又滋其熱若人性和心緩氣俻舒勻不與物爭釋然寬泰則神不躁內无恚內傷故非緩心和人不可以服此二者悍利也堅定也固也勁剛也言其芳草石藥之氣堅定固久剛然而卒不歇減此二者是也帝曰不可以服此二者何以然岐伯曰夫熱氣慓悍藥氣亦然二者相遇恐內傷脾慓疾也脾者土也而惡木服此藥者至甲乙日更論熱氣慓盛則木氣內餘故心非和緩則躁怒數起躁怒欲起則熱氣因木以傷脾甲乙日木故至甲乙日更論脾病之何如也帝曰善有病膺腫新校正云按甲乙經作頸痛頸痛胸滿腹脹此為何病何以得之膺胸傍也頸項前也胸膺間也岐伯曰名厥逆氣逆所生故名厥逆帝曰治之奈何岐伯曰灸之則瘖石之則狂須其氣并

乃可治也。石謂以石針開破之。帝曰：何以然？岐伯曰：陽氣重上，有餘於上，灸之則陽氣入陰，入則瘖；石之則陽氣虛，虛則狂。灸之則火氣助陽，陽盛故入陰；石之則陽氣出，陽氣出則內不足，故狂。須其氣并而治之，可使全也。并謂并合也。待自并合，則兩氣俱全，故可治。若不爾而灸石之，則偏致勝負，故不得全而瘖狂也。帝曰：善。何以知懷子之且生也？岐伯曰：身有病而無邪脈也。病謂經閉也。脈法曰：尺中之脈來而斷絕者，經閉也。月水不利，若尺中脈絕者，經閉也。今病經閉，脈反如常者，婦人姙娠之證，故云身有病而无邪脈。帝曰：病熱而有所痛者何也？岐伯曰：病熱者，陽脈也，以三陽之動也。人迎一盛少陽，二盛太陽，三盛陽明，入陰也。夫陽入於陰，故病在頭與腹，乃䐜脹而頭痛也。帝曰：善。新校正云：按六節藏象論云：人迎一盛病在少陽，二盛病在太陽，三盛病在陽明，與此論同。又按甲乙經，三盛陽明无入陰地三字。

●刺腰痛篇第四十一

新校正云：按全元起本在第六卷。

足太陽脈令人腰痛，引項脊尻背如重狀。足太陽脈別下項，循肩髆內，俠脊抵腰中，別下貫膂故令人腰痛引項脊尻背如重狀也○新校正云按甲乙經貫膂作貫胂刺瘧注亦作貫胂三部九候注作貫膂尻枯數反刺其郄中太陽正經出血春無見血郄中委中也在膝後屈處膕中央約文中動脈足太陽脈之所入也刺可入同身寸之五分留七呼若灸者可灸三壯太陽合腎腎王於冬水衰於春故春無見血也少陽令人腰痛如以鍼刺其皮中循循然不可以俛仰不可以顧足少陽脈遶髦際橫入髀厭中故令腰痛如以鍼刺其皮中循循然不可俛仰少陽之脈起於目銳眥上抵頭角下耳後循頸行手少陽之前至肩上交出手少陽之後其支別者目銳眥下大迎合手少陽於頸下加頰車下頸合缺盆故不可以顧○新校正云按甲乙經行手陽明之前作行手少陽之前也刺少陽成骨之端出血成骨在膝外廉之骨獨起者夏無見血成骨謂膝外近下胻骨上端兩起骨相並間陷容指者也胻骨所成柱膝髀骨故謂之成骨也少陽合肝肝王於春木衰於夏故夏無見血也陽明令人腰痛不可以顧傾如有見者善悲足陽明脈起於鼻交頞中下循鼻外入上齒中還出俠口環脣下交承漿卻循頤後下廉出大迎其支別者從大迎前下人迎循喉嚨入缺盆其支別者起胃下口循腹裏至氣街中而合以下髀故令人腰痛不可顧傾如有見者陽虛故悲也刺陽明於䯒前三痏上下和之出血秋無見血按內經中誥流注圖經陽明脈穴俞之所主此腰痛者悉刺之

前三痏則正三里穴也三里穴在膝下同身寸之三寸䯒外廉兩筋肉分間刺可入同身寸之一寸留七呼若灸者可灸三壯
明合脾々主長夏土衰於秋故秋無見血○新校正云按甲乙經䯒作骭足少陰令人腰痛痛引脊內
廉足少陰脉上股內後廉貫脊屬腎故令人腰痛々引脊內廉也○新校正云按全元起本脊內廉作脊內痛太素亦同此前少
足太陰腰痛證并刺足太陰法應古文脫簡也刺少陰於內踝上二痏春無見血出血大
多不可復也按內經中誥流注圖經少陰脉穴俞所主此腰痛者當刺內踝上則正復溜穴也復溜在內踝後上同身
寸之二寸動脉陷者中刺可入同身寸之三分留三呼若灸者可灸五壯厥陰之脉令人腰痛腰中如
張弓弩弦足厥陰脉自陰股環陰器抵少腹其支別者與太陰少陽結於腰髁下挾脊第三第四骨空中其穴即中髎下
髎故腰痛則中如張弓弩之弦也如張弦者言強急之甚刺厥陰之脉在腨踵魚腹之外循之
累累然乃刺之腨踵者言脉在腨外側下當足跟也腨形勢如別魚之腹故曰魚腹之外也循其分肉有血絡累々
然乃刺出之此正當蠡溝穴分足厥陰之絡在內踝上五寸別走少陽者刺可入同身寸之二分留三呼若灸者可灸三壯厥陰三
經作居陰是傳寫草書厥字爲居也○新校正按經云厥陰之脉令人腰痛次言刺厥陰之絡經注相違疑經中脉
字乃絡字之誤也腨時轉反其病令人善言嘿嘿然不慧刺之三痏厥陰之脉循喉嚨之

後土入頏顙絡於舌本，故病則善言。風盛則昏冒，故不爽甚也。三刺其處腰痛乃除。○新校正云：按經云善言嘿嘿然不善言，詳善言嘿嘿二病難相兼，全元起本无善字，於義爲允。又按甲乙經厥陰之脉不絡舌本，王氏於素問之中五處引注，而注厥論與刺熱及此三篇皆云絡舌本，注風論、瘅論二篇不言絡舌本，盖王氏亦疑而兩言之也。

解脉令人腰痛，痛而引肩，目䀮䀮然，時遺溲。解脉，散行脉也，言不合而別行也。此足太陽之經，起於目內眥，上額交巔上，循肩髆俠脊，抵腰中，入循膂，絡腎屬膀胱，下入膕中，故病斯候也。又其支別者，從髆內別下貫胂，循髀外後廉而下合於膕中，二脉如繩之解股，故名解脉也。刺解脉在膝筋肉分間郄外廉之橫脉，出血，血變而止。膝後兩傍大筋雙上股之後，兩筋之間橫文之處，弩肉高起，則郄中之分也。古中誥以膕中爲太陽之郄，當取郄外廉有血絡橫見，迢刺之，血黑而盛滿者，乃刺之，當見黑血，必候其血色變赤乃止；血不變赤，極而寫之，必行血色變赤乃止。此太陽中經之爲腰痛也。

解脉令人腰痛如引帶，常如折腰狀，善恐。足太陽之別脉，自肩而別下，循背脊至腰，而橫入髀外後廉而下合膕中，故若引帶如折腰之狀。○新校正云：按甲乙經如引帶作如裂，善恐作善怒。刺解脉在郄中結絡如黍米，刺之血射以黑，見赤血而已。郄中則委中穴，足太陽合也，在膝後屈處膕中央約文中動脉，刺可入同身寸之五分，留七呼，若灸者可灸三壯。此經刺法也。今則取其結絡大如黍米者，當黑血箭射而出，見血

皮赤然可此也○新校正云按全元起云有兩解脉病源各異恐誤未詳同陰之脉令人腰痛痛如小
錘居其中怫然腫足少陽之別絡也並少陽經上行去足外踝上同身寸之五寸乃別走厥陰並經下絡足跗故
曰同陰脉也怫怒也言腫如嗔怒也○新校正云按太素小錘則小鍼錘音垂刺同陰之脉在外踝上絕
骨之端為三痏絕骨之端如前同身寸之三分陽輔穴也足少陽脉所行刺可入同身寸之五分留七呼若灸者可
灸三壯陽維之脉令人腰痛痛上怫然腫陽維起於陽則太陽之所生奇經八脉此其一也
刺陽維之脉脉與太陽合腨下間去地一尺所太陽所主與正經並行而上至腨下
復與太陽合而上也腨下去地正同身寸之一尺是則承光穴在餘腨陽下肉分間陷者中刺可入同身寸之七分若灸者可灸五
壯以其取腨陽下肉分間故云合腨下間○新校正云按穴之所在乃承山穴非承光也山字誤為光衡絡之脉令
人腰痛不可以俛仰仰則恐仆得之舉重傷腰衡絡絕惡血歸之衡横
也謂太陽之外絡自腰中横入髀外後廉而下與中經合於膕中者今舉重傷腰則横絡絕中經獨盛故腰痛不可以俛仰矣一經作
行絕絡之或傳寫魚魯之誤也若是行脉中者不應取太陽脉委陽殷門之穴也刺之在郄陽筋之間上郄
數寸衡居為二痏出血横居二穴謂委陽殷門平視横相當也新陽謂浮郄穴上則委陽穴也筋之間謂膝

後腘上兩筋之間殷門穴也二穴各去臀下橫文同身寸之六寸
故曰上郄數寸也委陽刺可入同身寸之七分留五呼若灸者可
灸三壯殷門刺可入同身寸之五分留七呼若灸者可灸三壯故
曰行居爲二痏〇新校正云詳王氏云浮郄穴上則委陽穴也按
甲乙經委陽在浮郄穴
下一寸不得言上則也
會陰之脉令人腰痛痛上漯漯然汗出汗
乾令人欲飲飲已欲走
足太陽之中經也其脉循腰下會於後陰
故曰會陰之脉其經自腰下行至足今陽
氣大盛故痛上漯漯然汗出汗液既出則腎燥陰虚故汗乾令人
欲飲水以救腎也水入腹已腎氣復生陰氣流行太陽又盛故飲
水已反
欲走也
刺直陽之脉上三痏在蹻上郄下五寸橫居視其盛者出
血
直陽之脉則太陽之脉挾脊下行貫臀下至腘中下循腨過外
踝之後條直而行者故曰直陽之脉也蹻謂陽蹻所生申脉穴外
在外踝下也郄下則腘下也言此刺處在腘下同身寸之五寸上
承郄中之穴下當申脉之位是謂承筋穴即腨中央如外陷者中
也太陽脉氣所發禁不可刺可灸三壯今云刺者謂刺其血絡之
盛滿者也兩蹻皆有太陽經氣下行當視兩蹻中央有血絡盛滿
者乃刺出之故曰視其盛者出血〇新校正云詳上云會陰之脉
令人腰痛此云刺直陽之脉者詳此直陽之脉即會陰之脉也文
變而事不殊又承筋穴注云腨中央如
外按甲乙經及骨空論注無如外二字
飛陽之脉令人腰痛痛上
怫怫然甚則悲以恐
是陰維之脉也去内踝上同身寸之五寸腨
分中並少陰經而上也少陰之前則陰維

脈所行也足少陰之脈從腎上貫肝鬲入肺中循喉嚨俠舌本其支別者從肺出絡心注胸中故甚則悲以恐也恐者生於腎悲者生於心刺飛陽之脈在內踝上五寸新校正云按甲乙經作二寸少陰之前與陰維之會內踝後上同身寸之五寸復溜穴少陰脈所行刺可入同身寸之三分內踝之後築賓穴陰維之郄刺可入同身寸之三分若灸者可灸五壯少陰之前陰維之會以三脈會在此穴分位也刺可入同身寸之三寸若灸者可灸五壯今中誥經文正同此法○新校正云按甲乙經足太陽之絡別走少陰者名曰飛陽在外踝上七寸又云築賓陰維之郄在內踝上腨分中復溜穴在內踝上二寸今此經注都與甲乙不合者疑經注中五寸字當作二寸則素問與甲乙相應矣

昌陽之脈令人腰痛引膺目䀮䀮然甚則反折舌卷不能言陰蹻脈也陰蹻者足少陰之別也起於然骨之後上內踝之上直上循陰股入陰而循腹上入胸裏入缺盆上出人迎之前入頄內廉屬目內眥合於太陽陽蹻而上行故腰痛之狀如此刺內筋爲二痏在內踝上大筋前太陰後上踝二寸所內筋謂大筋之前分肉也太陰後大筋前即陰蹻之郄交信穴也在內踝上同身寸之二寸少陰前太陰後筋骨之間陷者之中刺可入同身寸之四分留五呼若灸者可灸三壯今中誥經文正主此

散脈令人腰痛而熱熱甚生煩腰下如有橫木居其中甚則遺溲散脈足太陰之別也散行而上故以名焉其脈循股內入腹中與少

陰少陽結於腰髁下骨空中故病則腰下於有橫米居其中甚乃遺洩也刺散脉在膝前骨肉分間絡外廉束脉為三痏謂膝前內則也骨肉分謂膝內輔骨之下ヒ廉腨肉之兩間也絡外廉則太陰之絡色青而見者也輔骨之下後有大筋擷束膝胻之骨令其連屬取此筋骨繫束之處脉以去其病是曰束然三刺而已故曰束脉為之三痏也

肉里之脉令人腰痛不可以欬欬則筋縮急肉里之脉少陽所生則陽維之脉氣所發也里裹也刺肉里之脉為二痏在太陽之外少陽絕骨之後分肉主之以二作六少陽絕骨之前傳寫誤也絕骨之前足少陽脉所行絕骨之後陽維脉所過故指曰在太陽之外少陽絕骨之後也分肉穴在足外踝直上絕骨之端如後同身寸之二分筋肉分間陽維脉氣所發刺可入同身寸之五分留十呼若灸者可灸三壯○新校正云按分肉之穴甲乙經不見與氣穴注兩出分寸不同氣穴注二分作三分五分作二分十呼作口呼

腰痛俠脊而痛至頭几几然目𥆨𥆨欲僵仆刺足太陽郄中出血郄中委中○新校正云按大素作頭沈ヒ然

腰痛上寒刺足太陽陽明上熱刺足厥陰不可以俛仰刺足少陽中熱而喘刺足少陰刺郄中出血此法玄妙中結不同莫可窺則當用知其應不你皆應先去血絡乃調之也

腰痛上寒不可顧刺足陽明上寒陰市主之陰市在膝上同身十之三寸伏

髖下陷者中足陽明脈氣所發刺可入同身寸之三分留七呼若灸者可灸三壯不可顧三里主之三里在膝下同身寸之三寸骭外廉兩筋肉分間足陽明脈之所入也刺可入同身寸之三寸留七呼若灸者可灸三壯

上熱刺足太陰地機主之地機在膝下同身寸之五寸足太陰之郄也刺可入同身寸之三分若灸者可灸三壯○新校正云按甲乙經作五壯

中熱而喘刺足少陰涌泉太鐘悉主之涌泉在足心陷者中屈足捲指宛宛中足少陰脈之所出刺可入同身寸之三分留三呼若灸者可灸三壯大鐘在足跟後街中動脈足少陰之絡刺可入同身寸之二分留七呼若灸者可灸三壯○新校正云按刺瘧注大鐘在內踝後街中水穴論注在內踝後此注在跟後街中動脈三注不同甲乙經亦云在跟後街中當從甲乙經爲正

大便難刺足少陰涌泉主之

少腹滿刺足厥陰太衝主之在足大指本節後內間同身寸之二寸陷者中脈動應手足厥陰脈之所注也刺可入同身寸之三分留十呼若灸者可灸三壯

如折不可以俛仰不可舉刺足太陽如折束骨主之不可以俛仰京骨崑崙悉主之不可舉申脈僕參悉主之束骨在足小指外側本節後赤白肉際陷者中足太陽脈之所注也刺可入同身寸之三分留三呼若灸者可灸三壯京骨在足外側大骨下赤白肉際陷者中按而得之足太陽脈之所過也刺可入同身寸之三分留七呼若灸者可灸三壯崑崙在足外踝後跟骨上陷者中細脈動應手足太陽脈之所行也刺可入同身寸之五分留十呼若灸者可灸三壯申脈在外踝下同身寸之五分容爪甲陽蹻之所生也

刺可入同身寸之六分留十呼若灸者可灸三壯僕參在跟骨下陷者中足太陽陽蹻二脈之會刺可入同身寸之三分留七呼若灸者可灸三壯○新校正云按甲乙經申脈在外踝下陷者中容五分字刺入六分作三分留七呼作留六呼氣穴注作七呼僕參留七呼甲乙經作六呼

引脊內廉刺足少陰

復溜主之取用飛陽注從腰痛上寒不可顧至此件經語除注並合朱書○新校正云按全元起本及甲乙經并太素自腰痛上寒至此並無乃王氏所添也今注云從腰痛上寒至並合朱書十九字非王冰之語蓋後人所加也

腰痛引少腹控䏚不可以仰

新校正云按甲乙經作不可以俛仰字懸音杪

刺腰尻交者兩髁胂上以月生死為痏數發鍼立已

此邪客於足太陰之絡也控通引也䏚謂季脇下之空軟處也腰尻交者謂髁下尻骨二傍四骨空左右八穴俗呼此骨為八髎骨也此腰痛取腰髁下第四髎即下髎穴也足太陰厥陰少陽三脈左右交結於中故曰腰尻交者也兩髁胂謂兩髁骨下堅起肉也胂上非胂之上巔正當刺中肉矣直刺胂肉即胂上也何者胂之上巔別有中膂肉俞白環俞雖並主腰痛考其形證經不相應矣髁骨即腰脊兩傍起骨之俠脊兩傍腰髁之下各有胂肉隴起而斜趣於髎骨之循內承其髁故曰兩髁胂也下承髁胂肉左右兩胂各有四骨空故曰上髎次髎下髎下髎上髎當髁骨下陷者中餘三髎少斜下按之陷中是也四空悉主腰痛唯下髎所主文與經同即太陰厥陰少陽所結者也刺可入同身寸之二寸留十呼若灸者可灸三壯以月生死為痏數者月初向圓為月生月半向空為月死死月刺少

生月刺多參刺論曰月生一日一痏二日三痏漸多之十五日十五痏十六月十四痏漸少之其痏數多少如此即知之謬舌尼反謬音隱

左取右右取左痏在左針取右痛在右針取左所以然者以其脈左右交結於尻骨之中故也○新校正云詳此要痛引少腹一節與繆刺論重

○風論篇第四十二

新校正云按全元起本在第九卷

黃帝問曰風之傷人也或為寒熱或為熱中或為寒中或為癘風或為偏枯或為風也其病各異其名不同或內至五藏六府不知其解願聞其說傷謂人自中之岐伯對曰風氣藏於皮膚之間內不得通外不得泄腠理開疏則邪風入風氣入已玄府閉封故內不得通外不得泄也風者善行而數變腠理開則洒然寒閉則熱而悶洒然寒貌悶不爽貌腠理開則風飄揚故寒腠理閉則風混亂故悶其寒也則衰食飲其熱也則消肌肉故使人怢慄而不能食名曰寒熱寒風入胃故食飲衰熱氣內藏故消肌肉寒熱相合故怢慄而不能食名曰寒熱也怢慄卒振寒貌○新校正云詳怢慄全元起本作失味甲乙經作解㑊風氣與陽明入胃循脈而上至目內眥其人肥則

風氣不得外泄，則爲熱中而目黃；人瘦則外泄而寒，則爲寒中而泣出。陽明者胃脈也，胃脈起於鼻，交頞中，下循鼻外，入上齒中，還出俠口環脣，下交承漿，却循頤後下廉，循喉嚨，入缺盆，下鬲屬胃，故與陽明入胃，循脈而上至目內眥也。人肥則腠理密致，故不得外泄，則爲熱中而目黃；人瘦則腠理開疎，風得外泄，則寒中而泣出也。

風氣與太陽俱入，行諸脈俞，散於分肉之間，與衛氣相干，其道不利，故使肌肉憤䐜而有瘍，衛氣有所凝而不行，故其肉有不仁也。肉分之間，衛氣行處，風與衛氣相薄，俱行於肉分之間，故氣道澀而不利也。氣道不利，風氣內攻，衛氣相持，故肉憤䐜而瘡出也。瘍，瘡也。若衛氣被風吹之，不得流轉，所在偏并，凝而不行，則肉有不仁之處也。不仁，謂㾺而不知寒熱痛痒。

癘者，有榮氣熱胕，其氣不清，故使鼻柱壞而色敗，皮膚瘍潰。此則風入於經脈之中也。榮行脈中，故風入脈中，內攻於血，與榮氣合，合熱而血胕壞也。其氣不清，言潰亂也。然血脈潰亂，榮復俠風，陽脈盡上於頭，鼻爲呼吸之所，故鼻柱壞而色惡，皮膚破而潰爛也。脈要精微論曰：脈風盛爲厲乎对灰。

風寒客於脈而不去，名曰癘風，或名曰寒熱。始爲寒熱，熱上成曰厉風。○新校正云：按別本成一作盛。

以春甲乙傷於風者爲肝風，以夏丙丁傷於風者爲心風，以季夏戊己傷於和者爲脾風以秋庚辛中於邪者為肺風以冬壬癸中於邪者為腎風甲乙木肝主之夏丙丁火心主之季夏戊己土脾主之秋庚辛金肺主之冬壬癸水腎主之風中五藏六府之俞亦為藏府之風各入其門戶所中則為偏風隨俞左右而偏中之則為偏風風氣循風府而上則為腦風風入係頭則為目風眼寒風府穴名正入項髮際一寸大筋內宛宛中督脈陽維之會自風府而上則腦戶也腦戶者督脈足太陽之會故循風府而上則為腦風也足太陽之脈起於目內背上額交巔上入絡腦還出故風入係頭則為目風眼寒也飲酒中風則為漏風熱鬱腠疏中風汗出多如液漏故曰漏風經具名曰酒風入房汗出中風則為內風內耗其精外開腠理因內風襲故曰內風經具名曰房風新沐中風則為首風休髮中風舍於頭故曰首風久風入中則為腸風飧泄風在腸中上熏於胃故食不化而下出焉飧泄者食不化而出也○新校正云按全元起云飧泄者水穀不分為利外在腠理則為泄風風居腠理則玄府開通風薄汗泄故云泄風故風者百病之長也至其變化乃為他病也無常方然致有風氣也長先也先百病而有也○新校正云按全元起本及甲乙經致字作故攻帝曰五藏風之形狀不同者何願聞其診及其病能

診謂可言之證能謂內作病形岐伯曰肺風之狀多汗惡風色皏然白時欬短氣

晝日則差暮則甚診在眉上其色白凡內多風氣則熱有餘熱則腠理開故多汗也風薄於內

故惡風焉皏謂薄白色也肺色白在變動為欬主藏氣風內迫之故色皏然白時欬短氣也晝則陽氣在表故差暮則陽氣入裏風

內應之故甚也眉上謂兩眉間之上闕庭之部所以外司肺候故診在焉白肺色也心風之狀多汗惡風焦

絶善怒嚇赤色病甚則言不可快診在口其色赤焦絶謂脣焦而文理斷絶也何

者熱則皮剥故也風薄於心則神亂故善怒而嚇人也心脈支別者從心系上俠咽喉而主舌故病甚則言不可快也口為舌官故

診在焉赤者心色○新校正云按甲乙經無嚇字肝風之狀多汗惡風善悲色微蒼嗌乾

善怒時憎女子診在目下其色青肝病則心藏無養心氣虛故善悲肝合木木色蒼故色微蒼也

肝脈者循股陰入髦中環陰器抵少腹俠胃屬肝絡膽上貫鬲布脇肋上循喉嚨之後入頏顙上出額與督脈會於巔其支別者從目

系下故嗌乾善怒時憎女子診在目下也青肝色也脾風之狀多汗惡風身體怠墯四支不

欲動色薄微黄不嗜食診在鼻上其色黄脾脈起於足上循胻骨又上膝股內前廉入腹

屬脾絡胃上鬲俠咽連舌本散舌下其支別者復從胃別上鬲注心中心脈出於手循臂故身体怠惰四支不欲動而不嗜食脾氣

[illegible]故診在鼻黃，脾色也。○新校正云：按王注脾風不[illegible]字[illegible]義[illegible]脾主四支，脾風則四支不欲動矣。

腎風之狀，多汗惡風，面痝然浮腫，脊痛不能正立，其色炲，隱曲不利，診在肌上，其色黑。痝然，言腫起也。炲，黑色也。腎者陰也，目下亦陰也，故腎藏受風則面痝然而浮腫。腎脉起足下，上循腨內，出膕內廉，上股內後廉，貫脊，故脊痛不能正立也。隱曲者，謂隱蔽委曲之處也。腎藏精，外應交接，今藏被風薄，精氣內微，故隱蔽委曲之事不通利所爲也。陰陽應象大論曰：氣歸精，精食氣。今精不足則氣內歸精，氣不注皮，故肌皮上黑也。黑，腎色也。

胃風之狀，頸多汗惡風，食飲不下，鬲塞不通，腹善滿，失衣則䐜脹，食寒則泄，診形瘦而腹大。胃之脉支別者，從頤後下廉過人迎，循喉嚨入缺盆，下鬲屬胃絡脾；其直行者，從缺盆下乳內廉，下俠臍入氣街中；其支別者，起胃下口，循腹裏至氣街中而合，故頸多汗，食飲不下，鬲塞不通，腹善滿也。然則衣則外寒而中熱，故腹䐜脹；食寒則寒物薄胃而陽不內消，故泄利。胃合脾而主肉，胃氣不足則肉不長，故瘦也。胃中風氣畜聚，故腹大也。○新校正云：按孫思邈云：新食竟取風爲胃風。

首風之狀，頭面多汗惡風，當先風一日則病甚，頭痛不可以出內，至其風日則病少愈。頭者諸陽之會，風客之則皮腠踈，故頭面多汗也。夫人陽氣外合於風，故先當風一日則病甚，以先風甚，故亦先衰，是以至其風日則病少[illegible]

少愈內謂室屋之內也不可以出屋室之內者以頭痛甚而不喜外風故也○新校正云按孫思邈云新沐浴竟取風爲首風漏風之狀○或多汗○常不可單衣食則汗出○甚則身汗喘息○惡風○衣常濡○口乾善渴○不能勞事○肺胃風熱故不可單衣腠理開疎故食則汗出甚則心薄於肺故身汗喘息惡風衣裳濡口乾善渴也形勞則喘息故不能勞事○新校正云按孫思邈云因醉取風爲漏風其狀惡風多汗少氣口乾善渴近衣則身熱如火臨食則汗流如雨骨節解惰不欲自勞泄風之狀○多汗○汗出泄衣上○口中乾上漬其風不能勞事○身体盡痛則寒○上漬謂皮上濕如水漬也以多汗出故也汗多則津液涸故口中乾形勞則汗出甚故不能勞事身体盡痛以其汗多下亡則亡陽故寒也○新校正云按孫思邈云新房室竟取風爲內風其狀惡風汗流沾衣裳疑此泄風乃內風也按本論前文先云漏風內風首風次言入中爲腸風在外爲泄風今有泄風而無內風孫思邈載內風乃此泄風之狀故知此泄字內之誤也帝曰善

●痺論篇第四十三新校正云按全元起本在第八卷

黃帝問曰痺之安生安猶何也言何以生岐伯對曰風寒濕三氣雜至合而爲痺也○雖合而爲痺發起亦殊矣其風氣勝者爲行痺寒氣勝者爲痛痺濕氣

勝者為著痹也。風則陽受之故為痹行寒則陰受之故為痹痛濕則皮肉筋脈受之故為痹著而不去也故乃痹從
風寒濕之所生也。帝曰：其有五者何也？言風寒濕氣各異則三痹生有五而何氣之勝也。岐伯曰：
以冬遇此者為骨痹，以春遇此者為筋痹，以夏遇此者為脈痹，以
至陰遇此者為肌痹，以秋遇此者為皮痹。冬主骨春主筋夏主脈秋主皮至陰主肌肉故
各為其痹也至陰謂戊己月及土寄三月也。帝曰：內舍五藏六府，何氣使然？言皮肉筋骨脈痹以
五時之外遇然內居藏府何以致之。岐伯曰：五藏皆有合，病久而不去者，內舍於其
合也。肝合筋心合脈脾合肉肺合皮腎合骨久病不去則入於是。故骨痹不已，復感於邪，內舍
於腎；筋痹不已，復感於邪，內舍於肝；脈痹不已，復感於邪，內舍於
心；肌痹不已，復感於邪，內舍於脾；皮痹不已，復感於邪，內舍於肺。
所謂痹者，各以其時重感於風寒濕之氣也。時謂氣正之月肝正春心王夏肺王秋
腎王冬脾王四季之月盛謂感應也。凡痹之客五藏者：肺痹者，煩滿喘而嘔。以藏氣應息又
其脈還循胃口故使煩滿喘而嘔。心痹者，脈不通，煩則心下鼓，暴上氣而喘，嗌乾

善恚厥氣上則恐心合脉受邪則脉不通利也邪氣内擾故恒恐手心主心包之脉起於胸中出屬心包下鬲于

少陰心脉起於心中出屬心系下鬲絡小腸其支别者於心系上俠咽喉其直者復從心系却上肺故煩則心下鼓滿暴上氣不喘

嗌乾也爲噫以下鼓滿故噫之以出氣也若是逆氣上乗於心則恐畏也神懼悽弱故尔肝痺者夜卧則驚多

飲數小便上爲引如懷所主驚駭氣抵应故中夜卧則驚也肝之脉循股陰入髦中環陰器抵小腹俠胃屬

肝絡膽上貫鬲布脅肋循喉吭之後上入頏熱故多飲水數小便上引少腹痛如妊之狀腎痺者善脹尻以代

踵脊以代頭腎者胃之關〻不利則胃氣不轉故善脹也尻以代腫謂足攣急也脊以代頭謂身蜷屈也踵足跟也腎

之脉起於足小指之下斜趣足心出於太骨之下循内踝之後别入踵中以上腨内出膕内廉上股内後廉貫脊屬腎絡膀胱其直

行者從腎上貫肝鬲入肺中氣不足而受邪故不神長○新校正云詳然骨一作然谷脾痺者四支解墮發

欬嘔汁上爲大塞土王四季外主四支故四支解墮又以其脉起於足循胛臂上陰股也然脾脉入腹屬脾絡胃

上鬲俠咽故發欬嘔汁脾氣养肺胃後連咽故上爲大塞也腸痺者數飲而出不得中氣

喘爭時發飧泄大腸之脉入缺盆絡肺下鬲屬大腸小腸之脉又入缺盆絡心循咽下鬲抵胃屬小腸今小腸

有邪則脉不下鬲脉不下鬲則腸不行化而胃氣擁焦故多飲水

而不得下出也腸胃中腸氣與邪氣奔喘交爭得時通利以腸氣

不仁故時或痛通則為縱也胞痺者，少腹膀胱按之內痛，若沃以湯，濇於小便，上為清涕。膀胱為津液之府，胞內居之，少腹處關元之中，內藏胞器，然膀胱之脉起於目內眦，上額交巔上，入絡腦，出別下項，循肩髆內，俠脊抵腰中，入循膂，絡腎屬膀胱。其支者，從腰中下貫臀，入膕中。今胞受風寒濕氣，則膀胱太陽之脉不得下流於足，故少腹膀胱按之內痛，若沃以湯，濇於小便也。小便既濇，太陽之脉不得下行，故上爍其腦而為清涕出於鼻竅矣。沃，猶灌也。○新校正云：按全元起本「內痛」三字作「兩髀」。陰氣者，靜則神藏，躁則消亡。陰謂五神藏也。所以說神藏與消亡者，言人安靜不涉邪氣，則神氣寧以內藏；人躁動觸冒邪氣，則神被害而離散，藏無所守，故曰消亡。此言五藏受邪之為痺也。飲食自倍，腸胃乃傷。藏以躁動致傷，府以食飲見傷，皆謂過用越性則受其邪。此言六府受邪之為痺也。淫氣喘息，痺聚在肺；淫氣憂思，痺聚在心；淫氣遺溺，痺聚在腎；淫氣乏竭，痺聚在肝；淫氣肌絕，痺聚在脾。淫氣謂氣之妄行者，各隨藏之所主而入為痺也。新校正云：詳從上「凡痺之各五藏者」至此，全元起本在《陰陽別論》中，此王氏之所移也。諸痺不已，亦益內也。從外不去，則益深至於身內。其風氣勝者，其人易已也。帝曰：痺，其時有死者，或疼久者，或易已者，其故何也？岐伯曰：其入藏者死，其留連筋骨間者疼久。其留皮膚間者易已。入藏者死，以神去也。筋骨疼久，以其定也。皮膚易已，以浮淺也。由斯深淺故有是不同。帝曰：其客於六府者何也？岐伯曰：此亦其食飲居處，為其病本也。四方雖土地溫涼高下不同，物性剛柔食居亦異，但動過其分，則六府致傷。陰陽應象大論曰：水穀之寒熱，感則害六府。○新校正云：按傷寒論曰：物性剛柔，飡居亦異。六府亦各有俞，風寒溫氣中其俞，而食飲應之，循俞而入，各舍其府也。六府俞亦謂背俞也。膽俞在十椎之傍，胃俞在十二推之傍，三焦俞在十三推之傍，大腸俞在十六推之傍，小腸俞在十八推之傍，膀胱俞在十九推之傍，隨形分長短而取之，如是各去脊同身寸之一寸五分，並足太陽脈氣之所發也。○新校正云：詳六府俞並在本推下兩傍，此注言在推之傍者，文略也。帝曰：以鍼治之柰何？岐伯曰：五藏有俞，六府有合，循脈之分，各有所發，各隨其過，新校正云：按甲乙經隨作治。則病瘳也。肝之俞曰太衝，心之俞曰大陵，脾之俞曰太白，肺之俞曰大淵，肾之俞曰大谿，皆經脈之所注也。太衝在足大指間本節後二寸陷者中。○新校正云：按刺腰痛注云：太衝在足大指本節後內間二寸陷者中，動脈應手，刺可入同身寸之三分，留十呼，若灸者可灸三壯。大陵在手掌後骨兩筋間陷者中，刺可入同身寸之六分，留七呼，若灸者可灸三壯。太白在足內側核骨下陷者中，刺可入同身寸之三分，留七呼，若灸者可灸三壯。大淵在手掌後陷者中，刺可

入一同身寸之二分留二呼若灸者可灸三壯太谿在足內踝後跟
骨上動脈陷者中刺可入同身寸之三分留七呼若灸者可灸三
壯胃合入于三里膽合入于陽陵泉大腸合入于曲池小腸合入
于小海三焦合入于委陽膀胱合入于委中三里在膝下三寸胻
外廉兩筋間刺可入同身寸之一寸留十呼若灸者可灸三壯陽
陵泉在膝下一寸胻外廉陷者中刺可入同身寸之六分留十呼
若灸者可灸三壯小海在肘內大骨外去肘端五分陷者中屈肘
乃得之刺可入同身寸之二分留七呼若灸者可灸五壯曲池在
肘外輔屈肘曲骨之中刺可入同身寸之五分留七呼若灸者可
灸三壯委陽在足膕中外廉兩筋間刺可入同身寸之七分留五
呼若灸者可灸三壯屈伸而取之委中在膕中央約文中動脈刺
可入同身寸之五分留七呼若灸者可灸三壯○新校正云按刺
熱注委中在足膝後屈處餘並同此○故經言循脈之分各有所
發各隨其過則病瘳也過謂脈所經過處○新校正云詳王氏以
委陽為三焦合按甲乙經云委陽三焦下輔俞也足太陽之別絡
三焦之合自在手少陽經天井穴為少陽脈之所入為合詳此六
腑之合俱引本經所入之穴獨二焦不引本經所入之穴者王氏
之誤也王氏但見甲乙經云三焦合于委陽彼說自異彼又以太
腸合于巨虛上廉小腸合于下廉此以曲
池小海易之故知當以天井穴為合也
帝曰榮衛之氣亦令人
痺乎岐伯曰榮者水穀之精氣也和調於五藏灑陳於六府乃能
入於脈也正理論曰谷入於胃脈道乃行水入於經其血乃成靈樞經曰榮氣之道內穀為寶○新校正云按別本寶作實

作室谷入於胃氣傳與肺精專者上行經隧由此故水谷精氣合榮氣運行而入於脉也故循脉上下貫五藏絡六府也○荣行脉内故无所不至衛者水穀之悍氣也○其氣慓疾滑利不能入於脉也○悍氣謂浮盛之氣也以其浮盛之氣故慓疾滑利不能入於脉中也故循皮膚之中○分肉之間○熏於肓膜散於胷腹皮膚之中分肉之間謂脉外也肓膜謂五藏之間鬲中膜也以其浮盛故能布散於胷腹之中空虚之處熏其肓膜令氣宣通也肓音荒逆其氣則病從其氣則愈不與風寒濕氣合故不為痹帝曰善痹或痛或不痛或不仁或寒或熱或燥或濕其故何也岐伯曰痛者寒氣多也○有寒故痛也○風寒濕氣客於肉分之間迫切而為沫得寒則聚〻則排分肉〻裂則痛故有寒則痛也其不痛不仁者病久入深榮衛之行濇經絡時踈○故不通○新校正按甲乙經不通作不痛詳甲乙經此條論不痛與不仁兩事後言不痛是載明不痛之為重也皮膚不營故為不仁○不仁者皮頑不知有無也其寒者陽氣少陰氣多與病相益故寒也○病本生於風寒濕氣故陰氣益之也其熱者陽氣多陰氣少病氣勝陽遭陰故為痹熱○遭遇也言遇於陰氣陰氣不勝故為熱○新校正云按甲乙經遭作乘其多

汗[illegible]者此其逢濕甚也陽氣少陰氣盛兩氣相感故汗出而濡也[illegible]帝曰夫痺之爲病不痛何也岐伯曰痺在於骨則重在[illegible]脉則血凝而不流在於筋則屈不伸在於肉則不仁[illegible]皮則寒故具此五者則不痛也凡痺之類逢寒則蟲逢熱則縱帝曰善蟲謂皮中如蟲行縱謂縱緩不相就○新校正云按甲乙經蟲作急

痿論篇第四十四

新校正云按全元起本在第四卷

黄帝問曰五藏使人痿何也痿謂痿弱無力以運動岐伯對曰肺主身之皮毛○心主身之血脉肝主身之筋膜新校正云按全元起本云膜者人皮下肉上筋膜也脾主身之肌肉○腎主身之骨髓○所主不同痿生亦各歸其所主故肺熱葉焦○則皮毛虛弱急薄○著則生痿躄也○躄謂攣躄足不得伸以行也肺熱則腎受熱氣故爾躄必亦及心氣熱則下脉厥而上○上則下脉虛○虛則生脉痿樞折挈○脛縱而不任地也○心熱盛則火獨光火獨光則人炎上腎之脉常下行今火盛而上炎用事故腎脉亦隨火炎爍而逆上行也陰氣厥逆火復內燔

上隔陽下不守位心氣通脉故生脉痿腎氣主足故膝腕樞紐如折去而不相提挈脛筋縱緩而不能任用於地也肝氣熱則膽泄口苦筋膜乾筋膜乾則筋急而攣發為筋痿膽約肝葉而汁味至苦故肝熱則膽液滲泄膽病則口苦今膽液滲泄故口苦也肝主筋膜故熱則筋膜乾而攣急發為筋痿也八十一難經曰膽在肝短葉間下脾氣熱則胃乾而渴肌肉不仁發為肉痿脾與胃以膜相連脾氣熱則胃液滲泄故乾而渴也脾主肌肉今熱薄於內故肌肉不仁而發為肉痿、腎氣熱則腰脊不舉骨枯而髓減發為骨痿腰為腎府又腎脉上股內貫脊屬腎故腎氣熱則腰脊不舉也腎主骨髓故熱則骨枯而髓減發則為骨痿也帝曰何以得之岐伯曰肺者藏之長也為心之蓋也位高而布葉於胸中是故為藏之長心之蓋有所失亡所求不得則發肺鳴鳴則肺熱葉焦志苦不陽氣鬱故也肺藏氣氣鬱不利故喘息有聲而肺熱葉故也故曰五藏因肺熱葉焦發為痿躄此之謂也肺者所以行榮衛治陰陽故引曰五藏因肺熱而發為痿躄也悲哀太甚則胞絡絶胞絡絶則陽氣內動發則心下崩數溲血也悲則心系急肺布葉舉而上焦不通榮衛不散熱氣在中故胞絡絶而陽氣內鼓動發則心下崩數溲而也心下崩謂心包內崩而下血也溲謂溺也○新校正云按楊上善云胞絡者心上包

[illegible]之脈也詳經注中胞字俱當作包全本胞又作肌也故本病曰大經空虛發爲肌痹傳爲
脈痿本病古經論篇名也大經謂大經脈也以心崩溲血故大經空虛脈泛則熱內薄衛氣盛榮氣微故發爲肌痹也先爲肌
痹後漸脈痿故言傳爲脈痿也思想無窮所願不得意淫於外入房太甚宗筋弛
縱發爲筋痿及爲白淫思想所願爲所欲也施寫勞損故爲筋痿及白淫也白淫謂白物淫衍如精之狀男
子溺溲而下女子陰氣中綿綿而下也故下經曰筋痿者生於肝使內也下經上古之經名也
使內謂勞役陰力費竭精氣也有漸於濕以水爲事若有所留居處相濕肌肉濡
漬痹而不仁發爲肉痿業惟近濕居處澤下皆水爲事也平者久而猶殆感之者尤甚矣肉屬於脾脾氣惡
濕濕著於內則衛氣不榮故爲肉痿也故下經曰肉痿者得之濕地也陰陽應象大論曰地之濕
氣感則害皮肉筋脈此之謂害肉也有所遠行勞倦逢大熱而渴渴則陽氣內伐內
伐則熱舍於腎腎者水藏也今水不勝火則骨枯而髓虛故足不
任身發爲骨痿陽氣內伐謂伐腹中之陰氣也水不勝火以熱舍於腎中也故下經曰骨痿者
生於大熱也腎性惡燥熱反居中熱薄骨乾故骨痿無力也帝曰何以別之岐伯曰肺熱

者色白而毛敗○心熱者色赤而絡脉溢○肝熱者色蒼而爪枯○脾熱者色黃而肉蠕動○腎熱者色黑而齒槁○各求藏色及所主養而命之則其應也帝曰如夫子言可矣論言治痿者獨取陽明何也岐伯曰陽明者五藏六府之海○陽明胃脉也胃為水穀之海主閏宗筋○宗筋主束骨而利機關也○宗筋謂陰毛中橫骨上下之竪筋也上絡胸腹下貫髖尻又經於背腹上頭項故云宗筋主束骨而利機關也然腰者身之大關即所以司屈伸矣曰機關髖音寬尻枯敖反衝脉者經脉之海也○靈樞經曰衝脉者十二經之海主滲灌谿谷○與陽明合於宗筋○尋此則橫骨上下齊兩傍竪筋正宗筋也衝脉循腹俠齊傍各同身寸之五分而上陽明脉亦俠齊傍各同身寸之一寸五分而上宗筋脉於中故云與陽明合於宗筋也以為十二經海故主滲灌谿谷也肉之大會為谷小會為谿○新校正云詳宗筋於中一作宗筋縱於中陰陽與宗筋之會○會於氣街○而陽明為之長○皆屬於帶脉而絡於督脉○宗筋聚會會於橫骨之中從上而下故云陰陽揔宗筋之會也宗筋俠齊下合於橫骨陽明輔其外衝脉居其中故云會於氣街而陽明為之長也氣街則陰髦兩傍脉動處也帶脉者起於季脇迴身一周而絡於督脉也督脉者起於關元上下循腹故云皆屬於帶脉而絡於督脉也督脉任脉衝脉三脉者同起而異行故經

文或參差不引之故陽明虛則宗筋縱帶脉不引故足痿不用也陽明之脈從缺盆下乳內廉下俠齊至氣街中其支別者起胃下口循腹裏下至氣街中而合以下髀抵伏兔下入膝臏中下循䯒外廉下足跗入中指內間其支別者下膝三寸而別以下入中指外間故陽明虛則宗筋縱緩帶脉不引而足痿弱不可用也引謂牽引臏音牝

帝曰治之柰何岐伯曰各補其滎而通其俞調其虛實和其逆順筋脉骨肉各以其時受月則病已矣帝曰善時受月謂受氣時月也如肝王甲乙心王丙丁脾王戊己肺王庚辛腎王壬癸皆王氣法也時受月則正謂五常受氣月也

●厥論篇第四十五

新校正云按全元起本在第五卷

黃帝問曰厥之寒熱者何也厥謂氣逆上也世謬傳爲脚氣廣節方論焉岐伯對曰陽氣衰於下則爲寒厥陰氣衰於下則爲熱厥陽謂足之三陽脉陰謂足之三陰脉下謂足也帝曰熱厥之爲熱也必起於足下者何也陽主外而厥在內故問之岐伯曰陽氣起於足五指之表陰脉者集於足下而聚於足心故陽氣勝則足下熱也大約而言之足太陽脉出於足小指之端外側足少陽脉出於足小指次指之端足陽明脉出於足中指

及大指之端並循足陽而上肝脾腎脉集於足下聚於足心陰弱故足下熱也○新校正云按甲乙經陽氣起於足作走於足起當作走帝曰寒厥之為寒也必從五指而上於膝者何也陰主內而厥在外故問之岐伯曰陰氣起於五指之裏集於膝下而聚於膝上故陰氣勝則從五指至膝上寒其寒也不從外皆從內也亦大約而言之也足太陰脉起於足大指之端內側足厥陰脉起於足大指之端三毛中足少陰脉起於足小指之下斜趣足心並循足陰而上循股陰入腹故云集於膝下而聚於膝之上也帝曰寒厥何失而然也岐伯曰前陰者宗筋之所聚太陰陽明之所合也○宗筋俠齊下合於陰器故云前陰者宗筋之所聚也太陰者脾脉陽明者胃脉脾胃之脉皆輔近宗筋故云太陰陽明之所合○新校正云按甲乙經前陰者宗筋之所聚作厥陰者衆筋之所聚全元起云前陰者厥陰也與此注義異亦自一說春夏則陽氣多而陰氣少○秋冬則陰氣盛而陽氣衰○此乃天之常道此人者質壯○以秋冬奪於所用下氣上爭○不能復精氣溢下○質謂形質也奪於所用謂多欲而奪其精氣也邪氣因從之而上也○氣因於中○新校正云按甲乙經氣因於中作所中陽氣衰○不能滲營其經絡陽氣日損陰氣獨在○故手足

[illegible]帝曰熱厥何如而然也由其所源尔岐伯曰酒入於胃則絡脈滿而經脈虛脾主為胃行其津液者也陰氣虛則陽氣入陽氣入則胃不和胃不和則精氣竭精氣竭則不營其四支也前陰爲太陰陽明之所合故胃不和則精氣竭也內精不足故四支无氣以營之此人必數醉若飽以入房氣聚於脾中不得散酒氣與穀氣相薄熱盛於中故熱遍於身內熱而溺赤也夫酒氣盛而慓悍腎氣日衰陽氣獨勝故手足為之熱也醉飽入房內亡精氣中虛熱入由是腎衰陽盛陰虛故熱生於手足也帝曰厥或令人腹滿或令人暴不知人或至半日遠至一日乃知人者何也暴猶卒也言卒然冒悶不醒覺也不知人謂悶甚不知識人也或謂乃厥岐伯曰陰氣盛於上則下虛下虛則腹脹滿陽氣盛於上則下氣重上而邪氣逆逆則陽氣亂陽氣亂則不知人也陰謂足太陰氣○新校正云按甲乙經陽氣盛於上五字作腹滿十一字當從甲乙經之說何以言之別按甲乙經云陽脈下墜陰脈上爭發尸厥焉有陰氣盛於上而又言陽氣盛於上又按仲景云少陰脈不至腎氣微少精血奔氣促迫上入胸膈宗氣反

聚血結心下陽氣退下熱歸陰股與陰相動令身不仁此爲尸厥仲景言陽氣退下則是陽氣不得盛於上故知當從甲乙經也又王注陰謂足太陰亦爲未盡按謬刺論云邪客於手足少陰太陰足陽明之絡此五絡皆會於耳中上絡左角五絡俱竭令人身脈皆動而形无知其狀若尸或曰尸厥焉得專辨陰爲太陰也

帝曰善願聞六經脈之厥狀病能也爲兩問拼故請備問諸經厥也

岐伯曰巨陽之厥則腫首頭重足不能行發爲眴仆巨陽太陽也足太陽脈起於目內眥上額交巔上其支別者從巔至耳上角其直行者從巔入絡腦還出別下項循肩髆內俠脊抵腰中入循膂絡腎屬膀胱其支別者從腰中下貫臀入膕中其支別者從髆內左右別下貫胛過髀樞循髀外後廉下合膕中以下貫踹內出外踝之後循京骨至小指之端外側由是厥逆外形斯証也踵或作腫非

陽明之厥則癲疾欲走呼腹滿不得臥面赤而熱妄見而妄言足陽明脈起於鼻交頞中下循鼻外入上齒中還出俠口環脣下交承漿卻循頤後下廉出大迎循頰車上耳前過客主人循髮際至額顱其支別者從大迎前下人迎循喉嚨入缺盆下膈屬胃絡脾其直行從缺盆下乳內廉下俠齊入氣街中其支別者起胃下口循腹裏下至氣街中而合以下髀抵伏兔下入膝臏中下循胻外廉下足跗入中指內間其支別者下膝三寸而別以下入中指外間其支別者跗上入大指間出其端故形如是也癲一爲巔非

少陽之厥則暴聾頰腫而熱脅痛䯒不可以運足少胻瘀

起於目銳眥上抵頭角下耳後循頸行手少陽之前至肩上交出手少陽之後入缺盆其支別者從耳後入耳中出走耳前至目銳眥後其支別者目銳眥下大迎合手少陽於頗下加頰車下頸合缺盆以下胸中貫鬲絡肝屬膽循脇裏出氣街遶毛際橫入髀厭中其直行者從缺盆下腋循胸過季脇下合髀厭中以下循髀陽出膝外廉下入外輔骨之前直下抵絕骨之端下出外踝之前循足跗出小指次指之端故厥如是

太陰之厥，則腹滿䐜脹，後不利，不欲食，食則嘔，不得臥。足太陰脈起於大指之端上膝股內前廉入腹屬脾絡胃上鬲俠咽連舌本散舌下其支別者復從胃別上鬲注心中故厥如是

少陰之厥，則口乾溺赤，腹滿心痛。足少陰脈上股內後廉貫脊屬腎絡膀胱其直行者從腎上貫肝鬲入肺中循喉嚨俠舌本其支別者從肺出絡心注胸中故厥如是

厥陰之厥，則少腹腫痛，腹脹涇溲不利，好臥屈膝，陰縮腫，䯒內熱。足厥陰脈去內踝寸上踝八寸交出太陰之後上膕內廉循股陰入毛中環陰器抵少腹俠胃屬肝絡膽上貫鬲故厥如是矣䯒內熱一本云䯒外熱傳寫行書內外誤也

盛則瀉之，虛則補之，不盛不虛，以經取之。不盛不虛謂邪氣未盛真氣未虛如是則以穴俞經法留呼多少而取之

太陰厥逆，䯒急攣，心痛引腹，治主病者。足太陰脈起於大指之端循指內側上內踝前廉上腨內循䯒骨後上膝股內前廉入腹其支別者復從胃別上鬲注心中故䯒急攣心痛引腹也太陰

之脈行有左右候其有過者當發取之故言治主病者○新校正云詳從大陰厥逆至篇末全元起本在第九卷王氏移於此少陰厥逆虛滿嘔變下泄清治主病者以其脈從腎上貫肝鬲入肺中循喉嚨故如是厥陰厥逆攣腰痛虛滿前閉譫言新校正云按全元起云譫言者氣虛獨言也譫音佔治主病者以其脈循股陰入髦中環陰器用上循喉嚨之後絡舌本故如是○新校正云按甲乙經厥陰之經不絡舌本王氏注刺熱篇刺腰痛篇并此三注俱云絡舌本又注風論痺論各不云絡舌本王注自有異同當以甲乙經為正三陰俱逆不得前後使人手足寒三日死三陰絕故三日死太陽厥逆僵仆嘔血善衄治主病者以其脈起目內眥又循脊絡腦故如是僵居良反仆音付少陽厥逆機關不利機關不利者腰不可以行項不可以顧以其脈循頸下繞髦際橫入髀厭中故如是發腸癰不可治驚者死足少陽脈貫鬲絡肝屬膽循脅裏出氣街發腸癰則經氣絕故不可治驚者死也陽明厥逆喘欬身熱善驚衄嘔血以其脈循喉嚨入缺盆下鬲屬胃絡脾故如是手太陰厥逆虛滿而欬善嘔沫治主病者手太陰脈起於中焦下絡大腸還循胃口上鬲屬肺故如是手心主少陰厥逆心痛引喉身熱死不可治手心主脈起於胷中出屬心包少陰脈其支別者從心系上挾咽手

喉故如是手太陽厥逆耳聾泣出項不可以顧腰不可以俛仰治主病者手太陽脉支別者從缺盆循頸上頰至目銳眥却入耳中其支別者從頰上䪼抵鼻至目內眥故耳聾泣出項不可以顧腰不可以俛仰脉不相應恐古錯簡文手陽明少陽厥逆發喉痺嗌腫痓治主病者手陽明脉支別者從缺盆上上頸手少陽脉支別者從膻中上出缺盆上項故如是○新校正云按全元起本痓作痙

重刊黃帝內經素問六卷終

重刊京本補註釋文黃帝內經素問卷之七

病能論篇第四十六 新校正云按全元起本在第五卷

黃帝問曰人病胃脘癰者診當何如岐伯對曰診此者當候胃脈其脈當沉細沉細者氣逆胃者水穀之海其血盛氣壯今反脈沉細者是逆常平也○新校正云按甲乙經沉細作沉澀太素作沉細逆者人迎甚盛甚盛則熱沉細為寒寒氣格陽故人迎脈盛人迎者陽明之脈故盛則熱也人迎謂結喉傍脈動應手者人迎者胃脈也胃脈循喉嚨而入缺盆故云人迎者胃脈也逆而盛則熱聚於胃口而不行故胃脘為癰也血氣壯盛而熱內薄之兩氣合熱故結為癰也

帝曰善人有臥而有所不安者何也○岐伯曰藏有所傷及精有所之寄則安○故人不能懸其病也○五藏有所傷損及之水穀精氣有所之寄扶其下則臥安以傷及於藏故人不能懸其病處於空中也○新校正云按甲乙經精有所之寄則安作情有所倚則臥不安太素作精有所倚則不安

帝曰人之不得偃臥者何也謂不得仰臥也岐伯曰肺者藏之蓋也○居高布葉四藏下之故言肺者藏之蓋也肺氣盛則脈大脈大則不得偃臥肺氣盛滿偃臥則氣促喘奔故不

得偏則也論在奇恒陰陽中奇恒陰陽上古經篇名世本闕帝曰有病厥者診右脈沉
而緊左脈浮而遲不然病主安在不然言不沉也新校正云按甲乙經不然作不知岐伯
曰冬診之右脈固當沉緊此應四時左脈浮而遲此逆四時在左
當主病在腎頗關在肺當腰痛也以冬左脈浮而遲浮為肺脈故言頗關在肺也腰者腎之府故
腎受病則腰中痛也帝曰何以言之岐伯曰少陰脈貫腎絡肺今得肺脈腎
為之病故腎為腰痛之病也左脈浮遲非肺來見以左腎不足而脈不能沉故得肺脈腎為病也帝
曰善有病頸癰者或石治之或鍼灸治之而皆已其真安在言所攻則
異所愈則同故問真法何所在也岐伯曰此同名異等者也言雖同曰頸癰然其皮中別異不一等也
故下云夫癰氣之息者宜以鍼開除去之夫氣盛血聚者宜石而寫
之此所謂同病異治也息瘀也死肉也石砭石也可以破大癰出膿今以𨱥針代之帝曰有病
怒狂者新校正云按太素怒狂作善怒此病安生岐伯曰生於陽也帝曰陽何以
使人狂怒不慮禍故謂之狂岐伯曰陽氣者因暴折而難決故善怒也病名

曰陽厥言陽氣被折鬱不散也此人多怒亦曾因暴折而心不疏暢故尔如是者皆陽逆躁極所生故病名陽厥帝曰何以知之○岐伯曰陽明者常動巨陽少陽不動不動而動大疾此其候也言頸項之脉皆動不止也陽明常動者動於結喉旁是謂人迎氣舍之分位也若以少陽之動々於曲頰下是謂天窓天牖之分位也若陰陽之動々於項兩傍大筋前陷者中是謂天柱天容之分位也不應常動而反動甚動當病也○新校正云詳王注以天窓焉少陽之分位天容爲太陽之分位按甲乙經天窓乃太陽脉氣所發天容乃少陽脉氣所發一位交互當以甲乙經爲正也帝曰治之奈何岐伯曰奪其食即已夫食入於陰長氣於陽故奪其食即已食少則氣衰故節去其食即病自止新校正云按甲乙經奪則衰太素同也○使之服以生鐵洛為飲新校正云按甲乙經鐵洛作鐵落爲飲作爲後飯夫生鐵洛者下氣疾也之或爲人傳文誤也鐵洛味辛微溫平主治下氣方俗或呼為鐵漿非是生鐵液也帝曰○善有病身熱解惰汗出如浴惡風少氣此為何病岐伯曰病名曰酒風飲酒中風者也風論曰飲酒中風則爲漏風是亦名漏風也夫極飲者陽氣盛而腠理疎玄府開發陽盛則筋廢弱故身體解墮也腠理疎則風內攻玄府發則氣外泄故汗出如浴也風氣外薄膚腠理開汗多內虛瘅熱熏肺故惡風少氣也因酒而病故曰酒風解日介墮徒郎反帝曰

治之奈何岐伯曰以澤瀉朮各十分麋銜五分合以三指撮為後飯朮味苦溫平主治大風止汗麋銜味苦寒平主治風溫筋痿澤瀉味甘寒平主治風溫益氣由此功用方故先之飯後藥先謂之後飯所謂深之細者其中手如鍼也摩之切之聚者堅也博者大也上經者言氣之通天也下經者言病之變化也金匱者决死生也揆度者切度之也奇恒者言奇病也所謂奇者使奇病不得以四時死也恒者得以四時死也新校正云按楊上善云得病傳之至於勝時而死此為眞中生喜怒令病次傳者此為奇所謂揆者方切求之也言切求其脈理也度者得其病處以四時度之也凡言所謂者皆釋未了義今此所謂尋前後經文悉不與此篇義相接乃今數句少成文義者終是則釋經文此本既闕第十二篇應彼闕經錯簡文也古文斷裂繆讀於此矣

● 奇病論篇第四十七新校正云按全元起本在第五卷

黄帝問曰人有重身九月而瘖此為何也重身謂身中有身則懷任者也瘖謂不得言語也任娠九月足少陰脈養胎約氣斷則瘖不能言也岐伯對曰胞之絡脈絕也絕謂脈斷絕而不通流而

不能言非天眞之氣斷絶也帝曰何以言之岐伯曰胞絡者繫於腎少陰之脉貫腎繫舌本故不能言少陰腎脉也氣不營養故血不能言帝曰治之奈何岐伯曰無治也當十月復十月胎去胞絡復通腎脉上營故復舊而言也刺法曰無損不足益有餘以成其疹疹謂久病反法而治則胎死不去遂成久固之疹病然後調之新校正云按甲乙經及太素无此四字按全元起注云所謂不治者其身九月而瘖身重不得爲治須十月滿生后復如常也然后調之則此四字本全元起注文誤書於此當冊去之所謂無損不足者身羸瘦無用鑱石也任娠九月筋骨瘦劳力少身重又拔於谷故身形羸瘦不可以終石傷也鑱鋤御反無益其有餘者腹中有形而泄之泄之則精出而病獨擅中故曰疹成也胎約胞絡腎氣不通因而泄之腎精隨出精液內竭胎則不全胎死腹中着而不去由此獨擅故疹成焉帝曰病脇下滿氣逆二三歲不已是爲何病岐伯曰病名曰息積此不妨於食不可灸刺積爲導引服藥藥不能獨治也腹中无形脇下逆滿頻歲不愈息且形之氣逆息難故名息積也氣不在胃故不妨於食也灸之則火熱內爍氣化爲風刺之則必寫其經轉成虛敗故不可灸刺是可積爲導引使氣流行久以藥攻內消瘀稸則可矣若獨憑其藥而不積爲

導引則藥亦不能獨治之也帝曰人有身體髀股胻皆腫環齊而痛是為何病
岐伯曰病名曰伏梁以衝脉病其名曰伏梁然衝脉者與足少陰之絡起於腎下出於氣街循於陰股内廉斜入
膕中循䯒骨内廉並足少陰經下入内踝之後入足下其上行者出齊下同身寸之三寸關元之分俠齊直上循腹各行會於咽喉
故身體髀胻皆腫繞齊而痛名曰伏梁環謂腫繞如環也此風根也其氣溢於大腸而著於肓
肓之源在齊下故環齊而痛也大腸廣腸也經說大腸當言迴腸也何者靈樞經曰迴腸當齊右環
迴周葉積而下廣腸附脊以受迴腸左環葉積上下辟大尋比則是迴腸非廣言大腸也然大腸迴腸俱與肺合從合而命故通曰
大腸也不可動之動之為水溺濇之病也以衝脉起於背下出於氣街其上行者起於胞上
出齊下關元之分故動之則為水而溺濇也動謂齊其毒藥而數動之使其大下也此一問答之義與腹中論同以為奇病故重出
於此帝曰人有尺脉數甚筋急而見此為何病尺筋急謂掌后尺中兩筋急也脉要精微論
曰尺外以候腎尺裏以候腹中今尺脉數急脉數為熱熱當筋縱反尺中筋急而見腹中筋當急故問為病乎靈樞經曰熱即筋縱
寒即筋急岐伯曰此所謂疹筋是人腹必急白色黑色見則病甚腹急腸狹
齊脊筋俱急以尺裏候腹中故見尺中筋急則必腹中拘急矣見謂見於面部也夫相五色皆白為寒黑為寒故二色見病彌甚

帝曰人有病頭痛以數歲不已此安得之名為何病頭痛之疾不當踰月
數年不愈故帷而問之岐伯曰當有所犯大寒內至骨髓髓者以腦為主腦
逆故令頭痛齒亦痛腦為髓主齒是骨餘腦逆反寒骨亦寒入故令頭痛齒亦痛病名曰厥逆
帝曰善全注人先生於腦緣有腦則有骨髓齒者古之本也帝曰有病口甘者病名為何何
以得之岐伯曰此五氣之溢也名曰脾癉癉謂熱也脾熱則四藏同稟故五氣上溢也生
因脾熱故曰脾癉夫五味入口藏於胃脾為之行其精氣津液在脾故令
人口甘也脾熱內滲津液在脾胃穀化餘精氣隨溢口通脾氣故口甘津液在脾是脾之濕此肥美之所
發也新校正云按太素發作致此人必數食甘美而多肥也肥者令人內熱甘
者令人中滿故其氣上溢轉為消渴食肥則腠理密陽氣不得外泄故肥令人內熱甘者性氣
和緩而發散逆故甘令人中滿然內熱則陽氣炎上炎上則欲飲而嗌乾中滿則陳氣有餘有餘則脾氣上溢故曰其氣上溢轉
消渴也陰陽應象大論曰辛甘發散為陽靈樞經曰甘多食之令人悶然從中滿以生之○新校正云按甲乙經消渴作消癉
治之以蘭除陳氣也蘭謂蘭草也神農曰蘭草味辛熱平利水道辟不祥胷中痰澼也除謂去也陳謂久也言

蘭除陳久甘肥不化之氣者以辛能發散故也藏氣法時論曰辛者散也○新校正云按本草蘭性平不言熱帝曰有病
口苦取陽陵泉口苦者病名為何何以得之岐伯曰病名曰膽癉
亦謂熱也膽汁味苦故口苦○新校正云按全元起本及太素无口苦取陽陵泉六字詳前後文勢疑此為誤夫肝者中
之將也取決於膽咽為之使
靈蘭秘典論曰肝者將軍之官謀慮出焉膽者中正之官決斷出焉肝與膽合氣性相通故諸謀慮取決於膽咽膽相應故咽為使焉○新校正云按甲乙經曰膽者中精之府五藏取決於膽咽為之使疑此文誤
此人者數謀慮不決故膽虛氣上溢而口為之苦治之以膽
募俞胸腹曰募背脊曰俞膽募在乳下二肋外期門下同身寸之五分俞在脊第十椎下兩傍相去各同身寸之一寸半治
在陰陽十二官相使中言治法具於彼篇今經已亡帝曰有癃者一日數十溲
此不足也身熱如炭頸膺如格人迎躁盛喘息氣逆此有餘也是陽
氣太盛於外陰氣不足故有餘也○新校正云詳此十五字當作文寫按甲乙經太素並无此文再詳乃是全元起注後人誤書於此今作注書
太陰脈細微如髮者此不足也其病安在名為何病癃小便不[illegible]也便小便也頸膺如格言頸與胸膺如相格拒不順應也人迎躁盛謂結喉兩傍脈動應手急數非常躁速也胃脈也大陰脈微

細如髮者謂手六指後同身寸之一寸骨高脈動處脈則肺脈也此正手太陰脈氣之所流可以候五藏也岐伯曰病在太陰其盛在胃頗在肺病名曰厥死不治病癃數溲身熱如炭頸膺如格息氣逆者皆手太陰脈當洪大而數今太陰脈反微細如髮者是病與脈相反也何以致之肺氣逆陵於胃而爲是上使人迎躁盛也故曰病在太陰其盛在胃也以喘息氣逆故云頗亦在肺也病相氣逆證不相應故病名曰厥死不治也此所謂得五有餘二不足也帝曰何謂五有餘二不足岐伯曰所謂五有餘者五病之氣有餘也二不足者亦病氣之不足也今外得五有餘內得二不足此其身不表不裏亦正死明矣外五有餘者一身熱如炭二頸膺如格三人迎躁盛四喘息五氣逆也內二不足者一病癃一日數十溲二太陰脈微細如髮夫如是者謂其病在表則內有二不足謂其病在裏則外得五有餘表裏既不可瀉補固難爲法故曰此其身不表不裏亦正死明矣帝曰人生而有病巔疾者病名曰何安所得之夫百病首皆生於風雨寒暑陰陽喜怒也然始生有形未犯邪氣已有巔疾豈邪氣素攖即故問之巔謂上巔則頭首也岐伯曰病名爲胎病此得之在母腹中時其母有所大驚氣上而不下精氣并居故令子發爲巔疾也精氣謂陽之精氣也帝

曰有病痝然如有水狀切其脉大緊身無痛者形不瘦不能食食少名為何病痝然謂面目浮起而色雜也大緊謂如弓弦也大即為氣緊即為寒寒氣內薄而反无痛與衆別異常故問之也岐伯曰病生在腎名為腎風脉如弓弦大而且緊勞氣內蓄寒復內爭勞氣薄寒故化為風風勝於腎故曰腎風腎風而不能食善驚驚已心氣痿者死腎水受風心火痿弱火水俱困故必死帝曰善

●大奇論篇第四十八新校正云按全元起本在第九卷

肝滿腎滿肺滿皆實即為腫滿謂脉氣滿實也腫謂癰腫也藏氣滿乃如是肺之雍喘而兩胠滿肺藏氣而外主息其脉支別者從肺系橫出腋下故喘而兩胠滿也新校正云詳肺雍肝雍腎雍甲乙經俱作癰肝雍兩胠滿臥則驚不得小便肝之脉循股陰入髦中環陰器抵少腹上貫肝鬲布脇肋故胠滿不得小便也肝主驚駭故臥則驚腎雍脚下至少腹滿新校正云按甲乙經脚下作胠下脚當作胠不得言脚下至少腹也脛有大小髀胻大跛易偏枯衝脉者經脉之海與少陰之絡俱起於腎下出於氣街循陰股內廉斜入膕中循胻骨內廉並少陰之經下入內踝之後入足下其上行者出斉下同身寸之三寸故如是若血氣变易為偏枯也心脉滿大癇瘛筋攣心脉滿大則肝氣下流熱氣內薄筋乾血涸故癇瘛而筋攣肝脉小急癇

□□□□內藏血肝氣受寒故□□□癇瘛而筋攣脈小急者寒也肝脈騖暴有所驚駭騖謂馳騖言其
迅急也陽氣內薄故發為驚也脈不至若瘖不治自已肝氣若厥厥則脈不通厥退則脈復通矣又其脈布
脇肋循喉嚨之後故脈不至若瘖不治亦自已腎脈小急肝脈小急心脈小急不鼓皆為
瘕小急為寒甚不鼓則血不流血不流而寒薄故血內凝而為瘕也腎肝并沉為石水肝脈入陰內貫少腹
腎脈貫脊中絡膀胱兩藏并藏氣熏衝脈自腎下絡於胞令水不行化故聚而結然腎主水水冬冰水宗於腎腎象水而沉故氣并
而沉名為石水○新校正云詳腎肝並沉至下并小弦欲驚全元起本在厥論中王氏移於此并浮為風水脈浮為風
下焦主水風薄於下故名風水并虛為死腎為五藏之根肝為生之主二者不足是生主俱微故死并小弦欲
驚脈小弦為肝腎俱不足故爾腎脈大急沉肝脈大急沉皆為疝疝者寒氣結聚之所為也
夫脈沉為實脈急為痛氣實寒薄聚故為絞痛為疝心脈搏滑急為心疝肺脈沉搏為肺疝
皆寒薄於藏故也三陽急為瘕三陰急為疝太陽受寒血凝為瘕太陰受寒氣聚為疝二陰急
為癇厥二陽急為驚二陰少陰也二陽陽明也○新校正云詳三陽急為瘕至此全元起本在厥論王氏移於
此脾脈外鼓沉為腸澼久自已外鼓謂鼓動於臂外也肝脈小緩為腸澼易

治肝脉小緩為脾乘肝故易治腎脉小搏沉為腸澼下血小為陰氣不足搏為陽氣乘之熱在下焦
故下血也血温身熱者死血温身熱是陰氣衰敗故死心肝澼亦下血肝藏血心養血故澼
皆下血也二藏同病者可治心火肝木木火相生故可治之其脉小沉濇為腸澼心肝脉小
而沉濇者澼也其身熱者死熱見七日死腸澼下血而身熱者是火氣內絶去心而歸於外也故死火成
數七故七日死胃脉沉鼓濇胃外鼓大心脉小堅急皆鬲偏枯外鼓謂不當尺而
鼓擊於臂外側也男子發左女子發右陽主左陰主右故陰陽應象大論曰左右者陰陽之道路此其義
也不瘖舌轉可治三十日起偏枯之病瘖不能言腎與胞脉內絶也胞脉繫於腎腎之脉從腎上貫肝
鬲入肺中循喉嚨俠舌本故氣內絶則瘖不能言也其從者瘖三歲起從謂男子發左女子發右也病順左右而
瘖不能言三歲治之乃能起年不滿二十者三歲死以其五藏始定血氣方剛藏始定則易傷氣方剛則
甚費易傷甚費故三歲死脉至而搏血衄身熱者死血衄為虛脉不應搏今反脉搏是氣極乃然故死
脉來懸鉤浮為常脉以其與血衄者之常脉也脉至如喘名曰暴厥喘謂卒來盛急去而
便衰如人之喘狀也暴厥者不知與人言所謂暴厥之候如此脉至如數使人暴驚脉數

然數亡則內數肝心故驚三四日自已數爲心脈木被火于病非肝生不與邪合故三日後四日自除所以尔者木生數三也脈至浮合如浮波之合後至者凌前速疾而動无常候也浮合如數一息十至以上是經氣予不足也微見九十日死脈至如火薪然是心精之予奪也草乾而死新然之火燄瞥瞥不定其形而便絕也瞥弋念反脈至如散葉是肝氣予虛也木葉落而死如散葉之隨風不常其狀○新校正云按甲乙經散葉作叢棘脈至如省客省客者脈塞而鼓是腎氣予不足也懸去棗華而死謂塞見不行旋復去也懸謂如懸物物動而絕去也脈至如丸泥是胃精予不足也榆莢落而死如珠之轉是謂丸泥脈至如橫格是膽氣予不足也禾熟而死脈長而堅如橫木之在指下也脈至如弦縷是胞精予不足也病善言下霜而死不言可治胞之脈繫於腎腎之脈俠舌本今氣不足者則當不能言今反善言是真氣內絕去腎外歸於舌也故死脈至如交漆交漆者左右傍至也微見三十日死左右傍至言如瀝漆之交左右反戾○新校正云按甲乙經交漆作交棘脈至如涌泉浮鼓肌中太陽氣予不足也少氣味韭英而死如水泉之動但出而不入

脉至如頹土之狀，按之不得，是肌氣予不足也，五色先見黑白壘發死。（頹土之狀，謂浮之大而虛耎，按之則無。○新校正云：按甲乙經頹土作委土。）脉至如懸雍，懸雍者浮揣切之益大，是十二俞之予不足也，水凝而死。（如顙中之懸雍也。○新校正云：按全元起本懸雍作懸離，元起注云：懸離者，言脉與肉不相得也。）脉至如偃刀，偃刀者浮之小急，按之堅大急，五藏菀熟，寒熱獨并於腎也，如此其人不得坐，立春而死。（菀，積也。熟，熱也。）脉至如丸滑不直手，不直手者按之不可得也，是大腸氣予不足也，棗葉生而死。脉至如華者，令人善恐，不欲坐卧，行立常聽，是小腸氣予不足也，季秋而死。（脉至如華，謂似華虛弱不可正取也。小腸之脉上入耳中，故常聽也。）

●脉解篇第四十九（新校正云：按全元起本在第九卷。）

太陽所謂腫腰脽痛者，正月太陽寅，寅太陽也。（脽謂臀肉也。正月三陽生，主建寅，三陽謂之太陽，故曰寅太陽也。）正月陽氣出在上而陰氣盛，陽未得自次也。（正月雖三陽生[illegible]天氣尚寒以其尚寒故曰陰氣盛[illegible]未得自次次謂立王之次也故腫腰脽痛也以其脈抵腰中入貫臀過髀樞故爾病偏虛為跛者正月陽氣東解地氣而出也所謂偏虛者冬寒頗有不足者故偏虛為跛也以其脈循股內後廉合膕中下循腨過外踝之後循京骨至小指外側故也○新校正詳王氏其脈循股內非按甲乙經太陽流注不到股內股內乃髀外之誤當云髀外後廉所謂強上引背者陽氣大上而爭故強上也強上謂頸項禁強也甚則引背矣所以爾者以其脈從腦出別下項背故也所謂耳鳴者陽氣萬物盛上而躍故耳鳴也以其脈支別者從巔至耳上角故耳所謂甚則狂巔疾者陽盡在上而陰氣從下下虛上實故狂巔疾也以其脈上額交巔上入絡腦還出其支別者從巔至耳上角故狂巔疾也頂上曰巔所謂浮為聾者皆在氣也亦以其脈至耳故也所謂入中為瘖者陽盛已衰故為瘖也陽氣盛入中而薄於胞腎則胞絡腎絡氣不通故瘖也胞之脈繫於腎腎之脈俠舌本故瘖不能言內奪而厥則為瘖俳此腎虛也俳廢也腎之脈與衝脈並出於氣街循陰股內廉斜入膕中循䯒骨內廉及內踝之後入足下故腎氣內奪而不順則舌瘖足廢故云此腎虛也○新校正云詳王注云腎之脈與衝脈並出按甲乙經是腎之絡非腎之脈況王注痿論并奇病

論大奇論並云腎之絡則此脉亦當爲絡少陰不至者厥也少陰腎脉也若腎氣內脫則少陰脉不至也小陰之
脉不至則太陰之氣逆上而行也少陽所謂心脇痛者言少陽盛也盛者心之所
表也心氣逆則少陽盛心氣宜木外繫肺金故盛者心之所表也九月陽氣盡而陰氣盛故心
脇痛也足少陽脉循脇裏出氣街心主脉循胷出脇故尔火墓於戌故九月陽氣盡而陰氣盛也所謂不可反
側者陰氣藏物也物藏則不動故不可反側也所謂甚則躍者躍謂
跳躍也九月萬物盡衰草木畢落而墮則氣去陽而之陰氣盛而陽
之下長故謂躍亦以扶脉循髀陽出膝外廉下入外輔之前直下抵絶骨之端下出外踝之前循足跗故氣盛則令
人跳躍也陽明所謂洒洒振寒者陽明者午也五月盛陽之陰也陽盛以明
故云午也五月夏至一陰氣上陽氣降下故云盛陽之陰也陽盛而陰氣加之故洒洒振寒也
陽氣下陰氣升故云陽盛而陰氣加之也所謂脛腫而股不收者是五月盛陽之陰也
陽者衰於五月而一陰氣上與陽始爭故脛腫而股不收也以其脉下
髀抵伏兔下入膝臏中下循胻外廉下足跗入中指內間又其支別者下廉三寸而別以下入中指外間故尔所謂上喘

而爲水者陰氣下而復上上則邪客於藏府間故爲水也藏府中也

足太陰脈從足走腹足陽明脈從頭走足今陰氣微下而太陰上行故云陰氣下而復上也復上則所下之陰氣不散客於脾胃之間化爲水也

所謂胸痛少氣者水氣在藏府也水者陰氣也陰氣在中故胸痛少氣也水停於下則氣鬱於上氣鬱於上則肺滿故胸痛少氣也所謂甚則厥惡人與火聞木音則惕然而驚者陽氣與陰氣相薄水火相惡故惕然而驚也所謂欲獨閉戶牖而處者陰陽相薄也陽盡而陰盛故欲獨閉戶牖而居惡喧故尔所謂病至則欲乘高而歌棄衣而走者陰陽復爭而外并於陽故使之棄衣而走也新校正云詳所謂甚則厥等此與前陽明脈解論相通所謂客孫脈則頭痛鼻鼽腹腫者陽明并於上上者則其孫絡太陰也故頭痛鼻鼽腹腫也太陰所謂病脹者太陰子也十一月萬物氣皆藏於中故曰病脹陰氣太盛太陰如子故云子也以其脈入腹屬脾絡胃故病脹也所謂上走心爲噫者陰盛而上走於陽明陽明絡屬心故曰上走心爲

噫也按靈樞經說足陽明流注並无至心者太陰脉說云其支別者復從胃則上膈注心中法應以此絡爲陽明絡也○新校正云詳王氏以足陽明流注並无至心者按甲乙經陽明之正上通於心循咽出於口宜其經言陽明絡屬心爲噫王氏安得謂之无所謂食則嘔者物盛滿而上溢故嘔也以其脉屬脾絡胃上鬲俠咽故也所謂得後與氣則快然如衰者十一月陰氣下衰而陽氣且出故曰得後與氣則快然如衰也少陰所謂腰痛者少陰者腎也十月萬物陽氣皆傷故腰痛也少陰者腎脉也腰爲腎府故腰痛也所謂嘔欬上氣喘者陰氣在下陽氣在上諸陽氣浮無所依從故嘔欬上氣喘也以其脉從腎上貫肝鬲入肺中故病如是所謂色色新校正云詳色色字疑誤不能久立久坐起則目䀮䀮無所見者萬物陰陽不定未有主也秋氣始至微霜始下而方殺萬物陰陽內奪故目䀮䀮無所見也所謂少氣善怒者陽氣不治陽氣不治則陽氣不得出肝氣當治而未得故善怒善怒者名曰煎厥所謂恐如人將補之者秋氣萬物未有畢去陰氣少陽氣入陰

陽相薄故恐也所謂惡聞食臭者胃無氣故惡聞食臭也所謂面黑如地色者秋氣內奪故變於色也所謂欬則有血者陽脈傷也陽氣未盛於上而脈滿滿則欬故血見於鼻也厥陰所謂㿗疝婦人少腹腫者厥陰者辰也三月陽中之陰邪在中故曰㿗疝少腹腫也（以其脈循陰服入髦中環陰器抵少腹故尔）所謂腰脊痛不可以俛仰者三月一振榮華萬物一俛而不仰也所謂㿗癃疝膚脹者曰陰亦盛而脈脹不通故曰㿗癃疝也所謂甚則嗌乾熱中者陰陽相薄而熱故嗌乾也（此一篇殊與前後經文不相連接別釋經脉發病之源與灵樞經流注略同所指殊異○新校正云詳此篇所解多甲乙經是動所生之病雖復少有異處大槩則不殊矣）

● 刺要論篇第五十（新校正云按全元起本在第六卷刺齊篇中）

黃帝問曰願聞刺要岐伯對曰病有浮沉刺有淺深各至其理無過其道（道謂氣所行之道也）過之則內傷不及則生外壅壅則邪從之（過之內傷）

以大深也不及外壅以妄益也今之緣也氣益而外壅故邪氣隨虛而從之也淺深不得反為大賊內動五藏後生大病賊謂私害動謂動亂然不及則外壅過之則內傷既且外壅內傷是為大病之階漸爾故曰後生大病也故曰病有在毫毛腠理者有在皮膚者有在肌肉者有在脈者有在筋者有在骨者有在髓者毛之長者曰毫皮之文理曰腠理然二者皆皮之可見者是故刺毫毛腠理無傷皮皮傷則內動肺肺動則秋病溫瘧泝泝然寒慄針經曰凡刺有五以應五藏一曰半刺半刺者淺內而疾發針令針傷多如拔髮狀以取皮氣此肺之應也然此其淺以應於肺腠理毫毛由應更淺當取發根淺深之半尔肺之合皮王於秋氣故肺動則秋病溫瘧泝泝然寒慄也泝音素刺皮無傷肉肉傷則內動脾脾動則七十二日四季之月病腹脹煩不嗜食脾之合肉寄王四季又其脈從股內前廉入腹屬脾絡胃上鬲俠咽連舌本散舌下其支別者復從胃別上鬲注心中故傷肉則痛脾上動則四季之月病腹脹煩而不嗜食也七十二日四季之月者謂三月六月九月十二月各十二日後土寄王十八

※

刺肉無傷脈脈傷則內動心心動則夏病心痛心之合脈王於夏氣氣泄故傴僂也

※

刺乳上中乳房為腫根蝕乳之上下皆足陽明之脈也乳房之中乳液滲泄胷中氣血皆外湊之然刺中

以下宜接刺脈無傷筋節

刺乳上以下至不得屈伸宜在中

※1

少房則気血六人奏故爲大膿中有膿根内蝕肌膚化爲膿水而久故不愈也刺缺盆中内陷氣泄令人
喘欬逆五藏者肺爲之蓋缺盆爲之道肺藏気而主息又在気爲欬刺缺盆中内陷則肺気外泄故令人端欬逆也刺
手魚腹内陷爲腫○手魚腹内肺脉所流故刺之内陷明爲腫也新校正云按甲乙經肺脉所留當作留字無
無大醉令人氣逆亂脉数過度故因刺而乱也○新校正云按霊樞經気乱当作脉乱無刺大怒令
人氣逆怒者気逆故刺之益甚無刺大勞人經気越也無刺新飽人気盛満也無刺大
飢人気不足也無刺大渴人血脉乾也無刺大驚人神蕩越而気不治也○新校正云詳无刺大醉
至此七條與霊樞經相出入霊樞經曰新内无刺巳刺无病大怒无刺巳刺无怒大労无刺巳刺无労大醉无刺巳刺无醉大飽无
刺巳刺无飽大飢无刺巳刺无飢大渇无刺巳刺无渇大驚大恐必定其気乃刺之也刺陰股中大脉血出
不止死陰股之中脾之脉也脾者中央土孤蔵以灌四傍今血出不止脾気将渇故死○新校正云按刺陰股中大脉條皇
甫士安移在前刺跗上中大脉下如繕自後至篇末遂條與前條相間也刺客主人内陷中脉為内漏
為聾客主人穴名也今名上關在耳前上廉起骨開口有空手少陽足陽明脉交会於中陷脉言刺大深也刺大深則交脉破
夬故爲耳内之漏脉内漏則気不營故聾○新校正云詳客主人穴與気穴論注同按甲乙經及気府論注云手足少陽足陽明三

※1 以刺爲[illegible]之下ヲ刺禁論文也

※2

脉之会疑此脫足少陽二脉也刺膝髕出液為跛膝為筋府筋會於中液出筋乾故跛髕音牝刺臂太
陰脉出血多立死臂太阴者肺脉也肺者王行荣衛阴陽治節由之血出多則荣衛絶故立死刺足少
陰脉重虚出血為舌難以言足少阴腎脉也足少阴脉貫腎絡肺繫舌本故重虚出血則舌難言也
刺膺中陷中肺為喘逆仰息肺気上出逆所致也刺肘中内陷氣歸之為不
屈伸肘中謂肘屈折之中尺澤穴中也刺过陷脉惡気歸之気固関節故不屈伸也刺陰股下三寸内陷
令人遺溺股下三寸腎之絡也衝脉與少阴之絡皆起於腎下出於気街血循於阴股其上行者出胞中故刺陷脉則令
人遺溺也刺掖下脇間内陷令人欬液下肺脉也肺之脉從肺係横出掖下真心藏脉直行者從心係却
上掖下刺陷脉則心肺俱動故欬也刺少腹中膀胱溺出令人少腹滿胞気外泄穀気帰之故少
腹滿也少腹謂済下也刺腨腸内陷為腫腨腸之中足太陽脉也太阴気泄故為腫刺匡上陷骨
中脉為漏為盲匡月匡月也骨中謂目匡骨中也匡骨中脉目之係肝之脉也刺内陷則眼系絶故為目漏目盲
関刺骨節中液出不得屈伸諸筋者皆屬於節津液滲聞之液出則筋膜乾故不得屈伸也肓之上
中有父母鬲肓之上気海居中気若生之原生者命之主故気海為人之父母也〇新校正云按楊上善云心下鬲上為

※2 鬲肓之上以下宜在
刺禁論胃為之市
之下

肓心為陽父也肺為陰母也肺主於氣心主於血共榮衛於身故為父母七節之傍中有小心小心謂真心神
靈之宮室○新校正云按大素小心作志心揚上善云脊有三七二十一節腎在下七節之傍腎神曰志五藏之靈皆名為神神之
所以任得名為志者心之神也從之有福逆之有咎從謂隨順也八者人之所以生形之所以成故順之則福
延逆之則咎至刺中心一日死其動為噫心在氣為噫刺中肝五日死其動為
語肝在氣為語○新校正云按全元起本并甲乙經語作欠元起云腎傷則欠子母相感也王氏改欠作語刺中腎六
日死其動為嚏腎在氣為嚏○新校正云按全元起本及甲乙經六日作三日刺中肺三日死其
動為欬肺在氣為欬刺中脾十日死其動為吞脾在氣為吞○新校正云按全元起本及甲乙
經十日作十五日刺中五藏與診要經終論并四時刺逆從論相重此敘五藏相次之法以所生為次甲乙經以心肺肝脾腎為次
是以所尅為次全元起本舊文則錯亂无次矣刺中膽一日半死其動為嘔膽氣勇故為嘔○新校正
云按診要經終論刺中膽下又云刺中鬲者為傷中其病雖愈不過一歲死刺跗上中大脈血出不止
死跗為足跗大脈動而不止者則胃之大經也胃為水穀之海然血出不止則胃氣將竭海竭氣亡故死刺面中溜
脈不幸為盲面中留脈者手太陽任脈之交會手太陽脈自顴而斜行至目內眥任脈自鼻鼽兩傍上行至瞳子下故

刺面中溜脈不幸為盲刺頭中腦戶入腦立死腦戶穴名也在枕骨上通於腦中然腦為髓之海真氣之所聚針入腦則真氣泄故立死刺舌下中脈太過血出不止為瘖舌下脈脾之脈也脾脈者俠咽連舌本散舌下血出不止則脾氣不能營運於舌故瘖不能言語刺足下布絡中脈血不出為腫布絡謂當內踝前足下空處布散之絡正當然谷穴分也絡中脈則衝脈也衝脈者並少陰之經下入內踝之後入足下也然刺之而血不出則腎脈與衝脈氣并歸於然谷之中故為腫刺郄中大脈令人仆脫色尋此經郄中主治與中誥流注經委中穴正同應郄中者以經穴為名委中處所為名亦猶寸口脈口氣口皆同一處爾然郄中大脈者足太陽經脈也足太陽之脈起於目內眥合手太陽手太陽脈自目內眥斜絡於顴足太陽脈上頭下項又循於足故刺之過禁則令人仆倒而面色如脫去也刺氣街中脈血不出為腫鼠僕氣街之中膽胃脈也膽之脈循脇裏出氣街胃之脈俠齊入氣街中其支別者起胃下口循腹裏至氣街中而合今刺之而血不出則血脈氣并聚於中故內結為腫如伏鼠之形也氣街在腹下俠齊兩傍相去四寸鼠僕上一寸動脈應手也○新校正云按別本僕一作絡氣府論注氣街中齊下橫骨兩端鼠鼷上一寸也刺脊間中髓為傴傴謂傴僂身踡屈也脊間謂脊骨節間也刺中髓則骨髓真心少陰之脈起於心中出屬心係心包心主之脈起於胸中出屬心包平人氣象論曰藏真通于心故脈傷則動心心動則夏病心痛刺脈無傷

※

※ 以下宜接刺肉無傷 刺節

筋筋傷則内動肝肝動則春病熱而筋弛肝之合筋王於春氣針經曰熱則筋緩故筋傷則動肝々動則春病熱而筋弛緩弛犹縦緩也弛施是反刺筋無傷骨骨傷則内動腎腎動則冬病脹腰痛腎之合骨王於冬氣要爲腎府故骨傷則動腎々動則冬病腰痛也腎之脉直行者從腎上貫肝鬲故脹也刺骨無傷髓髓傷則銷鑠胻酸體解㑊然不去矣髓者骨之充針經曰髓海不足則腦轉耳鳴胻酸眩冒故髓傷則腦髓銷鑠胻酸体解㑊然不去也銷鑠謂髓腦銷鑠解㑊謂強不強弱不弱熱不熱寒不寒解々㑊々然不可名之也腦髓銷鑠骨空之所致也鑠詩若反眩音縣

●刺齊論篇第五十一新校正云按全元起本在第六卷

黄帝問曰願聞刺淺深之分謂皮肉筋脉骨之分位也岐伯對曰刺骨者無傷筋刺筋者無傷肉刺肉者無傷脉刺脉者無傷皮刺皮者無傷肉刺肉者無傷筋刺筋者無傷骨帝曰余未知其所謂願聞其解岐伯曰刺骨無傷筋者鍼至筋而去不及骨也刺筋無傷肉者至肉而去不及筋也刺肉無傷脉者至脉而去不及肉也刺脉無傷皮

者至皮而去不及脉也是皆謂遣邪也然筋有寒邪肉有風邪脉有温邪皮有熱邪則如是遣之所謂邪者皆言其非順正氣而抵干犯也○新校正云詳此謂刺淺不至所當刺之處也下文則誠其大深也所謂刺皮無傷肉者病在皮中鍼入皮中無傷肉也刺肉無傷筋者過肉中筋也刺筋無傷骨者過筋中骨也此謂之反也此則誠过分大深也○新校正云按全元起云刺如此者若是謂傷此皆过ㄑ必損其血氣是謂逆也邪必因而入也

●刺禁論篇第五十二

新校正云按全元起云在第六卷

黃帝問曰願聞禁數岐伯對曰藏有要害不可不察肝生於左肝象木王於春ㄑ陽發生故生於左也肺藏於右肺象金王於秋ㄑ阴收殺故藏於右也○新校正云按楊上善云肝為少陽ㄑ長之始故曰生肺為少阴ㄑ藏之初故曰藏心部於表陽氣主外心象火也腎治於裏陰氣主內腎象水也○新校正云按楊上善云心為五藏部主故得心部腎主動氣內治五藏故曰治裏脾謂之使營動不已糟粕水穀故使者也胃為之市水穀所歸五味皆入心下脘鬲肓之上至下得屈伸數段如市雜故為市也

●刺志論篇第五十三

新校正云按全元起本在第六卷

黄帝問曰願聞虛實之要岐伯對曰氣實形實氣虛形虛此其常
也反此者病陰陽應象大論曰形歸氣由是故虛實同焉反謂不相合應失常平之候也形氣相反故病生氣謂脈氣
形謂身形也穀盛氣盛穀虛氣虛此其常也反此者病靈樞經曰榮氣之道內穀爲寶
穀入於胃氣傳與肺精專者上行經隧由是故穀氣虛實占必同焉候不相應則爲病也○新校正云按甲乙經實作寶脈實
血實脈虛血虛此其常也反此者病脈者血之府故虛實同焉反不相應則爲病也帝曰
如何而反岐伯曰氣虛身熱此謂反也氣虛爲陽氣不足陽氣不足當身寒反身熱者脈氣
當盛脈不盛而身熱證不相符故謂反也○新校正云按甲乙經云氣盛身寒氣虛身熱此謂反也當補此四字穀入多
而氣少此謂反也胃之所出者穀氣而布於經脈也穀入於胃脈道乃散今穀入多而氣少者是胃氣不散故謂
反也穀不入而氣多此謂反也胃氣外散肺并之也脈盛血少此謂反也脈少
血多此謂反也經脈行氣絡脈受血經氣入絡々受經氣候不相合故皆反常也氣盛身寒得之
傷寒氣虛身熱得之傷暑傷謂觸冒也寒傷形故氣盛身寒熱傷氣故氣虛身熱穀入多而
氣少者得之有所脫血濕居下也脫血則血虛血虛則氣盛內鬱化成津液流入下焦故云濕居

下也穀入少而氣多者邪在胃及與肺也胃氣不足肺氣下流於胃中故邪在胃然肺氣入胃則肺氣下自守氣不自守則邪從之故云邪在胃及與肺也脉小血多者飲中熱也飲謂留飲也飲留脾胃之中則脾氣溢脾氣溢則發熱中脉大血少者脉有風氣水漿不入此之謂也胃气盛滿則水漿不入於脉夫實者氣入也虛者氣出也入爲陽出爲陰々生於內故出陽生於外故入氣實者熱也氣虛者寒也陽盛而陰內拒故熱陰盛而陽外微故寒入實者左手開鍼空也入虛者左手閉鍼空也言用針之補寫也右手持針左手捻穴故实者右手開針空以寫之虛者左手開針空以補之也捻音溫

●鍼解篇第五十四新校正云按全元起本在第六卷

黄帝問曰願聞九鍼之解虛實之道岐伯對曰刺虛則實之者鍼下熱也氣實乃熱也滿而泄之者鍼下寒也氣虛乃寒也菀陳則除之者出惡血也菀積也陳久也除去也言絡脉之中血積而久者針刺而除去之也邪盛則虛之者出鍼勿按邪者不正之目非本經氣是則謂邪非言鬼毒精邪之所勝也出鍼勿按穴俞且開故得經虛邪氣發泄

也

徐而疾則實者徐出鍼而疾按之疾而徐則虛者疾出鍼而徐按之

徐出謂得經氣已久乃出之疾按謂針出穴已速疾按之則眞氣不泄經脈氣全故徐而疾乃實也疾出針謂針入穴已至於經脈即疾出之徐按謂針出穴已徐緩按之則邪氣得泄精氣復間故疾而徐乃虛也

言實與虛者寒溫氣多少也

寒溫謂經脈陰陽之氣也

若無若有者疾不可知也

言其冥昧不可即而知也夫不可即知故若无慧然神悟故若有也

察後與先者知病先後也

知病先後乃補寫之

爲虛與實者工勿失其法

針經曰經氣已至愼守勿失此之謂也○新校正云按甲乙經云若有若亡爲虛與實

若得若失者離其法也

妄爲補寫離亂大經誤補實者轉令若得誤虛虛者轉令若失故曰若得若失也針經曰无實實无虛〻此其誠也○新校正云詳自篇首至此與大素九針解篇經同而解異二經互相發明也

虛實之要九鍼最妙者爲其各有所宜也

熱在頭身宜鑱針肉分氣滿宜員針脉氣虛少宜鍉針寫熱出血發泄固病宜鋒針破癰腫出膿血宜鈹鍼調陰陽去暴痺宜員利針治經絡中痛痺宜毫針痺深居骨解腰脊節腠之間者宜長針虛風舍於骨解皮膚之間宜大針此之謂各有所宜也○新校正云按別本鉟一作鍉音氏

補寫之時者與氣開闔相合也

氣當時刻謂之開已過未至謂之闔時刻者然水下一刻人氣在太陽水下二刻人氣在少陽水下三刻人氣在陽

明水下四刻人氣在陰分水下不已氣行不已如是則當刺者謂之開过刻及未至者謂之閉也針經曰謹候其氣之所在而刺之是謂逢時此所謂補寫之時也○新校正云詳自篇首至此文出靈樞經素問辯之互相發明也甲乙經補寫之時以針為之者此脫此四字九鍼之名各不同形者鍼窮其所當補寫也各不同形謂長短鋒穎不等窮其補寫謂各隨其療而用之也○新校正云按究針之形今具甲乙經刺實須其虛者留鍼陰氣隆至乃去鍼也刺虛須其實者陽氣隆至鍼下熱乃去鍼也言要以氣至而有効也經氣已至慎守勿失者勿變更也變謂變易更謂改更皆變法也言得氣至必宜謹守無變其法反招損也淺深在志者知病之內外也志一為意志意皆行針之用也近遠如一者深淺其候等也言氣雖近遠不同然其則候皆以氣至而有効也如臨深淵者不敢墮也言氣候補寫如臨深淵不敢墮慢失補寫之法也手如握虎者欲其壯也壯謂持針堅定也針經曰持針之道堅者為寶則其義也○新校正云按甲乙經次字作貫神無營於眾物者靜志觀病人無左右視也目絕妄視心專一務則用之必中無惑誤也○新校正詳從刺實須其虛至此文見寶命全形論此以為鍼解亦互相發明也義無邪下者欲端以正也正指直刺針無左右必正其神者欲瞻

曰制其神令氣易行也後彼精神令无散越則氣爲神使中外易見也所謂三里者下膝三寸也所謂跗之者新校正云按全元起本跗之作低胻太素作付之按骨空論跗之疑作跗上舉膝分易見也三里穴名正在膝下三寸胻外兩筋肉分間極重按之則足跗上動脉止矣故曰舉膝分易見巨虛者蹻足胻獨陷者巨虛穴名也蹻謂舉也取巨虛下廉當舉足取之則胻外兩筋之間陷下也下廉者陷下者也欲知下廉穴者胻外兩筋之間獨陷下者則其處也帝曰余聞九鍼上應天地四時陰陽願聞其方令可傳於後世以爲常也岐伯曰夫一天二地三人四時五音六律七星八風九野身形亦應之鍼各有所宜故曰九鍼新校正云詳此文與靈樞經相出入人皮應天覆蓋於物天之象也人肉應地柔厚安靜地之象也人脉應人盛衰變易人之象也人筋應時堅固之定時之象也人聲應音備五音故人陰陽合氣應律交會氣通相生无替則律之象○新校正云按別本氣一作度人齒面目應星人面應七星者所謂面有七孔應之也○新校正云詳此注乃全元起之辭也人出入氣應風動出往來風之象也人九竅三百六十五絡應野身形之外野之象也故一鍼皮二鍼肉三鍼脉四

鍼筋五鍼骨六鍼調陰陽七鍼益精八鍼除風九鍼通九竅除三百六十五節氣此之謂各有所主也一鑱針二員針三鍉針四鋒針五鈹針六員利針七毫針八長針九大針○新校正云按別本鈹一作鈹人心意應八風風動靜不形風之象也人氣應天運行不息天之象也人髮齒耳目五聲應五音六律髮齒生長耳目清通五聲應同故應五音及六律也人陰陽脉血氣應地人陰陽有交會生成脉血氣有虛盈盛衰故應地也人肝目應之九肝氣通目木生數三三而三之則應之九也九竅三百六十五新校正云按全元起本無此七字人一以觀動靜天二以候五色七星應之以候髮母澤五音一以候宮商角徵羽六律有餘不足應之二地一以候高下有餘九野二節俞應之以候閉節三人變一人人候齒泄多血少十分角之變五分以候緩急六分不足三分寒關節第九分四時人寒溫燥濕四時一應之以候相反一四方各作解此一百二十四字蠹簡爛文義理殘缺莫可尋究而上古書故且載之以始後之其本也○新校正云詳王氏云一百二十四字今有一百二十三字又亡一字

長刺節論篇第五十五（新校正云按全元起本在第三卷）

刺家不診聽病者言在頭頭疾痛為藏鍼之（藏猶深也言深刺之故下文曰○新校正云按全元起本云無鍼之無藏字）刺至骨病已上無傷骨肉及皮皮者道也（及者鍼之道故刺骨無傷骨肉及皮也）陰刺入一傍四處治寒熱（頭有寒熱則用陰刺法治之陰刺謂卒刺之如此數也○新校正云按別本卒刺一作平刺按甲乙經陽刺者正內一傍內四陰刺者左右卒刺之此陰刺疑是陽刺）深專者刺大藏（寒熱內氣深專攻中身當刺五藏以拒之）迫藏刺背背俞也（迫近也漸近於藏則刺背五藏之俞也）刺之迫藏藏會（言刺近於藏者何也以是藏氣之會發也）腹中寒熱去而止（言刺背俞者無問其數要以寒熱去乃止鍼）與刺之要發鍼而淺出血（若與諸俞刺之則如此）治腐腫者刺腐上視癰小大深淺刺（腐腫謂腫中肉腐敗為膿血者癰小者淺刺之癰大者深刺之○新校正云按全元起本及甲乙經腐作癰）刺大者多血小者深之必端內鍼為故止（癰之大者多出血癰之小者但直鍼之而已○新校正云按甲乙經云刺大者多而深之必端內鍼為故正也此文云小者深之疑此誤）病在少腹有積刺皮𩩲以下至少腹而止刺俠脊兩傍四椎間刺兩

髂髎季脇肋間，導腹中氣熱下已。（少腹積謂寒熱之氣結積也皮髓謂齊下同身寸之五寸橫約文審刺而勿过深之刺禁論曰刺少腹中膀胱溺出令人少腹滿由此故不可深之矣俠脊四推之間據經无俞恐當云五推間五推之下兩傍正心之俞心應少腹故當言之間也髂謂腰骨髎一為髎字形相近之誤也髎謂居髎腰側穴也季脇肋間當是刺季脇之間京門穴也○新校正云按釋音皮髓作皮骺是骺誤作髓也及偏尋篇頭中无髓字只有骺骨端也皮骺者盖謂齊下橫骨之端也全元起本作皮骺元起注云臍傍埵起也亦未為得骺口咄反骺光味反）病在少腹，腹痛不得大小便，病名曰疝，得之寒，刺少腹兩股間，刺腰髁骨間，刺而多之，盡炅病已。（厥陰之脉環陰器抵少腹衝脉與少陰之絡皆起於腎下出於氣街循陰股其後行者自少腹以下骨中央女子入繫廷孔其絡循陰器合篡繞篡後別繞臀至少陰與巨陽中絡者合少陰上股內後廉貫脊屬腎其男子循莖下至篡與女子等故刺少腹及兩間又刺腰髁骨間也腰髁骨者腰房俠脊平立陷者中按之有骨處也疝為寒生故多刺之少腹盡熱乃上鍼炅熱也○新校正云按別本篡作基又初患反）病在筋，筋攣節痛，不可以行，名曰筋痺，刺筋上為故，刺分肉間，不可中骨也，（分謂肉分間有肋為絡處也刺筋无傷骨故不可中骨也）病起筋炅，病已止。（筋痺生故得筋熱病已乃止）病在肌膚，肌膚盡痛，名曰肌痺，傷於寒濕利大分小分多發鍼而深之以熱為故人分謂大肉之分小分謂小肉之分無傷筋骨傷筋骨癰發若變針經得病淺針深內傷良肉皮膚為癰發若針太深則邪氣太深病益甚傷筋骨則針大深故癰發若變化諸分寒熱病巳止熱可消寒故病已則止病在骨骨重不可舉骨髓酸痛寒氣至名曰骨痺深者刺無傷脈肉為故其道大分小分骨熱病巳止骨痺刺尤傷脈肉者何自刺其氣通肉之大小分中也病在諸陽脈且寒且熱諸分且寒且熱名曰狂氣狂亂也刺之虛脈視分盡熱病巳止病初發歲一發不治月一發不治月四五發名曰癲病刺諸分諸脈其無寒者以鍼調之病巳止新校正云按甲乙經云刺諸分其脈尤寒以鍼補之病風且寒且熱炅汗出一日數過先刺諸分理絡脈汗出且寒且熱三日一刺百日而巳病大風骨節重鬚眉墮名曰大風刺肌肉為故汗出百日泄衛氣之怫熱刺骨髓汗出百日泄榮氣之怫熱凡二百日鬚眉生而止鍼怫熱退陰氣內復故多汗出鬚眉生也

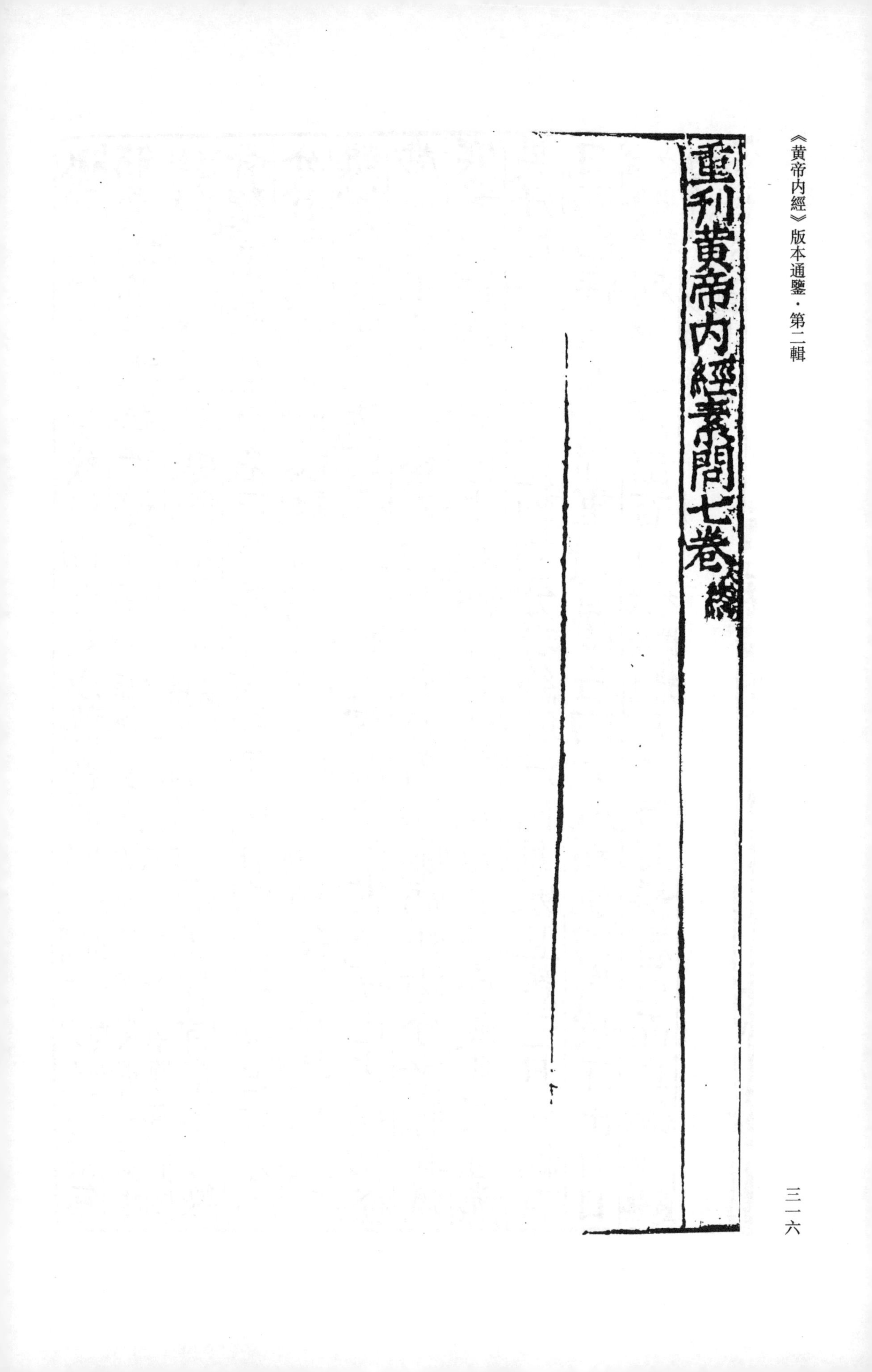

重刊黃帝內經素問七卷[illegible]

重刋補註釋文黄帝内經素問卷之八

●皮部論篇第五十六新校正云按全元起本在第二卷

黄帝問曰余聞皮有分部脉有經紀筋有結絡骨有度量其所生病各異別其分部左右上下陰陽所在病之始終願聞其道岐伯對曰欲知皮部以經脉爲紀者諸經皆然循經脉行止所主則皮部可知諸經謂十二經脉也十二經脉皆同陽明之陽名曰害蜚蜚生化也害殺氣也殺氣行則生化弭故曰害蜚蜚扶沸反上下同法視其部中有浮絡者皆陽明之絡也上謂手陽明下謂足陽明也其色多青則痛多黑則痺黄赤則熱多白則寒五色皆見則寒熱也絡盛則入客於經陽主外陰主内陽謂陽絡陰謂陰絡此通言之也手足身分所見經絡皆然少陽之陽名曰樞持樞謂樞反持謂執持上下同法視其部中有浮絡者皆少陽之絡也絡盛則入客於經故在陽者主内在陰者主出以滲於内諸經皆然太陽之陽名曰關樞關司外動以靜鎮爲事如樞之運則氣和平也上下同

法視其部中有浮絡者皆太陽之絡也絡盛則入客於經少陽之陰名曰樞儒儒順也守要而順陰陽開闔之用也○新校正云按甲乙經儒作儒上下同法視其部中有浮絡者皆少陰之絡也絡盛則入客於經其入經也從陽部注於經其出者從陰內注於骨心主之陰名曰害肩心主脈入腋下氣不和則妨害肩腋之動運上下同法視其部中有浮絡者皆心主之絡也絡盛則入客於經太陰之陰名曰關蟄關閉蟄類使順行藏○新校正云按甲乙經蟄作執上下同法視其部中有浮絡者皆太陰之絡也絡盛則入客於經部皆謂本經絡之所部分浮謂浮見也凡十二經絡脈者皮之部也列陰陽位部主於皮故曰皮之部也是故

百病之始生也必先於皮毛邪中之則腠理開開則入客於絡脈留而不去傳入於經留而不去傳入於府廩於腸胃廩積也聚也邪之始入於皮也泝然起毫毛開腠理泝然惡寒也起謂毛起豎也腠理皆謂皮空及文理也其入於絡也則絡脈盛色變盛謂盛滿變謂易其常也其入客於經也則感虛乃

陷下經虛邪入故曰感虛脉虛氣少故陷下也其留於筋骨之間寒多則筋攣骨痛熱多則筋弛骨消肉爍䐃破毛直而敗攣急也弛緩也消爍也針經曰寒則筋急熱則筋緩寒勝爲痛熱勝爲氣消䐃者肉之標故肉消則䐃破毛直而敗也䐃渠損反帝曰夫子言皮之十二部其生病皆何如岐伯曰皮者脉之部也脉氣流行各有陰陽氣隨經所過而部主之故云脉之部邪客於皮則腠理開開則邪入客於絡脉絡脉滿則注於經脉經脉滿則入舍於府藏也故皮者有分部不與而生大病也脉行皮中各有部分脉受邪氣隨則病生非由皮氣而能生也○新校正云按甲乙經不與作不愈全元起本作不与元起云言不與經脉和調則氣傷於外邪流入於內必作大病也帝曰善

經絡論篇第五十七

新校正云按全元起本在皮部論末王氏分篇

黄帝問曰夫絡脉之見也其五色各異青黄赤白黑不同其故何也岐伯對曰經有常色而絡無常變也經行氣故色見常應於時絡主血故受邪則變而不矣帝曰經之常色何如岐伯曰心赤肺白肝青脾黄腎黑皆亦應

其經脉之色也帝曰絡之陰陽亦應其經乎岐伯曰陰絡之色應其經陽絡之色變無常隨四時而行也（順四時氣化之行止）寒多則凝泣凝泣則青黑熱多則淖澤淖澤則黄赤此皆常色謂之無病五色具見者謂之寒熱（淖濕也澤潤液也謂微濕潤也）帝曰善

●氣穴論篇第五十八（新校正云按全元起本在第二卷）

黄帝問曰余聞氣穴三百六十五以應一歲未知其所願卒聞之岐伯稽首再拜對曰窘乎哉問也其非聖帝孰能窮其道焉因請溢意盡言其處（孰誰也）帝捧手逡巡而却曰夫子之開余道也目未見其處耳未聞其數而目以明耳以聰矣（目以明耳以聰言心志通明向如意也）岐伯曰此所謂聖人易語良馬易御也帝曰余非聖人之易語也世言真數開人意今余所訪問者真數發蒙解惑未足以論也（問氣穴真數應時解彼蒙昧之疑惑未足以論述深微之意也）然余願聞夫子溢志盡言其處令解其

意請藏之金匱不敢復出言其處謂穴俞處所岐伯再拜而起曰臣請言之
背與心相控而痛所治天突與十椎及上紀天突在頸結喉下同身寸之四寸中央宛
宛中陰維任脈之會低針取之刺可入同身寸之一寸留七呼若
灸者可灸三壯按今甲乙經經脈流注孔穴圖經當脊十椎下並
無穴目恐是七椎也此則督脈氣所主之上紀之處次
如下說○新校正云按甲乙經云天突在結喉下五寸上紀者胃
脘也謂中脘也脘者胃募也在上脘下同身寸之一寸居心蔽骨與齊之中手太陽少陽足陽明三脈所生任脈氣所發也刺
可入同身寸之三寸三分若灸者可灸七壯○新校正云按甲乙經云任脈之會也疑此誤文下紀者關元也關元
者小腸募也在齊下同身寸之三寸足三陰任脈之會刺可入同身寸之二寸留七呼若灸者可灸七壯背胸邪繫陰
陽左右如此其病前後痛濇胸脇痛而不得息不得臥上氣短氣
偏痛新校正云按別本篇一作滿脈滿起斜出尻脈絡胸脇支心貫鬲上
肩加天突斜下肩交十椎下尋此支絡脈流注病形證悉是督脈支絡自尾骶出各上行斜絡脇支心
貫鬲上加天突斜之肩而下交於十椎○新校正云詳此自背與心相控而痛至此疑是骨空論文簡脫誤於此藏俞五十
穴藏謂五藏肝心脾肺腎非兼四形藏也俞謂井滎俞經合非背俞也然井滎俞經合者肝之井者大敦也滎行間也俞大衝也

經中封也合曲泉也大敦在足大指端去爪甲角如韭葉及三毛之中足厥陰脉之所出也刺可入同身寸之三分留十呼若灸者可灸三壯行間在足大指之間脉動應手陷者中足厥陰之所流也○新校正云按甲乙經留作流餘所流並作留○刺可入同身寸之三分留十呼若灸者可灸三壯太衝在足大指本節後同身寸之二寸陷者中○新校正云按刺腰痛注云本節後內間同身寸之二寸陷者中動脉應手足厥陰脉之所注也刺可入同身寸之三分留十呼若灸者可灸三壯中封在足內踝前同身寸之一寸半○新校正云按甲乙經云一寸○陷者中仰足而取之伸足乃得之足厥陰脉之所行也一可入同身寸之四分留七呼若灸者可灸三壯曲泉在膝輔骨下大筋上小筋下陷者中屈膝而得之足厥陰脉之所入也刺可入同身寸之六分留十寸若灸者可灸三壯心包之井者中衝也荥勞宮也俞大陵也經間使也合曲澤也中衝在手中指之端去爪甲角如韭葉陷者中手心主脉之所出也刺可入同身寸之一分留三呼若灸者可灸一壯勞宮在掌中央動脉手心主脉之所流也刺可入同身寸之三分留六呼若灸者可灸三壯太陵在掌後骨兩筋間陷者中手心主脉之所注也刺可入同身寸之六分留七呼若灸者可灸三壯間使在掌後同身寸之三寸兩筋間陷者中手心主脉之所行也刺可入同身寸之六分留七呼若灸者可灸七壯○新校正云按甲乙經云灸三壯○曲澤在肘內廉下陷者中屈肘而得之手心主脉之所入也刺可入同身寸之三分留七呼若灸者可灸三壯脾之井者隱白也荥大都也俞太白也經商丘也合陰陵泉也隱白在足大指之端內側去爪甲角如韭葉足太陰脉之所出也刺可入同身

寸之一分留三寸若灸者可灸三壯大都在足大指本節後陷者中足太陰脉之所流也刺可入同身寸之三分留七呼若灸者可灸三壯太白在足內側核骨下陷者中足太陰脉之所注也刺可入同身寸之三分留七呼若灸者可灸三壯商丘在足內踝下微前陷者中足太陰脉之所行也刺可入同身寸之四分留七呼若灸者可灸三壯陰陵泉在膝下內側輔骨下陷者中伸足乃得之足太陰脉之所入也刺可入同身寸之五分留七呼若灸者可灸三壯肺之井者少商也荣魚際也俞大淵也經經渠也合尺澤也少商在手大指之端內側去爪甲角如韭葉手太陰脉之所出也刺可入同身寸之一分留一呼若灸者可灸三壯○新校正云按甲乙經作一壯○魚際在手大指本節後內側散脉手太陰脉之所流也刺可入同身寸之二分留三呼若灸者可灸三壯大淵在掌後陷者中手太陰脉之所注也刺可入同身寸之二分留二呼若灸者可灸三壯經渠在手寸口陷者中手太陰脉之所行也刺可入同身寸之三分留三呼不可灸傷人神明尺澤在肘中約上動脉手太陰脉之所入也刺可入同身寸之三分留三呼若灸者可灸三壯腎之井者涌泉也荣然谷也俞太谿也經復溜也○新校正云按甲乙經溜作留餘溜字並同○合陰谷也涌泉在足心陷者中屈足捲指宛宛中足少陰脉之所出也刺可入同身寸之三分留二呼若灸者可灸三壯然谷在足內踝前起大骨下陷者中足少陰脉之所流也刺可入同身寸之三分留三呼若灸者可灸三壯刺此多見血令人立飢欲食大谿在足內踝後跟骨上動脉陷者中足少陰脉之所注也刺可入同身寸之三分留七呼若灸者可灸三壯復留在足內踝上同身寸之二寸陷者中○新校正

云按刺腰痛篇注云在內踝後上二寸動脈○足少陰脈之所行也刺可入同身寸之三分留三呼若灸者可灸五壯陰骨在膝下內輔骨之後大筋之下小筋之上按之應手屈膝而得之足少陰脈之所入也刺可入同身寸之四分若灸者可灸三壯如是五藏之俞藏各五穴則二十五俞以左右脈具而言之則五十穴

府俞七十二穴

府謂六府非兼光形府也俞亦謂井茱俞原經合非背俞也所之府膽二之井者竅陰也茱俠谿也俞臨泣也原丘墟也經陽輔也合陽陵泉也竅陰在足小指次指之端去爪甲角如韭葉足少陽脈之所出也刺可入同身寸之一分留一呼○新校正云按甲乙經作三呼○若灸者可灸三壯俠谿在足小指次指歧骨間本節前陷者中足少陽脈之所流也刺可入同身寸之三分留三呼若灸者可灸三壯臨泣在足小指次指本節後間陷者中去俠谿同身寸之一寸半足少陽脈之所注也刺可入同身寸之三分○新校正云按甲乙經作二分○留五呼若灸者可灸三壯丘墟在足外踝下如前陷者中去臨泣同身寸之三寸足少陽脈之所過也刺可入同身寸之五分留七呼若灸者可灸三壯陽輔在足外踝上○新校正云按甲乙經云外踝上四寸輔骨前絕骨之端如前同身寸之三分所去丘墟同身寸之七寸足少陽脈之所行也刺可入同身寸之五分留七呼若灸者可灸三壯陽陵泉在膝下同身寸之一寸胻外廉陷者中足少陽脈之所入也刺可入同身寸之六分留十呼若灸者可灸三壯膽之府胃ヒ之井者厲兌也茱內庭也俞陷谷也原衝陽也經解谿也合三里也厲兌在足大指次指之端去爪甲角如韭葉足陽明脈之所出也刺可入同身寸之一分留一呼若灸者可灸一壯內

庭在足大指次指外間陥者中足陽明脈之所流也刺可入同身寸之三分留十呼○新校正云按甲乙經云作二十呼○若灸者可灸三壯陥谷在足大指次指外間本節後陥者中去内庭同身寸之二寸足陽明脈之所注也刺可入同身寸之五分留七呼若灸者可灸三壯衝陽在足跗上同身寸之五寸骨間動脈上去陥谷同身寸之三寸足陽明脈之所過也刺可入同身寸之三分留十呼若灸者可灸三壯解谿在衝陽後同身寸之二寸半○新校正云按甲乙經作一寸半刺瘧注作三寸半素問二注不同當從甲乙經之說○腕上陥者中足陽明脈之所行也刺可入同身寸之五分留五呼若灸者可灸三壯三里在膝下同身寸之三寸䯒骨外廉兩筋肉分間足陽明脈之所入也刺可入同身寸之一寸留七呼若灸者可灸三壯肺之府大腸大腸之井者商陽也滎二間也俞三間也原合谷也經陽谿也合曲池也商陽在手大指次指内側去爪甲角如韭葉手陽明脈之所出也刺可入同身寸之一分留一呼若灸者可灸三壯二間在手大指次指本節前内側陥者中手陽明脈之所流也刺可入同身寸之三分留六呼若灸者可灸三壯三間在手大指次指本節内側陥者中手陽明脈之所注也刺可入同身寸之三分留三呼若灸者可灸三壯合谷在手大指次指歧骨之間手陽明脈之所過也刺可入同身寸之三分留六呼若灸者可灸三壯陽谿在腕中上側兩筋間陥者中手陽明脈之所行也刺可入同身寸之三分留七呼若灸者可灸三壯曲池在肘外輔屈肘兩骨之中手陽明脈之所入也以手拱胸取之刺可入同身寸之五分留七呼若灸者可灸三壯心之府小腸小腸之井者少澤也滎前谷也俞後谿也原腕骨也經陽谷[illegible]

合少海也少澤在手小指之端云爪甲下同身寸之一分陷者中手大陽脉之所出也刺可入同身寸之一分留二呼若灸者可灸一壯前谷在手小指外側本節前陷者中手大陽脉之所流也刺可入同身寸之一分留三呼若灸者可灸三壯後谿在手小指外側本節後陷者中手大陽脉之所注也刺可入同身寸之一分留二呼若灸者可灸一壯腕骨在手外側腕前起骨下陷者中手大陽脉之所過也刺可入同身寸之二分留三呼若灸者可灸三壯陽谷在手外側腕中鋭骨之下陷者中手大陽脉之所行也刺可入同身寸之二分留三呼○新校正云按甲乙經作二呼○若灸者可灸三壯少海在肘內大骨外去肘端同身寸之五分陷者中屈肘乃得之手大陽脉之所入也刺可入同身寸之二分留七呼若灸者可灸五壯心包之府三焦三焦之井者關衝也榮液門也俞中渚也原陽也經支溝也合天井也關衝在手小指次指之端去爪甲角如韭葉手少陽脉之所出也刺可入同身寸之一分留三呼若灸者可灸三壯液門在手小指次指間陷者中手少陽脉之所流也刺可入同身寸之二寸留二呼若灸者可灸三壯中渚在手小指次指本節後間陷者中手少陽脉之所注也刺可入同身寸之一分留三呼若灸者可灸三壯陽池在手表腕上陷者中手少陽脉之所過也刺可入同身寸之一分留六呼若灸者可灸三壯支溝在腕後同身寸之三寸兩骨之間陷者中手少陽脉之所行也刺可入同身寸之二分留七呼若灸者可灸三壯天井在肘外大骨之後同身寸之一寸兩筋間陷者中屈肘得之手少陽脉之所入也刺可入同身寸之一寸留七呼若灸可灸三壯背之府膀胱膀胱之升者至陰也榮通谷也俞束骨也原京骨也經崑

谿也合委中也至陰在足小指外側去爪甲角如韭葉足太陽之所出也刺可入同身寸之一分留五呼若灸者可灸三壯通在小指外側本節前陷者中大陽脈之所流也刺可入同身寸之二分留五呼若灸者可灸三壯束骨在足小指外側本節後赤白肉際陷者中足大陽脈之所注也刺可入同身寸之三分留三呼若灸者可灸三壯京骨在足外側大骨下赤白肉際陷者中按而得之足大陽脈之所過也刺可入同身寸之二分留七呼若灸者可灸三壯崑崙在足外踝後跟骨上陷者中細脈動應手足大陽脈之所行也刺可入同身寸之五分留十呼若灸者可灸三壯委中在膕中央約文中動脈○新校正云詳委中穴與甲乙經及刺瘧篇注與論注同又骨空論云在膝解之後曲腳之中背面取之又熱穴論注刺熱篇注云在足膝後屈處○足大陽脈之所入也刺可入同身寸之五分留七呼若灸者可灸三壯如是六府之俞府名六穴則三十六俞以左右脈俱而言之則七十二穴者也

熱俞五十九穴水俞五十七穴並具水熱論中○新校正云按熱俞又見刺熱篇注**頭上五行行五五五二十五穴**此亦熱俞之五十九穴也**中膂兩傍各五凡十穴**謂五藏之背俞也肺俞在第三椎下兩傍心俞在第五椎下兩傍腎俞在第十四椎下兩傍此五藏俞者各俠脊相去同身寸之三分肝俞留六呼餘並留七呼若灸者可灸三壯俠脊數之則十穴也**大椎上兩傍各一凡二穴**今甲乙經二脈流注孔穴圖經並不載未詳何俞也○新校正云按大椎上傍无穴大椎下傍穴各大杼後有故王氏云未詳**目瞳子浮白**

二穴瞳子髎在目外去眥同身寸之五分手大陽手足少陽三脉之会刺可入同身寸之三分若灸者可灸三壯浮白在耳後入髮際同身寸之一寸足太陽少陽二脉之会刺可入同身寸之三分若灸者可灸三壯左右言之各二為四也兩髀厭分中二穴謂環跳穴也在髀樞後足少陽大陽二脉之会刺可入同身寸之一寸留二呼若灸者可灸三壯、新校正云按王氏云在髀樞後按甲乙經云在髀樞中後當作中灸三壯甲乙經作五壯犢鼻二穴在膝髕下胻上俠解大筋中足陽明脉氣所發刺可入同身寸之六分若灸者可灸三壯耳中多所聞二穴聽宮穴也在扵耳中珠子大如赤小豆手足少陽手大陽三脉之会刺可入同身寸之一分若灸者可灸三壯○新校正云按甲乙經云刺可入三分眉本二穴攢竹穴也在眉頭陷者中足大陽脉氣所發刺可入同身寸之三分留六呼若灸者可灸三壯完骨二穴在耳後入髮際同身寸之四分足大陽少陽之会刺可入同身寸之三分留七呼若灸者可灸三壯○新校正云刺可入三分灸七壯項中央一穴風府穴也在項上入髮際同身寸之一寸大筋內宛〻中督脉陽維二經之会疾言其肉立起言休其肉立下刺可入同身寸之四分留三呼灸之不幸使人瘖枕骨二穴竅陰穴也在完骨上枕骨下搖動應手足大陽少陽之会刺可入同身寸之三若灸者可灸三壯○新校正云按甲乙經云刺可入四方灸可灸五壯上關二穴針經所謂刺之閉故不能欠者也在耳前上廉起骨開口有空手少陽足陽明之会刺可入同身寸之三分留七呼若灸者可灸三壯刺深令人耳

天所鉚

大迎二穴在曲頷前同身寸之一寸三分骨陷者中動脈陽明脈氣所發刺可入同身寸之三分留七呼若灸者可灸三壯

下關二穴針經所謂刺之則欠不去故者也在上關下耳前動脈下廉合口有空張口而閉足陽明小陽二脈之会刺可入同身寸之三分留七呼若灸者可灸三壯耳中有乾適之不得灸也〇新校正云按甲乙經適之作抵適舌摘庶亥

天柱二穴在俠項後髮際大筋外廉陷者中足太陽脈氣所發刺可入同身寸之三分留六呼若灸者可灸三壯

巨虛上下廉四穴上廉足陽明与大陽合也在膝犢鼻下筋外廉同身寸之六寸足陽明脈氣所發刺可入同身寸之入分若灸者可灸三壯下廉足陽明与少陽合也在上廉下同身寸之三寸足陽明脈氣所發刺可入同身寸之三分若灸者可灸三壯〇新校正云按甲乙經并刺熱篇注水熱穴注上廉在三里下三寸此云犢鼻下六寸者盖三里在犢鼻下三寸上廉又在三里下三寸故云六寸也

曲牙二穴頰車穴也在耳下曲頰端陷者中開口有空足陽明脈氣所發刺可入同身寸之三分若灸者可灸三壯

天突一穴已前釋也

天府二穴在液下同身寸之三寸臂臑內廉動脈手大陰脈氣所發禁不可灸刺可入同身寸之四分留三呼臑奴到反

天牖二穴在頸筋間缺盆上天容後天柱前完骨下髮際上手少陽脈氣所發刺可入同身寸之一寸留七呼灸者可灸三壯

扶突二穴在頸當曲頰下同身寸之一寸人迎後手陽明脈氣所發抑而取之刺可入同身寸之四分若灸者可灸三壯

天窗二穴在曲頰下扶突後動脈應手陷者中手太陽脈氣所

發刺可入同身寸之六分若灸者可灸三壯肩解二穴謂肩并也在肩上陷解中缺盆上大骨前手足少陽陽維之会
刺可入同身寸之五分若灸者可灸三壯○新校正云按甲乙經灸五壯關元一穴新校正云詳此已前釋舊當篇再注
今去之委陽二穴三焦下甫俞也在膕中外廉兩筋間此足太陽之別絡刺可入同身寸之七分留五呼若灸者可灸
三壯屈伸而取之肩貞二穴在肩曲甲下兩骨解間肩髃後陷者中手太陽脉氣所發刺可入同身寸之八分若灸者
可灸三壯瘖門一穴在項髮際宛宛中入係舌本督脉陽維二經之会仰頭取之刺可入同身寸之四分不可灸灸之令人
瘖○新校正云按氣府注云去風府一寸齊一穴齊中也禁不可刺刺之使人齊中惡瘍潰矢出者死不可治若灸者可灸
三壯胷俞十二穴胃俞府或中神藏灵墟神封步郎左右則十二穴也俞府在巨骨下侠任脉兩傍横去任脉各同身
寸之二寸陷者中下五穴遞相去同身寸之一寸六分陷者中並足少陰脉氣所發仰而取之刺可入同身寸之四分若灸者可灸
五壯背俞二穴大杼穴也在脊第一椎下兩傍相去各同身寸之一寸半陷者中督脉別絡手足太陽三脉氣之会刺可
入同身寸之三分留七呼若灸者可灸七壯膺俞十二穴胃雲門中府周榮胸俞天谿食竇左右則十二穴也○新
校正云按甲乙經作周榮胸俞○雲門在巨骨下侠任脉傍横去任脉各同身寸之六寸○新校正云按水热穴注作胸中行兩傍
与此文雖異処所无別陷者中動脉應手雲門中府相去同身寸之二寸餘五穴遞相去同身寸之一寸六分陷者中並手太陰脉

氣所發雲門食竇章髃取之缺二俞而取之雲門刺可入同身寸之七分太深令人逆息中府刺可入同身寸之三分留五呼飲可入同身寸之四分若灸者可灸五壯○新校正云詳王氏以此十二穴並手太陰按甲乙經雲門乃手太陰中府乃手足太陰之會周榮已下乃足太陰十二穴並手太陰也

分肉二穴

在足外踝上絕骨之端同身寸之三分筋肉分間陽維脈氣所發刺可入同身寸之三分留七呼若灸者可灸三壯○新校正云按甲乙經無分肉穴詳處所疑是陽輔在足外踝上輔骨前絕骨端如前三分所又按刺腰痛注作絕骨之端如後二分刺入五分留十呼與此注小異

踝上橫二穴

內踝上者交信穴也交信去內踝上同身寸之二寸少陰前太陰後筋骨間足陰蹻之郄刺可入同身寸之四分留五呼若灸者可灸三壯外踝上附陽穴也附陽去外踝上同身寸之三寸太陽前少陽後筋骨間陽蹻之郄刺可入同身寸之六分留七呼若灸者可灸三壯○新校正云按甲乙經附陽作付陽

陰陽蹻四穴

陰蹻穴在足內踝下是謂照海陰蹻所生刺可入同身寸之四分留六呼若灸者可灸三壯陽蹻穴是謂申脈陽蹻所生在外踝下陷者中○新校正云按刺腰痛篇注作在外踝下五分繆刺論注云外踝下半寸○容爪甲刺可入同身寸之三分留七呼若灸者可灸三壯○新校正云按甲乙經留七呼作六呼刺腰痛篇注作十呼

水俞在諸分

分謂肉之分理間治水取之

熱俞在氣穴

寫熱則取之

寒熱俞在兩骸

厭中二穴

骸厭謂膝外俠膝之骨厭中也

大禁二十五在天府下五寸

謂五里穴也所以謂

之大禁者謂其禁不可刺也針經曰迎之五里中道而止五至而已五往而藏之氣盡矣故五五二十五而竭其俞矣蓋謂此也又曰五里者尺澤之後五里與此文同凡三百六十五穴鍼之所由行也新校正云詳自藏俞五十至此并重復共得三百六十穴通前天突十椎上紀下紀共三百六十五穴除重復實存三百一十三穴帝曰余已知氣穴之處遊鍼之居願聞孫絡谿谷亦有所應乎孫絡小絡也謂絡之支別者

岐伯曰孫絡三百六十五穴會亦以應一歲以溢奇邪以通榮衛榮衛稽留衛散榮溢氣竭血著外為發熱內為少氣疾寫無怠以通榮衛見而寫之無問所會[illegible]絡內外[illegible]若見其血絡當[illegible]寫之亦無問其孫之俞會帝曰願聞谿谷之會也岐伯曰肉之大會為谷肉之小會為谿肉分之間谿谷之會以行榮衛以舍大氣新校正云按甲乙經作以舍大氣邪溢氣壅脉熱肉敗榮衛不行必將為膿內銷骨髓外破大膕熱過故致是留於節湊必將為敗若留於骨節之間津液所湊之處則骨節之間髓液皆潰為膿故必敗爛筋骨而不得屈伸矣積寒留舍榮衛不居卷肉縮筋新校正云按全元起本作寒內縮筋肋肘不得伸內為

骨痺外為不仁命曰不足大寒留於谿谷也[illegible]不足謂陽氣不足也寒邪外薄久積淹留陽不外榮肉消筋髓故曰不足大寒留於谿谷之中也谿谷三百六十五穴會亦應一歲其小痺淫溢循脈往來微鍼所及與法相同[illegible]寒之氣流行淫溢隨脈往來為小痺病用針調者與常法相同爾帝乃辟左右而起再拜曰今日發蒙解惑藏之金匱不敢復出乃藏之金蘭之室署曰氣穴所在岐伯曰孫絡之脈別經者其血盛而當寫者亦三百六十五脈並注於絡傳注十二絡脈非獨十四絡脈也十四絡者謂十二經絡兼任脈督脈之絡也脾之大絡起自於脾故不并言之也內解寫於中者十脈解謂骨解之中經絡也雖則別行然所受邪亦還注寫於五藏之脈左右各五故十脈也

● 氣府論篇第五十九新校正云按全元起本在第二卷

足太陽脈氣所發者七十八穴兼氣浮薄相通者言之當言九十三穴非七十八穴也正經脈會發者七十八穴浮薄相通者一十五穴則其數也兩眉頭各一謂攢竹穴也所在刺[illegible]灸分壯與氣穴同[illegible]

項三寸半傍五相去三寸謂大杼風門各二穴也所在刺灸分壯与気穴同法○新校正云按別本云入髮至項三寸又注云寸同身寸也諸寸同法与此注全別此注胃大杼風門各二穴所在灸刺分壯与此気穴同法今気穴篇中无風門穴而注言与注同法此注之非可見此非王氏之誤ヒ在後人詳此入髮至項三寸半傍五相去三寸盖是說下文浮気之在皮中五行ヒ五之穴故王都不解擇直云寸為同身寸也但以須誤作項剌半字耳所以言入髮至項者自入髮顖会穴至頂百会凡三寸自百会後至後項又三寸故云入髮至項三寸傍五者為兼中行傍数有五行也相去三寸盖胃自百会頂中数左右前後各三寸有五行行五共二十五穴也後人誤将項為頂又為大杼風門此甚誤也況大杼在第一椎下両傍風門又在第三椎下上去髮際非止三寸半也其誤甚明顖音信

其浮氣在皮中者凡五行行五五五二十五浮気胃気浮而通之可以去熱者也五行胃頭上自髮際中同身寸之二寸後至頂之後者也二十五者其中行則顖会前頂百会後頂強間五督脈気也次俠傍両行則五処承光通天絡却玉枕各五本経気也又次俠傍両行則臨泣目窓正営承霊脳空各五足少陽気也両傍次行各五則二十穴中一穴則二十五也其次灸分壯与木熱穴同去

項中大筋両傍各一胃天柱二穴也所在刺灸分壯与気穴同法

風府両傍各一謂風池二穴也刺灸分壯与気穴同法○新校正云按甲乙経風池足少陽ヒ維之會非太陽之所発也経言風府両傍乃天柱穴之分位此亦覆明上項中大筋両傍穴也此注

[illegible]出風池二穴於九十三數外更[illegible]大杼風門及此風池六穴也

俠背以下至尻尾二十一節十五間各一

十五間各一者今中誥孔穴圖經所存者十三穴左右共二十六謂附分魄户神堂譩譆鬲關魂門陽綱意舍胃倉肓門志室胞肓秩邊十三也附分在第二椎下附項內廉兩傍各相去俠脊同身寸之三寸足太陽之會刺可入同身寸之八分若灸者可灸五壯魄户在第三椎下兩傍上直附分足太陽脉氣所發下十二穴並同正坐取之刺可入同身寸之五分若灸者如附分法神堂在第五椎下兩傍上直魄户刺可入同身寸之三分灸同附分法譩譆在第六椎下兩傍上直神堂○新校正云按骨空論止云以手厭之令病人呼譩譆之声則指下動矣○刺可入同身寸之六分留七呼灸如附分法鬲關在第七椎下兩傍上直譩譆正坐開肩取之刺可入同身寸之五分若灸者可灸三壯○新校正云按甲乙經云可灸五壯○魂門在第九椎下兩傍上直鬲關正坐取之刺灸分壯如鬲關法陽綱在第十椎下兩傍上直魂門正坐取之刺灸分壯如魂門法意舍在第十一椎下兩傍上直陽綱正坐取之刺灸分壯如陽綱法胃倉在第十二椎下兩傍上直意舍刺灸分壯如意舍法肓門在第十三椎下兩傍上直胃倉刺同胃倉可灸三十壯○新校正云按肓門灸三十壯与甲乙經同水穴注作灸三壯○志室在第十四椎下兩傍上直肓門正坐取之刺灸分壯如魄户法胞肓在第十九椎下兩傍上直志室伏而取之刺灸分壯如魄户法○新校正云按志室胞肓灸[illegible]魄户五壯甲乙經作三壯水穴注亦作二壯熱穴注志室亦[illegible]壯秩邊在第二十一椎下兩傍上直胞肓伏而取之刺灸[illegible]

魄户法諺譆止衣下喜

五藏之俞各五，六府之俞各六

肺俞在弟三椎下两傍俠脊相去各同身寸之一寸半刺可入同身寸之三分留七呼若灸若可灸三壯心俞在弟五椎下两傍相去及刺如脾俞法留七呼肝俞在弟九椎下两傍相去及刺如心俞法留六呼脾俞在弟十一椎下两傍相去及刺如肝俞法留七呼腎俞在弟十四椎下两傍相去及刺如脾俞法留七呼胆俞在弟十椎下两傍相去及刺如肺俞法正坐取之刺可入同身寸之五分留七呼胃俞在弟十二椎下两傍相去及刺如脾俞法留七呼三焦俞在弟十三椎下两傍相去及刺如胆俞法大腸俞在弟十六椎下两傍相去及刺如肺俞法留六呼小腸俞在弟十八椎下两傍相去及刺如心俞法留六呼膀胱俞在弟十九椎下两傍相去及刺如腎俞法留六呼五藏六府之俞若灸若逆可灸三壯○新校正云詳或有疑經中各五各六以各字為誤若非也所以言各者胃左右各五各六非胃每藏府而各五各六也

委中以下至足小指傍各六俞

胃委中崑崙京骨束骨通谷至阴六穴也左右言之則十二俞也共所在刺灸如気穴法經言脈気所發者七十八穴今此所有兼亡者九十三穴由北則大數差錯傳寫有誤也○新校正云詳王氏云兼亡者九十三穴今兼大漏灵門風池為九十九穴以此王氏總數考之明知此三穴後之妄增也

足少陽脈氣所發者六十二穴，两角上各二

謂天衝曲鬢左右各二也天衝在耳上如前同身寸之三分足太陽少陽二脈之会刺可入同身寸之三分若灸者可灸三壯曲鬢在耳上入髮際曲陽陷者中鼓頷有空足太陽少陽

二穴之会刺灸如天衝法

直目上髮際內各五謂臨泣目窗正營承靈腦空左右足也臨泣在直目上入髮際同身寸之五分足太陽少陽陽維三脈之会留七呼目窗在臨泣後同身寸之一寸正營在目窗後同身寸之一寸承靈在正營後同身寸之一寸半腦空在承靈後同身寸之一寸半俠枕骨後枕骨上並足少陽陽維二脈之会刺可入同身寸之四分餘並刺可入同身寸之三分若灸者並可灸五壯○新校正云按腦空在枕骨上枕骨上甲乙經作玉枕骨下

耳前角上各一謂頷厭二穴也在曲角下顳顬之上上廉手足少陽足陽明三脈之会刺可入同身寸之七分留七呼若灸者可灸三壯刺深令人耳無所聞顳仁涉反顬汝車反

耳前角下各一謂懸釐二穴也在曲角上顳顬之下廉手足少陽陽明刺脈之交会刺可入同身寸之三分留七呼若灸者可灸三壯○新校正云按後手少陽中云角上此云角下必有一誤

銳髮下各一謂和髎二穴也在耳前銳髮下橫動脈手足少陽二脈之会刺可入同身寸之三分若灸者可灸三壯○新校正云按甲乙經終手足少陽手太陽之会

客主人各一客主人穴名也在耳前上廉起骨開日有空下足少陽足陽明三脈之会刺可入同身寸之三分留七呼若灸者可灸三壯○新校正云按甲乙經及氣穴注刺禁注並云手少陽足陽明之会與此異

耳後陷中各一謂翳風二穴也在耳後陷者中按之引耳中手足少陽二脈之会刺可入同身寸之三分若灸者可灸三壯

下關各一下關穴各迫所在刺灸氣穴論法

耳下牙車之後各一謂頰車二穴也刺灸分

氣穴同法

缺盆各一 缺盆穴名也在肩上横骨陷者中足陽明脉氣所發刺可入同身寸之二分留七呼若灸者可灸三壯大深令人逆息○新校正云按骨空注作手陽明

掖下三寸脇下至胠八間各一 掖下三寸同身寸也掖下謂淵掖輒筋天池掖下至胠則日月章門帶脉五樞維道居髎九穴也左右共十八穴也淵掖在掖下同身寸之三寸足少陽脉氣所發舉臂得之刺可入同身寸之三分禁不可灸輒筋在掖下同身寸之三寸復前行同身寸之一寸著脇○新校正云按甲乙經掖作脇下同足少陽脉氣所發刺可入同身寸之六分若灸者可灸三壯天池在乳後同身寸之二寸○新校正云按甲乙經作一寸掖下三寸著脇直掖撅肋間手心主足少陽二脉之會刺可入同身寸之三分○新校正云按甲乙經作七分若灸者可灸三壯日月膽募也在第二肋端横直心蔽骨傍各同身寸之二寸五分上直兩乳○新校正云按甲乙經云日月在期門下五分○足太陰少陽二脉之會刺可入同身寸之七分若灸者可灸五壯章門脾募也在季肋端足厥陰少陽二脉之會側卧屈上足伸下足舉臂取之刺可入同身寸之八分留六呼若灸者可灸三壯帶脉在季肋下同身寸之一寸八分手少陽帶脉二經之會刺可入同身寸之六分若灸者可灸五壯五樞在帶脉下同身寸之三寸足少陽帶脉二經之會刺可入同身寸之一寸若灸者可灸五壯維道在章門下同身寸之五寸三分足少陽帶脉二經之會刺灸分壯如章門法居髎在章門下同身寸之四寸三分髎骨上○新校正云按甲乙經作監骨上陷者中陽蹻足少陽二脉之會刺灸分壯如維道法所以謂之八間者自掖下三寸至季肋凡八肋有

樞中傍各一□□二穴也刺灸分壯氣穴同法〇新校正□按氣穴論云兩髀厭分中王注為環銚穴入中□主□銚在髀樞中今云髀樞中傍各一者善謂此穴在髀樞□也傍各一者謂左右各一穴也非謂環銚在髀樞中傍也□

以下至足小指次指各六俞謂陽陵泉陽輔丘虛臨泣俠谿竅陰六穴也左右言之則十二俞也其所在刺灸分壯氣穴同法

足陽明脈氣所發者六十八穴額顱髮際傍各三謂懸顱陽白頭維左右共六穴也正面髮際橫行數之懸顱在曲角上顳顬之中足陽明脈氣所發刺入同身寸之三分留三呼若灸者可灸三壯陽白在眉上同身寸之一寸直瞳子足陽明陰維二脈之會刺可入同身寸之三分灸三壯頭維在額角髮際俠本神兩傍各同身寸之一寸五分足少陽陽明二脈之交會刺可入同身寸之五分禁不可灸〇新校正云按甲乙經陽白足少陽陽維之會今王氏注云足陽明陰維之會詳此在足陽明脈氣所發中則足陽明近是然陽明經不到此又不與陽維會故王注非甲乙經為得矣

面鼽骨空各一謂四白穴也在目下同身寸之一寸足陽明脈氣所發刺可入同身寸之四分不可灸〇新校正云按甲乙經刺入二分灸七壯

大迎之骨空各一大迎穴名也在曲頷前同身寸之一寸三分骨陷者中動脈足陽明脈氣所發刺可入同身寸之三分留七呼若灸者可灸三壯

人迎各一人迎穴名也在頸俠結喉傍大脈動應手足陽明脈氣所發刺可入同身寸之四分過深殺人禁不可灸

缺盆外骨空各一謂天髎二穴也在肩缺盆

中上伏骨之陬陷者中手足少陽々維三脈之會刺可入同身寸之八分若灸者可灸三壯○新校正云按甲乙經伏骨作毖骨窓竒膺中骨間各一謂膺窓等六穴也膺窓在胸兩傍俠中行各相去同身寸之四寸巨骨下同身寸之四寸八分陷者中足陽明脈氣所發仰而取之刺可入同身寸之四分若灸者可灸五壯此穴之上又有氣戶庫房屋翳下又有乳中乳根氣戶在巨骨下下直膺窓去膺窓上同身寸之四寸八分庫房在氣戶下同身寸之一寸六分屋翳在氣戶下同身寸之三寸二分下即膺窓去膺窓之下即乳中也乳中穴下同身寸之一寸六分陷者中則乳根穴也並足陽明脈氣所發仰而取之乳中禁不可灸刺灸刺之不幸生蝕瘡々中有清汁膿血者可治瘡中有瘜肉若蝕瘡者死餘五穴並刺可入同身寸之四分若灸者可灸三壯○新校正云按甲乙經灸五壯俠鳩尾之外當乳下三寸俠胃脘各五謂不容承滿梁門關門太一五穴也左右共一十也俠腹中行兩傍相去各同身寸之四寸○新校正云按甲乙經云各二寸疑此注剩各字不容在第四肋端下至太一各上下相去同身寸之一寸並足陽明脈氣所發刺可入同身寸之八分若灸者可灸二壯○新校正云按甲乙經不容刺入五分此云並入八分疑此注誤俠齊廣三寸各三廣謂去齊橫廣也廣三寸者各如太一之遠近也各三者謂滑肉門天樞外陵也滑肉門上下同身寸之一寸正當齊外陵在天樞下同身寸之一寸並足陽明脈氣所發天樞刺可入同身寸之五分留七呼滑肉門外陵各刺可入同身寸之八分若灸者並可五壯○新校正云按甲乙經天樞在齊傍各三寸

工□□□□下曰外陵是三穴者去齊各三寸也今此注注云去二□□問甲乙經不同然甲乙經分寸與諸書同特此經爲異也

下齊二寸俠之各三

下齊二寸則外陵下同身寸之一寸大巨穴也各三者謂大巨水道歸來也大巨在外陵下同身寸之一寸足陽明脈氣所發刺可入同身寸之八分若灸者可灸五壯水道在大巨下同身寸之三寸足陽明脈氣所發刺可入同身寸之二寸半若灸者可灸五壯歸來在水道下同身寸之二寸刺可入同身寸之八分若灸者可灸五壯

氣街動脈各一

氣街穴名也在歸來下鼠鼷上同身寸之一寸脈動應手足陽明脈氣所發刺可入同身寸之三分留七呼若灸者可灸三壯○新校正云詳此注與甲乙經同刺熱注及熱穴注云氣街在腹臍下橫骨兩端鼠鼷上刺禁論注在腹下俠齊兩傍相去四寸鼠鼷上骨空注云在毛際兩傍鼠鼷上諸注不同今備錄之

伏菟上各一

謂髀關一穴也在膝上伏菟後交分中刺可入同身寸之六分若灸者可灸三壯

三里以下至足中指各八俞分之所在穴空

謂三里上廉下廉解谿衝陽陷谷內庭厲兌八穴也左右言之則十六俞也上廉足陽明與大腸合下廉足陽明與小腸合其所在刺灸分刺與氣穴同法所謂分之所在穴空者足陽明脈自三里穴分而下行其直者循脛過跗入中指出其端則厲兌也其支者與直俱行至足跗上入中指次間故云分之所在穴空也之往也言分而各行達指間穴空處也

手太陽脈氣所發者三十六穴目內眥各一

謂睛明二穴也在目內眥手太陽足陽明陰蹻陽蹻五脈之會刺

可入同身寸之一分留六呼若灸者可灸三壯諸穴有云散脉会發而不於所会刺脉下言之者出從其正者也

目外各一謂瞳子髎二穴也在目外去皆同身寸之五分手太陽手足少陽三脉之会刺可入同身寸之三分若灸者可灸三壯

鼽骨下各一謂顴髎二穴也鼽頄也頄面顴也在面頄骨下陷者中手太陽少陽二脉之会刺可入同身寸之三分頄音仇

耳郭上各一謂角孫二穴也在耳上郭表之中間上髮際之下開口有空手太陽手足少陽三脉之会刺可入同身寸之三分若灸者可灸三壯○新校正云按甲乙經手太陽作手陽明

耳中各一謂聽宮二穴也所在刺灸分壯與氣穴同法

巨骨穴各一戸骨分名也在肩端上行兩叉骨間陷者中手陽明蹻脉二經之会刺可入同身寸之一寸半若灸者可灸三壯○新校正云按甲乙經作五壯

曲腋上骨穴各一謂臑俞二穴也在肩臑後大骨下胛上廉陷者中手太陽陽維蹻脉三經之会舉臂取之刺可入同身寸之八分若灸者可灸三壯○新校正云按甲乙經作手足太陽

柱骨上陷者各一謂肩井二穴也在肩上陷解中缺盆上大骨前手足少陽陽維二脉之会刺可入同身寸之五分若灸者可灸三壯

上天窗四寸各一謂天窗竅陰四穴也所在刺灸分壯與氣穴同法

肩解各一謂秉風二穴名在肩上小髃骨後舉臂有空手太陽陽明手足少陽四脉之会舉臂取之刺可入同身寸之五分若灸者可灸三壯○新校正云按甲乙經灸五壯

肩解下三寸各一謂天宗二穴也在秉風後大骨下陷者中手太陽脉氣所發刺可入同身

寸之五分留六呼若灸者可灸三壯

肋以下至手小指本各六俞

六俞所起於指總言不小指本以端為本言上之本也下文陽明之陽同也六俞謂小海陽谷腕骨後谿前谷少澤六穴也左右言之則十一俞也其所在刺灸分壯氣穴同法○新校正云按此手太陽陽明少陽三經各言至手其指本王注以端為本者非也詳手三陽之井穴盡出手某指之端爪甲下際此言本者是逐指爪甲之本也又安得以端為本扒

鼻空外廉項上各二

謂迎香扶突各二穴也迎香在鼻下孔傍手足陽明二脈之會刺可入同身寸之三分扶突在曲頰下同身寸之二寸人迎後手陽明脈氣所發仰而取之刺可入同身寸之四分若灸者可灸三壯

大迎骨空各一

大迎穴名也在曲頷前同身寸之一寸三分骨陷者中動脈足陽明脈氣所發刺可入同身寸之三分留七呼若灸者可灸三壯○新校正云詳大迎穴已見前足陽明經中今又見於此王氏不注所以當如顴髎穴兩出之義

柱骨之會各一

謂天鼎二穴也在頸缺盆上直扶突氣舍後同身寸之半寸手陽明脈氣所發刺可入同身寸之四分若灸者可灸三壯○新校正云按甲乙經作一寸半

髃骨之會各一

謂肩髃二穴也所在刺灸分壯與氣穴同法○新校正云按髃骨氣穴注中无刺熱注水熱穴注骨空論注中有之

肋以下至手大指次指本各六俞

謂三里陽谿合谷三間二間商陽六穴也左右言之則十二俞也所在刺灸分壯與氣穴同法○新校正云按氣穴論注有曲池而无三里曲池手

門明之合也此誤出三里而迂曲迪也

手少陽脈氣所發者三十二穴：鼽骨下各一，謂顴髎二穴也所在刺灸分壯与手少陽脉同法此穴中手少陽太陽脉氣俱会於中手足陽明重說於此下有者同眉後各一，謂絲竹空二穴也在眉後陷者中手少陽脉氣所發刺可入同身寸之三分留六呼不可灸灸之不幸此人目小及盲○新校正云按甲乙經手少陽作足少陽留六呼作三呼角上各一，謂懸釐二穴也此与足少陽脉中同以是二脉之会也○新校正云按足少陽脉中言角下此云角上疑誤下完骨後各一，謂天牖二穴也所在刺灸分壯与氣穴同項中足太陽之前各一，謂風池二穴也在耳後陷者中按之引於耳中手足少陽脉之会刺可入同身寸之四分若灸者可灸三壯○新校正云按甲乙經在顳顬後髮際足少陽陽維之会刺可入三分俠扶突各一，謂天窗二穴也在曲頰下扶突後動脉應手陷者中手太陽脉氣所發刺可入同身寸之六分若灸者可灸三壯肩貞各一，肩貞穴名也在肩曲胛下兩骨解間肩髃後陷者中手太陽脉氣所發刺可入同身寸之八分若灸者可灸三壯肩貞下三寸分間各一，謂肩髎臑会消濼各二穴也其穴各在肉分間也肩髎在肩端臑上斜舉臂取之手少陽脉氣所發刺可入同身寸之七分若灸者可灸三壯臑会在臂前廉去肩入同身寸之三寸手陽明少陽二絡氣之会刺可入同身寸之五分灸者可灸五壯消濼在肩下臂外關腋斜肘分下行間手少陽脉之会刺可入同身寸之五分若灸者可灸三壯肘以下至手小指次指本各六俞謂天井支溝陽池中渚液門關衝六穴[illegible]左右言之則十二俞也所在刺灸分壯[illegible]身穴同法

督脈氣所發者二十八穴今少一穴○新校正云按今陽[illegible]穴為二十九穴乃剌一穴非少也少當作剌字

項中央二是謂風府瘖門二穴也悉在項中餘二穴今亡風府在項上入髮際同身寸之一寸大筋內宛々中督脈陽維之會剌可入同身寸之四分留三呼不可妄灸々之不幸令人瘖々門在項髮際宛々中去風府同身寸之一寸督脈陽維二經之會仰頭取之剌可入同身寸之四分禁不可灸々之令人瘖○新校正云按王氏云風府瘖門悉在項中餘一穴今亡者非謂此二十八穴中亡一穴也王氏蓋見氣穴論大椎上兩傍各一穴亦在項之穴也今亡故云餘一穴今亡也

髮際後中八謂神庭上星顖會前頂百會後頂強間腦戶八穴也其正髮際之中也神庭在髮際直鼻督脈足太陽々明脈々經之會禁不可剌若剌之令人癲疾目失睛若灸者可灸三壯上星在顖上直鼻中央入髮際同身寸之一寸陷者中容豆顖會在上星後同身寸之一寸陷者中前頂在顖會後同身寸之一寸五分骨間陷容指督脈足太陽之交會後頂在百會後同身寸之一寸五分強間在後頂後同身寸之一寸五分腦戶在強間後同身寸之一寸五分督脈足太陽之會不可灸此八者並督脈氣所發也上星百會強間腦戶各剌可入同身寸之二分上星留六呼腦戶留三呼餘並剌可入同身寸之四分若灸者可灸五壯○新校正云按甲乙經腦戶不可灸骨空論注云不可妄灸

面中三謂素髎水溝齦交三穴也素[illegible]在鼻柱上端督脈氣所發剌[illegible]

入同身寸之三分水溝在鼻柱下人中直唇取之督脉手阳明之会刺可入同身寸之三分留六呼若灸者可灸三壮断交在唇内齒上断縫督脉任脉二经之会可逆刺之入同身寸之三分若灸者可灸三壮此三者正居面左右之中也**大椎以下至尻尾及傍十五穴**脊椎之間有大椎陶道身柱神道灵臺至阳筋縮中樞脊中懸樞命門阳関腰俞長強会陽十五俞也大椎在第一椎上陷者中三阳督脉之会陶道在項大椎節下間督脉足太阳之会俛而取之身柱在第三椎節下間俛而取之神道在第五椎節下間俛而取之灵臺在第六椎節下間俛而取之至阳在第七椎節下間俛而取之筋縮在第九椎節下間俛而取之中樞在第十椎節下間俛而取之脊中在第十一椎節下間俛而取之禁不可灸令人僂懸樞在第十三椎節下間俛而取之命門在第十四節下間伏而取之阳関在第十六椎節下間坐而取之腰俞在第二十一椎節下間長強在脊骶端督脉別絡少陰二脉所結会陽在陰尾骨两傍凡此十五穴並督脉氣所發腰俞長強各刺可入同身寸之二分○新校正云按甲乙經作二寸水穴論注作二分腰俞穴繆刺論注作二寸熱穴注作二寸刺熱注作二分諸注不同灸甲乙經作二寸繞太深與其失之深不若失之淺宜作二分之說○留七呼懸樞刺可入同身寸之三分会陽刺可入同身寸之八分餘並刺可入同身寸之五分陶道神道各留五呼陶道身柱神道筋縮可灸五壮大椎可灸九壯餘並可三壯○新校正云按甲乙經无灵臺中樞阳関三陽一**至骶下凡二十一節脊椎法也**通項骨三節即二十四節**任脉之氣所發者二**

六穴今少一穴喉中央二謂廉泉天突二穴也廉泉在頷下結喉[illegible]舌本下陰維任脈之会刺可入同身寸[illegible]
三分留三呼若灸者可灸三壯天突在頸結喉下同身寸之四寸中央宛宛中陰維任脈之会低針取之刺可入同身寸之一寸留
七呼若灸者可灸三壯膺中骨陷中各一謂璇璣華蓋紫宮玉堂膻中中庭六穴也璇璣在天突下同身寸之
一寸華蓋在璇璣下同身寸之一寸紫宮玉堂膻中中庭各相去同身寸之一寸六分陷者中並任脈氣所發仰而取之各刺可入
同身寸之三分若灸者可灸五壯鳩尾下三寸胃脘五寸胃脘以下至橫骨六寸
半一新校正云詳一字疑誤腹脈法也鳩尾心前穴名也其正當心蔽骨之端言其骨垂下如鳩鳥尾形故以為
名也鳩尾下有鳩尾巨闕上脘中脘建里下脘水分斉中陰交脖胦丹田關元中極曲骨十四俞也鳩尾在臆前蔽骨下同身寸之
五分任脈之別不可灸刺人無蔽骨者從岐骨際下行同身寸之一寸○新校正云按甲乙經云一寸半為鳩尾処也下次巨闕上
脘中脘建里下脘水分遞相去同身寸之一寸上脘則足陽明手太陽之会中脘則手太陽少陽足陽明三脈所生也斉中禁不可
刺若刺之使人斉中惡瘍潰矢出者死不治陰交在斉下同身寸之一寸任脈應衝之会脖胦在斉下同身寸之一寸半丹田三焦
募也在斉下同身寸之二寸關元小腸募也在斉下同身寸之三寸足三陰任脈之会也中極在關元下一寸足三陰之会也曲骨
在橫骨上中極下同身寸之一寸足厥陰之会凡此十四者並任脈氣所發建里所由並刺可入同身寸之六分留七呼○新校正

云按甲乙經作五分十呼〇上脘陰交並刺可入同身寸之八分下脘水分並刺可入同身寸之一寸中脘脖胦並刺可入同身寸之一寸二分曲骨刺可入同身寸之一寸半留七呼餘並刺可入同身寸之一寸二分若灸者關元中脘各可灸七壯齊中中極曲骨各三壯餘並可五壯自鳩尾下至陰間並任脈主之腹脈法也〇新校正云按此注云餘並刺入一寸二分関元在中乎中乙經及氣穴骨空注刺入二寸不同當從甲乙經之寸數

下陰別一

謂會陰一穴也自曲骨下至陰陰之下兩陰之間則此穴也足任脈別絡俠督脈者衝脈之會故曰下陰別一也刺可入同身寸之二寸留七呼若灸者可灸三壯〇新校正云按甲乙經七呼作三呼

目下各一

謂承泣二穴也在目下同身寸之七分上直瞳子陽蹻任脈足陽明三經之會刺可入同身寸之三分不可灸

下脣一

謂承漿穴也在頤前下脣之下足陽明脈任脈之會開口取之刺可入同身寸之二分留五呼若灸者可灸三壯〇新校正云按甲乙經作六呼

齗交一

斷交穴名也訢在刺灸分非與脈法同

衝脈氣所發者二十二穴俠鳩尾外各半寸至齊寸一

謂幽門通谷陰都石關商曲肓俞六穴左右則十二穴也幽門俠巨闕兩傍相去各同身寸之半寸陷者中下五穴各相去同身寸之一寸並衝脈足少陰二經之會各刺可入同身寸之一寸若灸者可灸五壯〇新校正云按此云各刺入一寸按甲乙經云幽門通谷刺入五分

俠齊下傍各五分至橫骨寸一腹脈法也

謂中注髓府胞門陰關下極五穴左右則十穴也中注在肓俞下同身

之五分上在幽門下四穴各刺去同身寸之一寸並衝脈足少陰二經之會各刺可入同身寸之一寸若灸者可灸五壯

足少陰舌下厥陰毛中急脈各一足少陰舌下二穴在人迎前陷中動脈前是曰舌本左右二也足少陰脈氣所發刺可入同身寸之四分急脈在陰髦中陰上兩傍相去同身寸之二寸半按之隱指堅然甚按則痛引上下也其左者中寒則上引少腹下引陰丸善為痛為小腹急中寒此兩脈皆厥陰之大絡通行其中故曰厥陰急脈即睪之系也可灸而不可刺病疝少腹痛即可灸○新校正云詳舌下毛中之穴甲乙經無

手少陰各一謂手少陰郄穴也在腕後同身寸之半寸手少陰郄也刺可入同身寸之三分若灸者可灸三壯左右二也

陰陽蹻各一陰蹻一謂交信穴也交信在足內踝上同身寸之二寸少陰前太陰後筋骨間陰蹻之郄刺可入同身寸之四分留五呼若灸者可灸三壯陽蹻一謂跗陽穴也附陽在足外踝上同身寸之三寸太陽前少陽後筋骨間謹取之陽蹻之郄刺可入同身寸之六分留七呼若灸者可灸三壯左右四也

手足諸魚際脈氣所發者凡三百六十五穴也經之所有者多凡一十九穴此所謂氣府也然散穴俞諸經脈部分皆有之故經或不言而甲乙經亡脈流注多少不同者以此

●骨空論篇第六十

新校正云按全元起本在第二卷自灸寒熱之法已下在第六卷刺齊篇末

黃帝問曰余聞風者百病之始也以鍼治之奈何岐伯對曰

風從外入令人振寒汗出頭痛身重惡寒風中身形則腠理閉密陽氣內拒寒復外勝上
拒相薄榮衛失所故如是治在風府風府穴也在項上入髮際同身寸之一寸宛宛中督脈足太陽之會刺可入同身寸
之四分若灸者可灸五壯〇新校正云按風府注氣穴論中各已注今甲乙經同此注二行脈注太陽之会可灸五壯者乃
是風門熱府穴也當云督脈陽維之會留一呼不可灸乃是調其陰陽不足則補有餘則寫用鍼
之道必法天常盛寫虛補此其常也大風頸項痛刺風府風府在上椎上椎謂大椎上入髮際同
身寸之一寸大風汗出灸譩譆譩譆在背下俠脊傍三寸所厭之令病
者呼譩譆譩譆應手譩譆穴也在肩髆內廉俠第六椎下兩傍各同身寸之三寸以手厭之令病人呼譩譆之
言則指下動矣足太陽脈氣所發刺可入同身寸之六分留七呼若灸者可灸五壯譩譆者因取為名小膊肓傍從風憎
風刺眉頭謂攢竹穴也在眉頭陷者中脈動應手足太陽脈氣所發刺可入同身寸之三分若灸者可灸三壯失枕
在肩上橫骨間謂缺盆穴也在肩上橫骨陷者中手陽明脈氣所行發刺可入同身寸之二分留七呼若灸者可灸
三壯刺入深令人逆息〇新校正云按氣府注作足陽明此云手陽明詳二經俱發於此故王注兩言之折使揄臂齊
肘正灸脊中揄讀為搖搖謂搖動也然失枕非獨取肩上橫骨間亦當正形灸脊中也欲而驗之則使搖動其臂屈折

此脈自項之下循脊入脊端當其中間則其處也其穴則陽關在第十六椎節下間督脈氣所發刺可入同身寸之五分若灸者可灸三壯○新校正云詳陽關穴甲乙經無

眇絡季脇引少腹而痛脹刺譩譆眇謂俠脊兩傍空軟處也

少腹齊下也

腰痛不可以轉搖急引陰卵刺八髎與痛上八髎在腰尻分間八或為九驗真骨及中誥孔穴經止有八髎無九髎也分謂腰尻筋肉分間陷下處

鼠瘻寒熱還刺寒府寒府在附膝外解營膝外骨間也屈伸之處寒氣喜中故名寒府也解謂骨解營謂深刺而必中其營也

取膝上外者使之拜取足心者使之跪拜而取者使膝外空開也跪而取之者令足心宛宛處深穴也

任脈者起於中極之下以上毛際循腹裏上關元至咽喉上頤循面入目新校正云按難經甲乙經無上頤循面入目六字

衝脈者起於氣街並少陰之經新校正云按難經甲乙經作陽明經

俠齊上行至胸中而散任脈衝脈皆奇經也任脈當齊中而上行衝脈俠齊兩傍而上行然中極者謂齊下同身寸之四寸也言中極之下者言中極從少腹之內上行而外出於毛際而上非謂本起於此也關元者謂齊下同身寸之三寸也氣街者穴名也在毛際兩傍鼠鼷上同身寸之一寸也言衝脈起於氣街者亦從少腹之內與任脈並行而至於足乃循腹也何以言之鍼經曰衝脈者十二經之海與少陰之絡起於腎下出於氣街又曰衝脈任

脉者皆起於胞中上循脊裏為經絡之海其浮而外者循腹各行会
於咽喉別而絡唇口血氣盛則皮膚熱血獨盛則滲灌皮膚生毫
毛曲此言之則任脈衝脈從少腹之內上行至中極之下氣街之
內明矣○新校正云按氣衝与氣府論刺熱篇水熱穴篇刺禁論
等注重文魚不同處所无別備注氣府論中任脈為病男子內結七疝女子帶下瘕聚
衝脈為病逆氣裏急督脈為病脊強反折督脈亦奇經也然任脈衝脈督脈者一源而三
岐也故經或謂衝脈為督脈也何以明之今甲乙及古經脈流注
圖經以任脈循背者謂之督脈自少腹直上者謂之任脈亦謂之
督脈是則以背腹陰陽別為名目爾以任脈自胞上過帶脈貫齊
而上故男子為病內結七疝女子為病則帶下瘕聚也以衝脈俠
齊而上並少陰之經上至胸中故衝脈為病則逆氣裏
急也以督脈上循脊裏故督脈為病則脊強反折也督脈者起
於少腹以下骨中央女子入繫廷孔起非初起亦猶任脈衝脈起於胞中也其實乃起於腎下
至於少腹則下行於腰橫骨圍之中央也繫廷孔者謂
窈漏近所謂前陰穴也以其陰廷繫屬於中故名之其孔溺孔
之端也孔則窈漏也窈漏之中其上有溺孔焉端謂陰廷在此溺孔之上端也而督脈自骨圍中央則至於是其絡
循陰器合篡間繞篡後督脈別絡自溺孔之端分而各行下循陰器乃合篡間也所謂間者謂前陰後陰之
兩間也自兩間之後已復分而行繞篡之後別繞臀至少陰與巨陽中絡者合少陰上

股内後廉貫脊屬腎別謂別絡分而各行之於焦也足少陰之絡者自股内後廉貫脊屬腎足太陽絡之外行者循髀樞絡股陽而下其中行者下貫臀至膕中與外行絡合故言至少陰與巨陽中絡合少陰上股内後廉貫脊屬腎也新校正云詳各行於焦疑焦字誤與太陽起於目内眥上額交巔上入絡腦還出別下項循肩髆内俠脊抵腰中入循膂絡腎接繞臀而上行也其男子循莖下至篡與女子等其少腹直上者貫齊中央上貫心入喉上頤環脣上繫兩目之下中央自與太陽起於目内眥下至女子等並督脈之別絡也其直行者自尻上循脊裏而至於鼻人也自其少腹直上至兩目之下中央並任脈之行而云是督脈所繫由此言之則任脈衝脈督脈名異而同一体也此生病從少腹上衝心而痛不得前後為衝疝尋此生病正是任脈云為衝疝者正明督脈以別主而異目也何者一脈一氣而无阴阳之異主則此生病者當心背俱痛豈獨衝心而為疝乎其女子不孕癃痔遺溺嗌乾亦以衝脈任脈並自少腹上至於咽喉又以督脈循阴器合篡間繞篡後別繞臀故不孕癃痔遗溺嗌乾也所以謂之任脈者女子得之以任養也故經云此病其女子不孕也所以謂之衝脈者以其氣上衝也故經云此生病從少腹上衝心而痛也所以謂之督脈者以其督經於脈之海也由此三相故一源三歧經或通呼似相濫引故下文向督脈生病

督脉治在骨上甚者在齊上營

此亦正任脉之分也衝任督三脉異名同體亦明矣骨上謂橫骨上髮際中曲骨穴也任脉足厥陰之会刺可入同身寸之一寸半若灸者可灸三壯齊下謂齊直下同身寸之一寸陰交穴任脉陰衝之会刺可入同身寸之八分若灸者可灸五壯

其上氣有音者治其喉中央在缺盆中者

中謂缺盆兩間之中天突穴在頸結喉下同身寸之四寸中央宛宛中陰維任脉之会低針取之刺可入同身寸之一寸留七呼若灸者可灸三壯

其病上衝喉者治其漸漸者上俠頤也

陽明之脉漸上頤而環脣故以俠頤名為漸也是謂大迎大迎在曲頷前骨同身寸之一寸三分陷中動脉足陽明脉氣所發刺可入同身寸之三分留七呼若灸者可灸三壯

蹇膝伸不屈治其楗

蹇膝謂膝痛屈伸蹇難也楗謂髀輔骨上橫骨下股外之中側立搖動取之筋動應手楗音健

坐而膝痛治其機

髖骨兩傍相接處

立而暑解治其骸關

暑熱也若膝痛立而膝骨解中熱者治其骸關骸關謂膝解也一經云起而引解言膝痛起立痛引膝骨解之中也起引二字其義則異起立二字其意順同

膝痛痛及拇指治其膕

膕謂膝解之後曲腳之中委中穴背面取之脉動應手足太陽脉之所入刺可入同身寸之五分留七呼若灸者可灸三壯

坐而膝痛如物隱者治其關

關在膕上當楗之後背立按之以動搖筋應手

膝痛不可屈伸治其背內

謂大杼穴也所在灸刺分兩與氣穴同法

連䯒若折，治陽明中俞髎。若膝痛不可屈伸連䯒痛如折者則陽明脈中俞髎也足則正取三里穴也

若別，治巨陽少陰榮。若痛而膝如別離者則治足太陽少陰之榮也足太陽榮通谷也在足小指外側本節前陷者中刺可入同身寸之一分留五呼若灸者可灸三壯足少陰榮然谷也在足內踝前起大骨下陷者中刺可入同身寸之三分留三呼若灸者可灸三壯

淫濼脛痠，不能久立，治少陽之維，新校正云按甲乙經外踝上五寸足少陽之絡此云維者字之誤也在外上五寸。淫濼謂似酸痛而無力也五寸一云四寸中誤絡外踝上四寸孔穴五寸是光明穴也足少陽之絡刺可入同身寸之七分留十呼若灸者可灸五壯（）新校正云按甲乙經云刺入六分留七呼

輔骨上，橫骨下為楗，俠髖為機，膝解為骸關，俠膝之骨為連骸，骸下為輔，輔上為膕，膕上為關，頭橫骨為枕。由是則謂膝輔骨上腰髖骨下為楗楗上為機膝外為骸關楗後為關二下為膕二下為輔骨輔骨上為連骸連骸者是骸骨相連接處也頭上之橫骨為枕骨

水俞五十七穴者，尻上五行，行五；伏菟上兩行，行五；左右各一行，行五；踝上各一行，行六穴。所在刺灸分壯具水熱穴論中此皆是骨空故氣穴篇內與此重言爾

髓空在腦後五分，在顱際銳骨之下，是謂風府通腦中也一在齗基下，當頤下骨陷中有穴容豆

圖經名下頤齗音銀一在項後中復骨下謂瘖門穴也在項髮際宛宛中入系舌本督脈陽維之會仰頭取之
刺可入同身寸之四分禁不可灸一在脊骨上空在風府上上謂腦戶穴也在枕骨上大羽後同身寸
之一寸五分宛宛中督脈足太陽之会此別腦之戶不可妄灸灸之不幸令人瘖刺可入同身寸之三分留三呼○新校正云按甲
乙經大羽者強間之別名氣府注云若灸者可灸五壯脊骨下空在尻骨下空不應主療經闕其名○新
校正云按甲乙經長強在脊骶端正在尻骨下王氏云不應主療經闕其名得非誤乎數髓空在面俠鼻謂顴
髎等穴經不一一指陳其處小小者爾或骨空在口下當兩肩謂大迎穴也所在刺灸分壯與前俠頤同法
兩髆骨空在髆中之陽近肩髃穴經無名臂骨空在臂陽去踝四寸兩骨
空之間在支溝上同身寸之一寸是謂通間○新校正云按甲乙經支溝上一寸名三陽絡通間豈其別名歟股骨
上空在股陽出上膝四寸在陰市中伏菟穴下在承捷也骭骨空在輔骨之上端
謂犢鼻穴也在膝臏下骭骨上俠解大筋中足陽明脈氣所發刺可入同身寸六分灸若可灸三壯股際骨空在毛
中動下經闕其名尻骨空在髀骨之後相去四寸是謂尻骨上八髎穴也扁骨有
滲理湊無髓孔易髓無空扁骨謂尻間扁戾骨也其骨上有滲灌文理歸湊之无別髓孔也易亦也骨有

空則髓有孔骨若无孔髓亦无孔也灸寒熱之法先灸項大椎以年為壯數[illegible]入之年數

次灸橛骨以年為壯數尾窮謂之所門視背俞陷者灸之背胛骨際有陷處也舉臂

肩上陷者灸之肩髃穴也有肩端西骨間手陽明蹻脈之会刺可入同身寸之六分留六呼若灸者可灸三壯也

兩季脇之間灸之京門穴腎募也在髂骨與腰中季脇本俠脊刺可入同身寸之三分留七呼若灸者可灸三壯

外踝上絕骨之端灸之陽交穴也在足外踝上輔骨前絕骨之端如前同身寸之三分所去丘虛七寸足少

陽脉之所行也刺可入同身寸之五分留七呼若灸者可灸三壯○新按正云按甲乙經云在外踝上四寸足小指次

指間灸之夾谿穴也在足小指次指岐骨間本節前陷者中足少陽脉之所流也刺可入同身寸之三分留三呼若灸者

可灸三壯○新按正云按甲乙經流當作留字腨下陷脉灸之承筋穴也在腨中央陷者中足太陽脉氣所發也禁

不可刺可灸三壯○新按正云按刺腰痛篇注云腨中央如外陷者中外踝後灸之崑崙穴也在足外踝後跟骨上

陷者中細脉動應手足太阳脉之所行也刺可入同身寸之五分留十呼若灸者可灸三壯缺盆骨上切之肩

動如筋者灸之經闕其名當随其所有而灸之膺中陷骨間灸之天突穴也所在灸刺分壯與前

缺盆中者同法掌束骨下灸之阳也穴也在手表、上陷者中手少阳脉之所過也刺可入同身寸之二分留六呼若灸者可灸三壯齊下關元三寸灸之正在齊下同身寸之三寸足三陰任脈之会刺可入同身寸之二寸留七呼若灸者灸七壯○新校正云按气府注云刺可入一寸二分者非毛際動脈灸之以脈動應手為處即気街穴也膝下三寸分間灸之三里穴也在膝下同身寸之三寸䯒骨外廉兩筋肉分間足陽明脈之所入也刺可入同身寸之一寸留七呼灸者可灸三壯足陽明跗上動脈灸之衝陽穴也在足跗上同身寸之五寸骨間動脈足阳明脈之所過也刺可入同身寸之三分留十呼若灸者可灸三壯○新校正云按甲乙經及全九起本足阳明正若灸之二字井附上動脈是二穴今王氏去灸之二字則見二穴今於注中却存灸之二字以闕疑耳巔上一灸之百会穴也在項中央旋毛中陷容指督脈足太阳脈之交会刺可入同身寸之三分若灸者灸五壯犬所齧之處灸之三壯即以犬傷病法灸之犬傷而發寒熱者即以犬傷欲三壯灸之齧處結反凡當灸二十九處傷食灸之傷食為病所發寒熱故灸○新校正云按足陽明不別灸則有二十八處疑乏泝去上若灸之二字者非不已者必視其經之過於陽者數刺其俞而藥之

● 水熱穴論篇第六十一新校正云按全元起本在第八卷

黃帝問曰少陰何以主腎腎何以主水岐伯對曰腎者至陰也至

陰者盛水也肺者太陰也少陰者冬脉也故其本在腎其末在肺
皆積水也陰者謂寒也冬月至寒腎氣合應故云腎者至陰也水王於冬故云至陰者盛水也腎少陰脉從腎上貫肝鬲
入肺中故云其本在腎其末在肺也腎氣上逆則水氣客於肺中故云皆積水也帝曰腎何以能聚水而
生病岐伯曰腎者胃之關也關門不利故聚水而從其類也關者所以
同出入也腎主下焦膀胱為府主其分關竅二陰故腎氣化則陰通二陰閉則胃填滿故云腎者胃之關也關閉則水積水積則
氣停氣停則水生水生精則氣溢氣水同類故云關閉不利聚水而從其類靈樞經曰下焦溢為水此之謂也閟音秘上下
溢於皮膚故為胕腫胕腫者聚水而生病也上謂肺下謂腎肺腎俱溢故聚水於腹中
而生病也帝曰諸水皆生於腎乎岐伯曰腎者牝藏也牝陰也亦主陰位故云牝藏
地氣上者屬於腎而生水液也故曰至陰勇而勞甚則腎汗出腎
汗出逢於風內不得入於藏府外不得越於皮膚客於玄府行於
皮裏傳為胕腫本之於腎名曰風水勇而勞甚謂力房也勞勇汗出則玄府開汗出逢風則玄
府復閉玄府閉已則餘汗未出內狀皮膚傳化為水從風而水故名風水所謂玄府者汗空也汗液色玄從空

醲出以汗聚於裏故謂之玄府上聚也帝曰水俞五十七處者是何主也岐伯曰腎

俞五十七穴積陰之所聚也水所從出入也尻上五行五行者此

腎俞背部之俞凡有五行當其中者督脉氣所發次兩傍四行皆足太阳脉氣也故水病下為胕腫大

腹上為喘呼水下居於腎則腹至足而胕腫上入於肺則喘息賁急而大呼也不得卧者標本俱

病標本者肺為標腎為本如此者是肺腎俱水為病也故肺為喘呼腎為水腫肺為逆不得

卧肺為喘呼氣逆不得卧者以其主呼吸故也腎為水腫者以其主水故也分為相輸俱受者水氣之

所留也分其居處以名之則是氣相輸應本其俱受病氣則皆是水所留也留力救反伏菟上各二行行

五者此腎之街也街謂道也腹部正俞凡有五行俠臍兩傍則腎藏足少阴脉及衝脉氣所發次兩傍則胃府足

陽明脉氣所發此四行穴則伏菟之上也菟音兔三陰之所交結於脚也踝上各一行行

六者此腎脉之下行也名曰大衝腎脉與衝脉並下行循足合而盛大故曰大衝凡五十

七穴者皆藏之陰絡水之所客也經所謂五十七者然尻上五行行五則背脊當中行督脉氣所

發者脊中懸樞命門腰俞長強當其處也次俠督脉兩傍足太陽

脉氣所發者有大腸俞小腸俞膀胱俞中膂内俞白環俞當其處

[illegible]又又刺俠兩傍足太陽脉氣所發者有胃[illegible]任
迫當其處也伏菟上各二行ヒ五者後部正俞俠中行行孫內傍
衝脉足少陰之会者有中注四滿氣穴大赫橫骨當其處也次俠
衝脉足少陰兩傍足陽明脉氣所發者有外陵大巨水道歸來氣
衝當其處也踝上各一行ヒ六者足內踝之上有足少陰ヒ蹻脉
並循臍上行足少陰脉有大鍾復溜陰谷三穴陰蹻脉有照海交
信築賓三穴陰蹻既足少陰脉之別亦可通而主之兼此數之猶
少一穴脊中在第十一推節下間俛而取之刺可入同身寸之五
分不可灸令人僂懸樞在第十三推節下間伏而取之刺可入同
身寸之三分若灸者可灸三壯命門在第十四推節下間伏而取
之刺可入同身寸之五分若灸者可灸三壯腰俞在第二十一推
節下間刺可入同身寸之二分○新校正云按甲乙經及繆刺論
注并熱穴注俱云刺入二寸而刺熱注氣府注并此注作二分宜
從二分之説○留七呼若灸者可灸三壯長強在脊骶端督脉別
絡少陰所結刺可入同身寸之二分留七呼若灸者可灸三壯此
五穴者並督脉氣所發也○新校正云詳王氏云少二穴按氣府
論注十二推節下有陽關一穴若通數陽關則不少矣○次俠督
脉兩傍大腸俞在第十六推下俠督脉兩傍去督脉各同身寸之
一寸半刺可入同身寸之三分留六呼若灸者可灸三壯小腸俞
在第十八推下兩傍相去及刺灸分壯法如大腸俞傍胱俞在第
十九推下兩傍相去及刺灸分壯法如大腸俞中胎內俞在第二
十推下兩傍相去及刺灸分壯法如大腸俞俠骨胎胂起肉留十
呼白環俞在第二十一推下兩傍相去如大腸俞伏而取之刺可
入同身寸之五分若灸者可灸三壯○新校正云按甲乙經云刺

可入八分不可灸此五穴者並足太陽脉氣所發所謂腎俞者則
此也○又次外兩傍胃倉在第十二椎下兩傍相去各同身寸之
三寸刺可入同身寸之五分若灸者可灸三壯肓門在第十三椎
下兩傍相去及刺灸分壯法如胃倉志室在第十四椎下兩傍相
去及刺灸分壯法如胃倉正坐取之胞肓在第十九椎下兩傍相
去及刺灸分壯法如胃倉伏而取之佚边在第二十一椎下兩傍
相去及刺灸分壯法如胃倉伏而取之此五穴者並足大陽脉氣
所發也次伏菟上兩行中注在齊下同身寸之五分兩傍相去任
脉各同身寸之五分○新校正云按甲乙經同氣府注云俠中行
方一寸文異而義同○四滿在中注下同身寸之一寸氣穴在四
滿下同身寸之一寸大赫在氣穴下同身寸之一寸横骨在大赫
下同身寸之一寸各横相去同身寸之一寸並衝脉足少陰之會
刺可入同身寸之一寸若灸者可灸五壯次外兩傍穴外陵在齊
下同身寸之一寸○新校正云按氣府論注云外陵在天樞下一
寸與此正同○兩傍去衝脉各同身寸之一寸半大巨在外陵下
同身寸之一寸水道在大巨下同身寸之三寸歸來在水道下同
身寸之三寸氣街在歸來下○新校正云按氣府注刺熱注熱穴
注云在腹齊下横骨兩端鼠鼷上一寸刺禁注云在腹下俠齊兩
傍相去四寸鼠僕上一寸動脉應手骨空注云在毛際兩傍鼠鼷
上諸注不同今備録之○鼠鼷上同身寸之一寸各横相去同身
寸之二寸半五穴者並足陽明脉氣所發水道刺可入同身寸之
二寸半若灸者可灸五壯氣街刺可入同身寸之三分留七呼若
灸者可灸三壯餘三穴並刺可入同身寸之八分若灸者並可五
壯所謂腎之街者則此也踝上各一行〻六者太鍾在足內踝後

衝中○新校正云按甲乙經云張從衝中刺[illegible]部後衝中動脈此云內踝後此注非○足少陰絡別走大陽者刺可入同身寸之二分留三呼若灸者可灸三壯復留在內踝上同身寸之二寸陷者中足少陰脈之所行也刺可入同身寸之三分留三呼若灸者可灸五壯照海在內踝下刺可入同身寸之四分留六呼若灸者可灸三壯交信在內踝上同身寸之二寸少陰前大陰後筋骨間陰蹻之郄刺可入同身寸之四分留五呼若灸者可灸三壯築賓在內踝上腨分中陰維之郄刺可入同身寸之三分若灸者可灸五壯陰谷在膝下內輔骨之後大筋之下小筋之上按之應手屈膝而得之足少陰脈之所入也刺可入同身寸之四分若灸者可灸三壯所謂腎經之下行名曰大衝者則此也帝曰春取絡脈分肉何也岐伯曰春者木始治肝氣始生肝氣急其風疾經脈常深其氣少不能深入故取絡脈分肉間帝曰夏取盛經分湊何也岐伯曰夏者火始治心氣始長脈瘦氣弱陽氣留溢新校正云按別本留一作流熱熏分腠內至於經故取盛經分腠絕膚而病去者邪居淺也絕謂絕破令病得出也所謂盛經者陽脈也帝曰秋取經俞何也岐伯曰秋者金始治肺將收殺三陰已成故肅將收殺金將勝火陽氣在合金王火衰故云金將勝火陰氣初勝濕氣

及体以漸於下濕霧露故云溢氣及体陰氣未盛未能深入故取俞以寫陰邪取
谷以虛陽邪陽氣始衰故取於合新校正云按皇甫士安云是謂治秋之治變帝曰冬
取井滎何也岐伯曰冬者水始治腎方閉陽氣衰少陰氣堅盛巨
陽伏沈陽脉乃去云謂下夫故取井以下陰逆取滎以實陽氣新校正云按全
元起本實作遺甲乙經千金方作通故曰冬取井滎春不鼽衄新校正云按皇甫士安云是謂末冬之治變
此之謂也新校正云按此與四時刺逆從論及診要經終論義頗不同與九卷之義相通帝曰夫子言治
熱病五十九俞余論其意未能領別其處願聞其處因聞其意岐
伯曰頭上五行行五者以越諸陽之熱逆也頭上五行者當中行謂上星顖会前頂百
会後頂次兩傍謂五處承光通天絡却玉枕又次兩傍謂臨泣目
窻正營承靈腦空也上星在顖上直鼻中央入髮際同身寸之一
寸陷者中容豆刺可入同身寸之三分顖会在上星後同身寸之一
一寸陷者中刺可入同身寸之四分前頂在顖会後同身寸之一
寸五分骨間陷者中刺如顖会法百会在前頂後同身寸之一
五分頂中央旋毛中陷容指督脉足太陽脉之交会刺如上星法
後頂在百会後同身寸之一寸五分枕骨上刺如顖会法然是五
者皆督脉氣所發也上星留六呼若灸者並可灸五壯次兩傍穴

五處在上星兩傍同身寸之一寸五分承光在五處後同身寸之一寸通天在承光後同身寸之一寸五分絡却在通天後同身寸之一寸五分玉枕在絡却後同身寸之七分然是五者並足太陽脈氣所發刺可入同身寸之三分五處通天各留七呼絡却留五呼玉枕留三呼若灸者可灸三壯○新校正云按甲乙經承光不灸玉枕刺入二分又刺兩傍臨泣在頭直目上入髮際同身寸之五分足太陽少陽々維三脈之會目窗正營遞相去同身寸之一寸承靈腦空遞相去同身寸之一寸五分然是五者並足少陽々維二脈之會腦空一穴刺可入同身寸之四分餘並可刺入同身寸之三分臨泣留七呼若灸者可灸五壯

大杼膺俞缺盆背俞此八者以寫胸中之熱也

大杼在項第一椎下兩傍相去各同身寸之一寸半陷者中督脈別絡手足太陽三脈氣之會刺可入同身寸之三分留七呼若灸者可灸五壯○新校正云按甲乙經并氣穴注作七壯刺瘧注刺熱注作五壯○膺俞者膺中之俞也正名中府在胸中行兩傍相去同身寸之六寸云門下一寸乳上三肋間動脈應手陷者中仰而取之手足太陰脈之會刺可入同身寸之三分留五呼若灸者可灸五壯缺盆在肩上橫骨陷者中手陽明脈氣所發刺可入同身寸之二分留七呼若灸者可灸三壯背俞即風門熱府俞也在第二椎下兩傍各同身寸之一寸五分督脈足太陽之會刺可入同身寸之五分留七呼若灸者可灸五壯今中誥孔穴圖經雖不明之既曰風門熱府即治熱之背俞也○新校正云按王氏注刺熱論云背俞未詳何處注此指名風門熱府注氣穴論以大杼為背俞三注不同者蓋亦疑之者也

氣街三里

巨虛上下廉此八者以寫胃中之熱也氣街在腹齊下橫骨兩端鼠鼷上同身寸之一寸動
脈應手足陽明脈氣所發刺可入同身寸之三分留七呼若灸者
可灸三壯○新校正云按氣街諸注不同具前水穴注中三里在
膝下同身寸之三寸胻外廉兩筋肉分間足陽明脈之所入也刺
可入同身寸之一寸留七呼若灸者可灸三壯巨虛上廉足陽明
與太陽合在三里下同身寸之三寸足陽明脈氣所發刺可入同
身寸之八分若灸者可灸三壯巨虛下廉足陽明與少陽合在上
廉下同身寸之三寸足陽明脈氣所發刺可入同身寸之三分若灸者可灸三壯也雲門髃骨委中髓空此
八者以寫四支之熱也云門在巨骨下胷中行兩傍相去同身寸之六寸動脈應手足太陰脈氣所發也○
新校正云按甲乙經同氣穴注作手太陰刺熱注亦作手太陰○
舉臂取之刺可入同身寸之七分若灸者可灸五壯驗今中誥孔
穴圖經云髃骨穴有肩髃穴在肩端兩骨間手陽明蹻脈之會刺
可入同身寸之六分留六呼若灸者可灸三壯委中在足膝後屈
處膕中央約文中動脈足太陽脈之所入也刺可入同身寸之五
分留七呼若灸者可灸三壯按今中誥孔穴圖經云腰俞穴一名
髓空在脊中第二十一推節下主治不出足清不仁督脈氣所發也
刺可入同身寸之二寸留七呼若灸者可灸三壯○新校正云詳
腰俞刺入二寸當作二分已具前水穴注中五藏俞傍五此十者以寫五藏之熱也俞傍
五者謂魄戶神堂魂門意舍志室五穴俠脊兩傍各相去同身寸
之三寸並足太陽脈氣所發也魄戶在第三推下兩傍正坐取之

可入同身寸之五分若灸者可灸五壯神堂在第五椎下兩傍刺可入同身寸之三分若灸者可灸五壯魂門在第九椎下兩傍正坐取之刺可入同身寸之五分若灸者可灸三壯意舍在第十一椎下兩傍正坐取之刺可入同身寸之五分若灸者可灸三壯志室在第十四椎下兩傍正坐取之刺可入同身寸之五分若灸者可灸三壯凡此五十九穴者皆熱之左右也帝曰人傷於寒而傳為熱何也岐伯曰夫寒盛則生熱也寒氣外凝陽氣內鬱腠理堅緻玄府閉封緻則氣不宣通封則溫氣內結於外相薄寒盛熱生故人傷於寒轉而為熱汗之而愈則外凝內鬱之理可知斯乃新病數日者也〔緻〕墜二反

重刊京本黃帝內經素問八

重刊補註釋文黃帝內經素問卷之九

●調經論篇第六十二 新校正云按全元起本在第一卷

黃帝問曰余聞刺法言有餘寫之不足補之何謂有餘何謂不足岐伯對曰有餘有五不足亦有五帝欲何問帝曰願盡聞之岐伯曰神有餘有不足氣有餘有不足血有餘有不足形有餘有不足志有餘有不足凡此十者其氣不等也 神屬心氣屬肺血屬肝形屬脾志屬腎以各有所藏故不等也 帝曰人有精氣津液四支九竅五藏十六部三百六十五節乃生百病百病之生皆有虛實今夫子乃言有餘有五不足亦有五何以生之乎 針經曰兩神相薄合而成形常先身生是謂精上焦開發宣五穀味熏膚充身澤毛若霧露之溉是謂氣腠理發泄汗出腠理是謂津津之滲於空竅留而不行者爲液也十六部者謂手足二九數四五藏五合爲十六部也三百六十五節者非謂骨節是神氣出入之處也針經曰所謂節之交三百六十五會皆神氣出入遊行之所非骨節也言人身所有則多所舉則少病生之數何以論之 岐伯曰皆生於五藏也 謂五神藏也 夫心藏神肺藏氣

肝藏血，脾藏肉，腎藏志，而此成形。言所以病皆生於五藏者何哉？以內藏五神而成形也。志意通，內連骨髓，而成形五藏。志意者，通言五神之大凡也。骨髓者，通言表裏之成化也。言五神通泰，骨髓化成，身形既立，乃五藏互相為有矣。〇新校正云：按《甲乙經》無"五藏"二字。五藏之道，皆出於經隧，以行血氣，血氣不和，百病乃變化而生，是故守經隧焉。隧，潛道也。經脈伏行而不見，故謂之經隧焉。血氣者，人之神，邪侵之則血氣不正，故變化而百病乃生矣。然經脈者，所以決死生，處百病，調虛實，故守經隧焉。〇新校正云：按《甲乙經》經隧作經渠，義各通。隧音遂。帝曰：神有餘不足何如？岐伯曰：神有餘則笑不休，神不足則悲。心之藏也。《鍼經》曰：心藏脈，脈舍神。心氣虛則悲，實則笑不休也。悲，一為憂，誤也。〇新校正云：詳王注云悲一為憂，誤也。按《甲乙經》及《太素》并全元起注本並作憂。皇甫士安云：心虛則悲，悲則憂；心實則笑，笑則喜。夫心之與肺，脾之與心，互相成也。故喜發於心而成於肺，思發於脾而成於心，一過其節則二藏俱傷。楊上善云：心之憂在心變動也，肺之憂在心變動也，肺之憂在肺之志。是則肺主秋，憂為正也；心主於夏，變而生憂也。血氣未并，五藏安定，邪客於形，洒淅起於毫毛，未入於經絡也，故命曰神之微。并謂并合也，未與邪合，故曰未并也。洒淅，寒貌也。始起於毫毛，尚在於小絡，神之微病，故命曰神之微也。〇新校正云：按《甲乙經》洒淅作悽厥。

太素作血泝。楊上善云：血上引也，水逆流曰泝，謂邪氣入於腠理，如水逆流於血。帝曰：補寫奈何？岐伯曰：神有餘則寫其小絡之血，出血勿之深斥，無中其大經，神氣乃平。邪入小絡，故可寫其小絡之脉，出其血，勿深推針，針深則傷肉，以邪居小絡，故不欲令針中大經也。絡血既出，神氣自平。斥，推也。小絡，孫絡也。鍼經曰：經脉為裏，支而橫者為絡，絡之別者為孫絡。平，謂平調也。○新校正云：詳此注引鍼經曰，與三部九候論注兩引之，在彼云靈樞，而此曰鍼經，則王氏之意，指靈樞為鍼經也。按今素問注中引鍼經者，多靈樞之文，但以靈樞今不全，故未得盡知也。神不足者，視其虛絡，按而致之，刺而利之，無出其血，無泄其氣，以通其經，神氣乃平。但通經脉，令其和利，抑按虛絡，令其氣致，以神不足，故不欲出血乃泄氣也。○新校正云：按甲乙經，按作切，利作和。帝曰：刺微奈何？微，前初起於毫毛，未入於經絡者。岐伯曰：按摩勿釋，著鍼勿斥，移氣於不足，神氣乃得復。按摩其病處，手不釋散，著鍼於病處，亦不推之，使其人神氣內朝於針，移其人神氣，令自充足，則微病自去，神氣乃得復常。○新校正云：按甲乙經及太素云移氣於足，无不字。楊上善云：按摩使氣至於踵也。帝曰：善。氣有餘不足奈何？岐伯曰：氣有餘則喘欬上氣，不足則息利少氣。肺之藏也。肺藏氣，息不利則喘。鍼經曰：肺氣虛則鼻息利少氣，實則喘喝胸盈仰息也。血氣未并五藏安定皮膚微病命曰白氣微泄肺合皮其色白故皮膚微病命曰白氣微泄帝曰補寫奈何岐伯曰氣有餘則寫其經隧無傷其經無出其血無泄其氣不足則補其經隧無出其氣氣謂榮氣也針寫若傷其經則血出而榮氣泄脫故不欲出血泄氣但寫其衛氣而已針補則又宜謹閉穴俞然其衛氣亦不欲泄之○新校正云按楊上善云經隧者手太陰之別從手太陰走手陽明乃是手太陰向手陽明之道欲道藏府陰陽故補寫皆從正經別走之絡寫其陰經別走之路不得傷其正經也帝曰刺微奈何覆前白氣微泄者岐伯曰按摩勿釋出鍼視之曰我將深之適人必革精氣自伏邪氣散亂無所休息氣泄腠理真氣乃相得亦謂按摩其病處也革皮也我將深之適人必革者謂深而淺刺之也如是脇從則人懷懼色故精氣潛伏也以其調適於皮精氣潛伏邪无所據故亂散而无休息發泄於腠理也邪氣既泄真氣乃與安腠相得矣○新校正云按楊上善云革改也夫人聞樂至則身心忻悅聞痛及体情必改異忻悅則百体俱縱改異則情志必怛怛則邪氣消伏帝曰善血有餘不足奈何岐伯曰血有餘則怒不足則恐肝之藏也針經曰肝藏血肝氣虛則恐實則怒○新校正云按全元起本恐作悲甲乙經及太素同血氣未并五藏安定孫

絡水溢則經有留血絡有邪盛則入於經故云孫絡外溢則經有留血帝曰補寫奈何岐
伯曰血有餘則寫其盛經出其血不足則視其虛經內鍼其脈中
久留而視新校正云按甲乙經云久留之血至大素同脈大疾出其鍼無令血泄脈盛滿則
血有餘故出之經氣虛則血不足故无令血泄也久留疾出是謂補之鍼解論曰徐而疾則實義與此同帝曰刺留血
奈何岐伯曰視其血絡刺出其血無令惡血得入於經以成其疾
血絡滿者刺按出之則惡色之血不得入於經脈帝曰善形有餘不足奈何岐伯曰形有
餘則腹脹涇溲不利不足則四支不用
則腹脹涇溲不利涇大便溲小便也○新校正云按楊上善云涇作經女人月經也脾之藏也針經曰脾氣虛則四支不用五藏不安實血氣未并五藏安定肌
肉蠕動命曰微風邪薄肉分衛氣不通陽氣內鼓故肉蠕動○新校正云按全元起本及甲乙經蠕作溢大素作
蠕帝曰補寫奈何岐伯曰形有餘則寫其陽經不足則補其陽絡
並胃之經絡帝曰刺微奈何岐伯曰取分肉間無中其經無傷其絡衛
氣得復邪氣乃索衛氣者所以溫分肉而充皮膚肥腠理而司開闔故肉蠕動即取分肉間但開肉分以出其邪

故先中其經先傷其絡衛氣腠膚而邪氣盡索散盡也帝曰善志有餘不足奈何岐伯曰志有餘則腹脹飧泄不足則厥腎之藏也針經曰腎藏精精舍志腎氣虛則厥實則脹脹謂脹起厥謂逆行上衝也足少陰脈下行今氣不足故隨衝脈逆行而上衝也飧音孫血氣未并五藏安定骨節有動腎合骨故骨有邪薄則骨節鼓動或骨節之中如有物鼓動之也帝曰補寫奈何岐伯曰志有餘則寫然筋血者新校正云按甲乙經及太素云寫然筋血者出其血楊上善云然筋當是然谷下筋再詳諸處引然谷者多云然谷之前血者疑少骨之一字谷字誤作筋字不足則補其復溜然謂然谷足少陰滎也在內踝之前大骨之下陷者中血絡盛則泄之其刺可入同身寸之三寸留三呼若灸者可灸三壯復溜足少陰經也在內踝上同身寸之二寸陷者中刺可入同身寸之三寸留三呼若灸者可灸五壯帝曰刺未并奈何岐伯曰即取之無中其經邪所乃能立虛不求穴俞而直取居邪之處故云即取之○新校正云按甲乙經邪所作以去其邪帝曰善余已聞虛實之形不知其何以生岐伯曰氣血以并陰陽相傾氣亂於衛血逆於經血氣離居一實一虛衛行脈外故氣亂於衛血行經內故血亂於經血氣不和故一虛一實血并於陰氣并於陽故為驚狂氣并於陽則陽氣外盛故

驚血并於陽氣并於陰乃為炅中氣并於陽則陽盛故為熱中炅熱也

上氣并於下心煩惋善怒血并於下氣并於上亂而喜忘

帝曰血并於陰氣并於陽如是血氣離居何者為實何者為虛

岐伯曰血氣者喜溫而惡寒寒則泣不能流溫則消而去之泣謂如雪在水中凝住而不行去也是故氣之所并為血虛血之所并為氣虛氣并於血則血少故血虛血并於氣則氣少故氣虛帝曰人之所有者血與氣耳今夫子乃言血并為虛氣并為虛是無實乎岐伯曰有者為實無者為虛氣并於血則血無血并於氣則氣无故氣并則無血血并則無氣今血與氣相失故為虛焉氣并於血則血失其氣血并於氣則氣失其血故曰血與氣相失絡之與孫脈俱輸於經血與氣并則為實焉血之與氣并走於上則為大厥厥則暴死氣復反則生不反則死帝曰實者何道從來虛者何道從去虛實之要願聞其故岐伯曰夫陰與陽皆有俞會陽注於陰陰滿之外陰陽勻平以充其

形九候若一命曰平人（平人謂平和之人）夫邪之生也或生於陰或生於陽其生於陽者得之風雨寒暑其生於陰者得之飲食居處陰陽喜怒帝曰風雨之傷人奈何岐伯曰風雨之傷人也先客於皮膚傳入於孫脈孫脈滿則傳入於絡脈絡脈滿則輸於大經脈血氣與邪并客於分腠之間其脈堅大故曰實實者外堅充滿不可按之按之則痛帝曰寒濕之傷人奈何岐伯曰寒濕之中人也皮膚不收（新校正云按全元起云不收不仁也甲乙經及太素云皮膚收無不字）肌肉堅緊榮血泣衛氣去故曰虛虛者聶辟氣不足按之則氣足以溫之故快然而不痛（聶謂聶皺辟謂辟疊也　新校正云按甲乙經作攝辟太素作聶辟）帝曰善陰之生實奈何（實謂邪氣盛也）岐伯曰喜怒不節則陰氣上逆上逆則下虛下虛則陽氣走之故曰實矣（新校正云按經云喜怒不節則陰氣上逆疑剩喜字）帝曰陰之生虛奈何（虛謂精氣奪也）岐伯曰喜則氣下悲則氣消消則脈虛空因寒飲食寒氣熏滿（新校正云

按甲乙經作動搖則血泣氣去故曰虛矣帝曰經言陽虛則外寒陰虛則內熱陽盛則外熱陰盛則內寒余已聞之矣不知其所由然也經言謂上古經言也岐伯曰陽受氣於上焦以溫皮膚分肉之間今寒氣在外則上焦不通上焦不通則寒氣獨留於外故寒慄慄謂振慄也帝曰陰虛生內熱奈何岐伯曰有所勞倦形氣衰少穀氣不盛上焦不行下脘不通新校正云按甲乙經作下焦不通胃氣熱熱氣熏胸中故內熱甚用其力致勞倦也貪役不食故穀氣不盛也帝曰陽盛生外熱奈何岐伯曰上焦不通利則皮膚緻密腠理閉塞玄府不通新校正云按甲乙經及太素無玄府二字衛氣不得泄越故外熱外傷寒毒內薄諸陽寒外盛則皮膚收皮膚收則腠理密故衛氣稸聚無所流行矣寒氣外薄陽氣內爭積火內燔故生外熱也燔音煩故曰陰盛生內寒奈何岐伯曰厥氣上逆寒氣積於胸中而不寫不寫則溫氣去寒獨留則血凝泣凝則脈不通新校正云按甲乙經作腠理不通其脈盛大以濇故中寒溫氣謂陽氣也陰逆內滿則陽氣去於皮外也帝曰陰

與陽幷血氣以幷病形以成刺之柰何岐伯曰刺此者取之經隧取血於營取氣於衛用形哉因四時多少高下營主血陰氣也衛主陽氣也夫行針之道必先知形之長短骨之廣狹而三備法以通計身形以施分寸故曰用形也四時多少高下具在下篇帝曰血氣以幷病形以成陰陽相傾補寫柰何岐伯曰寫實者氣盛乃內鍼鍼與氣俱內以開其門如利其戶鍼與氣俱出精氣不傷邪氣乃下外門不閉以出其疾搖大其道如利其路是謂大寫必切而出大氣乃屈言欲開其穴而泄其氣也切謂急也言急出其針也針經論曰疾而徐則實者疾出針而徐按之也大氣謂大邪氣也屈謂退屈也帝曰補虛柰何岐伯曰持鍼勿置以定其意候呼內鍼氣出內鍼入鍼空四塞精無從去方實而疾出鍼氣入鍼出熱不得還閉塞其門邪氣布散精氣乃得存動氣候時新校正云按甲乙經作動無後行近氣不失遠氣乃來是謂追之言但密閉穴俞勿令其氣散泄也近氣謂已至之氣遠氣謂未至之氣也欲動絶氣而爲補〻者皆必候水刻氣之所在而刺之是謂待時而調之追言補也針經曰追而濟之安得無實則此謂也

而問夫子言虛實者有十生於五藏五藏五脈耳夫十二經脈皆生其病新校正云按甲乙經云皆生百病太素同今夫子獨言五藏夫十二經脈者皆絡三百六十五節〻有病必彼經脈〻之病皆有虛實何以合之岐伯曰五藏者故得六府與為表裏經絡支節各生虛實其病所居隨而調之從其左右經氣之節而調之病在脈調之血脈者血之府脈實血實脈虛血虛由此脈病而調之血也○新校正云按全元起本及甲乙經云病在血調之也病在血調之絡血病則絡脈易故調之於絡病在氣調之衛衛主氣故氣病而調之衛也病在肉調之分肉候寒熱而取之病在筋調之筋適緩急而刺熨之病在骨調之骨察輕而刺之燔鍼劫刺其下及與急者調筋法也筋急則燒針而劫刺之病在骨焠鍼藥熨調骨法也焠火針也病不知所痛兩蹻為上兩蹻謂陰陽蹻脈陰蹻之脈出於照海陽蹻之脈出於申脈申脈在足外踝下陷者中容爪甲○新校正云按刺腰痛注云在踝下五分刺可入同身寸之三分留六呼若灸者可灸三壯照海在足內踝下刺可入同身寸之四分留六呼若灸者可灸三壯身形有痛九候莫病則繆刺之莫病謂無病也繆刺者刺絡脈左痛刺右

右痛刺左痛在於左而右脈病者巨刺之巨刺者刺經脈左痛刺右右痛刺左必謹察其九候鍼道備矣

●繆刺論篇第六十三新校正云按全元起本在第二卷

黄帝問曰余聞繆刺未得其意何謂繆刺繆刺言所刺之穴應用如紕繆綱紀也岐伯對曰夫邪之客於形也必先舍於皮毛留而不去入舍於孫脈留而不去入舍於絡脈留而不去入舍於經脈内連五藏散於腸胃陰陽俱感五藏乃傷此邪之從皮毛而入極於五藏之次也如此則治其經焉今邪客於皮毛入舍於孫絡留而不去閉塞不通不得入於經流溢於大絡而生奇病也病在血絡是謂奇邪○新校正云按全元起云大絡十五絡也夫邪客大絡者左注右右注左上下左右與經相干而布於四末其氣無常處不入於經俞命曰繆刺四末謂四支也帝曰願聞繆刺以左取右以右取左奈何其與巨刺何以别之岐伯曰邪客於經

左盛則右病右盛則左病亦有移易者新校正云按甲乙經作病易且移左痛未
已而右脉先病如此者必巨刺之必中其經非絡脉也先病者謂彼痛未止
而此先病以承之故絡病者其痛與經脉繆處故命曰繆刺朱謂正經之傍支非正別也
也亦兼公孫衝脉等之別絡也○新校正云按王氏云非正別也按本論厥客足太陰絡令人腰痛注引從髀合陰明上絡也貫舌
中乃太陰之正也亦是經脉之正安得謂之作正別也帝曰願聞繆刺柰何取之何如岐伯
曰邪客於足少陰之絡令人卒心痛暴脹胸脇支滿以其絡支別者並正經從
腎上貫肝鬲走於心包故邪客之則病如是無積者刺然骨之前出血如食頃而已然骨
之前然谷穴也在足內踝前起大骨下留者中足少陰滎也刺可人同身寸之三分留三呼若灸者可灸三壯刺出見血令人立
飢設食不已左取右右取左言痛在左取之右痛在右取之左是如此外病新發者取五
日已素有此病而新發先刺之五日乃盡已邪客於手少陽之絡令人喉痺舌卷口
乾心煩臂外廉痛手不及頭以其脉循手表出臂外上肩入缺盆布膻中散絡心包其支者從膻中上
出缺盆上項又心注其血故痛如是刺手中指次指爪甲上去端如韭葉各一痏[illegible]

衝穴少陽之井也刺可入同身寸之一分留三呼若灸者可灸三壯左右手皆刺之故言各一痏痏瘡也◯新校正云按甲乙經關衝
穴出手小指次指之端今言中指者誤也壯者立已老者有頃已左取右右取左此新
病數日已邪客於足厥陰之絡令人卒疝暴痛以其絡去內踝上同身寸之五寸別
走少陽其支別者循脛上睪結於莖故令人卒疝暴痛睪陰丸也刺足大指爪甲上與肉交者各
一痏謂大敦穴足大指之端去爪甲角如韭葉厥陰之井也刺可入同身寸之三分留十呼若灸者可灸三壯男子立
已女子有頃已左取右右取左邪客於足太陽之絡令人頭項肩
痛以其經之正者從腦出別下項支別者從髆內左右別下又其絡自從上行循背上頭故頭項肩痛也◯新校正云按甲乙經
云其支者從巔入絡腦還出別下項王氏云經之正者正當作支刺足小指爪甲上與肉交者各
一痏立已謂至陰穴太陽之井也刺可入同身寸之一分留五呼若灸者可灸三壯◯新校正云按甲乙經云在足小指
外側去爪甲角如韭葉不已刺外踝下三痏左取右右取左如食頃已謂金門穴
足太陽郄也在外踝下刺可入同身寸之三分若灸者可灸三壯邪客於手陽明之絡令人氣滿
胸中喘息而支胠胸中熱以其經自肩髃入缺盆絡肺其支別者從缺盆中直而上頸故病如是刺

大指次指爪甲上去端如韭葉各一痏左取右右取左如食頃已謂商陽穴手陽明之井也刺可入同身寸之一分留一呼若灸者可灸一壯○新校正云按甲乙經云商陽在手大指次指內側去爪甲角如韭葉邪客於臂掌之間不可得屈刺其踝後新校正云按全元起本云是人手之本節踝也先以指按之痛乃刺之以月死生為數月生一日一痏二日二痏十五日十五痏十六日十四痏隨日數也月半已前謂之生月半以後謂之死虧滿而異也邪客於足陽蹻之脈令人目痛從內眥始以其脈起於足上行至頭而屬目內眥故病令人目痛從內眥始也何以明之八十一難經曰陽蹻脈者起於跟中循外踝上行入風池針經曰陰蹻脈入鼽目內眥合於太陽陽蹻而上行弁此則至於目內眥也刺外踝之下半寸所各二痏謂申脈穴陽蹻之所生也在外踝下陷者中容爪甲刺可入同身寸之三分留六呼若灸者可灸三壯○新校正云按刺腰痛注云外踝下五分左刺右右刺左如行十里頃而已人有所墮墜惡血留內腹中滿脹不得前後先飲利藥此上傷厥陰之脈下傷少陰之絡刺足內踝之下然骨之前血脈出血此少陰之絡也○新校正云詳血脈出血脈字疑是絡字刺足跗上動

脉謂衝陽穴胃之源也刺可入同身寸之二分留十呼若灸者可灸三壯主腹大不嗜食以腹脹滿故取之不已刺三毛上各一痏見血立已左刺右右刺左謂大敦穴厥陰之井也善悲驚不樂刺如右方善悲驚不樂亦如上法刺之邪客於手陽明之絡令人耳聾時不聞音以其經之支從缺盆上直貫頰又從絡支別者入耳會於宗脈故病令人耳聾時不聞聲者刺手大指次指爪甲上去端如韭葉各一痏立聞亦同前商陽穴不已刺中指爪甲上與肉交者立聞謂中衝穴手心主之井也在手中指端去爪甲如韭葉陷者中刺可入一分留三呼灸可三壯古經脫簡無絡可尋恐是刺小指爪甲與肉交者也何以言之下文云手少陰絡會於耳中迎若小指之端貫謂少衝手少陰之井刺可入一分留一呼灸者可一壯○新校正云按王氏云恐是小指爪甲上少衝穴按甲乙經手心主之正上循喉嚨出耳後少陽完骨之下如是則安得不刺中衝而疑為少衝也其不時聞者不可刺也不時聞者絡氣已絕故不可刺耳中生風者亦刺之如此數左刺右右刺左凡痹往來行無常處者自分肉間痛而刺之以月死生為數用針者隨氣盛衰以為痏數針過其日數則脫氣不及日數則氣不寫左刺右右刺左病已止不

已復刺之如法言所以約月死生為數者何以隨氣之盛衰也月生一日一痏二日二痏漸多之十五日十五痏十六日十四痏漸少之如是刺之則无過數先不及也邪客於足陽明之經令人鼽衄上齒寒以其脈起於鼻交頞中下循鼻外入上齒中還出俠口環脣下交承漿却循頤後下廉出大迎循頰車上耳前故病令人鼽衄上齒寒也復以其脈左右交於面部故舉經脈之病以明繆處之類故下文云○新校正云按全元起本與甲乙經陽明之經作陽明之絡刺足中指次指爪甲上與肉交者各一痏左刺右右刺左中當為大亦傳寫中大之誤也據靈樞經孔穴圖經中指次指爪甲上無穴當言刺大指次指爪甲上乃厲兌穴陽明之井不當更有次指二字也厲兌者刺可入同身寸之一分留一呼若灸者可灸一壯○新校正云按甲乙經云刺足中指爪甲上無次指三字蓋一大指次指為中指義與王注同下文云足陽明中指爪甲上亦謂此穴也厲兌穴在足大指次指之端去爪甲角如韭葉邪客於足少陽之絡令人脇痛不得息欬而汗出以其脈支別者從目兌眥下大迎合手少陽於頗下加頰車下頸合缺盆以下胸中貫膈絡肝膽循脇故令人脇痛欬而汗出[illegible]之六互刺足小指次指爪甲上與肉交者各一痏謂竅陰穴少陽之井也刺可入同身寸之一分留一呼若灸者可灸三壯○新校正云按甲乙經竅陰在足小指次指之端去爪甲角如韭葉不

得息立已汗出立止欬者溫衣飲食一日已左刺右右刺左病立已不已復刺如法邪客於足少陰之絡令人嗌痛不可內食無故善怒氣上走賁上以其經支別者從肺出絡心在背中又其正經從腎上貫肝膈入肺中循喉嚨俠舌本故病令人嗌痛不可內食無故善怒氣上走賁上也賁謂氣奔也新校正云詳王氏以賁上為氣奔者非按難經胃為賁門楊玄操云賁鬲也是氣上走鬲上也經既云氣上走賁安得更以賁為奔上之解刺足下中央之脈各三痏凡六刺立已左刺右右刺左謂湧泉穴少陰之井也在足心陷者中屈足踡指宛宛中刺可入同身寸之三分留三呼若灸者可灸三壯嗌中腫不能內唾時不能出唾者刺然骨之前出血立已左刺右右刺左亦足少陰之絡也以其絡並大經循喉嚨故爾刺之此二十九字本錯簡在邪客於足少陰大陰足陽明之絡前今遷於此新校正云詳王注以其絡並大經循喉嚨差互按甲乙經足少陰之絡並經上走心包少陰之經循喉嚨先今王氏之注經與絡交互當以甲乙經為正也邪客於足太陰之絡令人腰痛引少腹控䏚不可以仰息足太陰之絡從髀合陽明上貫尻骨中與厥陰少陽結於下所以令腰痛引少腹下絡嗌貫舌中故腰痛則引少腹空於䏚中也䏚謂季脇下之空軟處也䏚受邪氣則絡拘急故不可以仰伸而喘息也刺腰髁髎中乳息

乎○新校正云詳王注云足太陽之絡按甲乙經乃大別之正非絡也王氏謂之絡者未詳其旨刺腰尻之解兩
胂之上是腰俞以月死生為痏數發鍼立已左刺右右刺左腰尻骨間
曰解當中有腰俞刺可入同身寸之二寸○新校正云按氣府論注作二分刺禁論注作二分水穴篇注作二分熱穴篇注作二寸
甲乙經作一寸留七呼注與經同中誥孔穴經云左取右右取左穴當中不應爾也次腰下俠尻有骨空各四皆十六腰痛下髎注與
經同是足太陰厥陰少陽所結刺可入同身寸之二寸留十呼若灸者可灸三壯胂謂及髁胂也腰俞髁胂皆當取之也○新校正
云按此邪客足太陽之絡是刺法一刺已見刺腰痛篇中彼注甚詳此時多是腰俞三字耳別彼全元起本舊无此三字王氏頗知
腰俞先左右取之理而注之而不知全元起本舊无邪客於足太陽之絡令人拘攣背急引
脇而痛以其經從膊內左右別下貫胂合膕中故病令人拘攣背急引脇而痛○新校正按全元起本及甲乙經引脇而痛
下更云內引心而痛刺之從項始數脊椎俠脊疾按之應手如痛刺之傍三
痏立已從項始數脊椎者謂從大椎數之至第二椎兩傍各同身寸之一寸五分內循脊兩傍按之有痛應手則邪客之處
也隨痛應手深淺即而刺之邪客在脊骨兩傍故言刺之傍也邪客於足少陽之絡令人留於樞
中痛髀不可已以其經出氣街繞髦際橫入髀厭中故痛令人了也於髀樞後痛解不可舉樞謂髀樞刺樞中

以毫鍼寒則久留鍼以月死生爲數立已髀樞之後則環銚穴也正在髀樞後故言刺髀
樞後也環銚者足少陽脉氣所發刺可入同身寸之一寸留二呼
若灸者可灸三壯毫針者第七針也○新校正云按甲乙經環銚
在髀樞中氣穴論云在兩髀厭分中此經
云刺樞中而王氏以謂髀樞之後若誤也
治諸經刺之所過者不病則繆刺之注言也絡不病則邪在絡故繆刺之若
經所過有病是則經病不當繆刺矣耳聾刺手陽
明不已刺其通脉出耳前者手陽明謂前手大指次指去端如韭
葉者也是謂商陽仍中誥孔穴圖經
手陽明脉中商陽合谷陽谿偏歷四穴並主耳聾今經所指謂前
商陽不謂此合谷等穴也耳前通脉手陽明脉正當聽會之分可
入同身寸之四分
若灸者可灸三壯齒齲刺手陽明不已刺其脉入齒中者立已據
甲
乙經注圖經手陽明脉中商陽二間三間合谷陽谿偏歷溫留七
穴並主齒痛手陽明脉貫頰入下齒中足陽明脉循鼻外入上齒
中也齲
丘禹反邪客於五藏之間其病也脉引而痛時來時止視其病繆
刺之於手足爪甲上各刺其井左
取右右取左視其脉出其血間日一刺一刺
不已五刺已有血脉者則
刺之如此數繆傳引上齒齒唇寒痛視其手背脉血
者去之若病繆傳而引上齒齒唇
寒痛者刺手背陽明絡也足陽明中指爪甲上一痏手大

指次指爪甲上各一痏，立已。左取右，右取左。謂[illegible]穴手人指[illegible]穴手陽明井也。針經已出痛不惡情欲，取足陽明，惡情欲及手[illegible]明已。新校正云：詳前文邪客足陽明刺中指次指爪甲上足[illegible]次指二字當如此，只言中指爪甲上，乃是。邪客於手足少陰太陰足陽明之絡，此五絡皆會於耳中，上絡左角。手少陰真心脉，足少陰腎脉，手太陰肺脉，足太陰脾脉，足陽明胃脉，此五絡皆会於耳中而上絡在額角也。五絡俱竭，令人身脉皆動而形無知也，其狀若尸，或曰尸厥。言其卒冒悶而如死尸，身脉猶如常人而動也。然陰氣盛於上則下氣重上而邪氣逆，邪氣逆則陽氣亂，陽氣亂則五絡閉結而不通，故其狀若尸也。以是從厥而生，故或曰尸厥。刺其足大指內側爪甲上，去端如韭葉，謂隱白穴，足太陰之井也。刺可入同身寸之一分，留三呼，若灸者可灸三壯。後刺足心，謂湧泉穴，足少陰之井也。刺同前取湧泉穴法。後刺足中指爪甲上各一痏，謂第二指足陽明之井也。刺同前取厲兌穴法。後刺手大指內側，去端如韭葉，謂少商穴，手太陰之井也。刺可入同身寸之一分，留三呼，若灸者可灸三壯。後刺手心主，謂中衝穴，手心主之井也。刺可入同身寸之一分，留三呼，若灸者可灸一壯。○新校正云：按甲乙經不刺手心主。詳此五絡之數，亦不及手心主，而此刺彼[illegible]有六絡，未会王脉相随注之，不為明邪之旨也。少陰銳骨之端各一痏立已謂神門穴在掌後銳骨之端陷者中手少陰脈俞也刺可入同身寸之三分留七呼若灸者可灸三壯不已以竹管吹其兩耳言使氣入耳中內切五絡令氣復通也當內管入耳以手密擫之勿令氣泄而極吹之氣蹙然後絡脈通也　新校正云按陶隱居云吹其左耳極三度復吹其右耳三度也鬄其左角之髮方一寸燔治飲以美酒一杯不能飲者灌之立已左角之髮五絡血之餘故髮之燔治飲之以美酒也酒者所以行藥勢又炎上而內走於心心主脈故以美酒服之[illegible]易凡刺之數先視其經脈切而從之審其虛實而調之不調者經刺之有痛而經不病者繆刺之因視其皮部有血絡者盡取之此繆刺之數也

●四時刺逆從論第六十四

新校正云按厥陰有餘至筋急目痛全元起本在第六卷春氣在經脈至篇末全元起本在第一卷

厥陰有餘病陰痹痹謂痛也陰謂寒也有餘謂厥陰氣盛滿故所發於外而為寒痹○新校正云詳王氏以痹為痛未通不足病生熱痹陰不足則陽有餘故為熱痹滑則病狐疝風濇則病少腹積氣厥陰脈循股陰入髦中環陰器抵少腹又其絡支別者循脛上睾結於莖故為狐疝少腹積氣也○新校正云按楊上善

云狐夜不得尿日出方得人之所病与狐同故曰狐疝一曰狐疝謂三焦孤府為疝故曰狐疝少陰有餘病皮痹隱
軫不足病肺痹腎水逆連於肺母故也足少陰脉從腎上貫肝鬲入肺中故有餘病皮痹隱軫不足病肺痹也
滑則病肺風疝濇則病積溲血以其正經入肺貫腎絡膀胱故為肺疝及積溲血也太陰有
餘病肉痹寒中不足病脾痹脾主肉故如是滑則病脾風疝濇則病積心
腹時滿太陰之脉入腹屬脾絡胃其支別者復從胃別上鬲注心中故為脾疝心腹時滿也陽明有餘病脉
痹身時熱不足病心痹胃有餘則上歸於心不足則心下痹故為是滑則病心風疝濇
則病積時善驚心主之脉起於胸中出屬心包下鬲歷絡三焦故為心疝時善驚太陽有餘病骨
痹身重不足病腎痹太陽與少陰為表裏故有餘不足皆病歸於腎也滑則病腎風疝濇
則病積善時巔疾太陽之脉交於巔上入絡腦下循膂絡腎故為腎風及巔病也少陽有餘病筋
痹脇滿不足病肝痹少陽與厥陰為表裏故病歸於肝滑則病肝風疝濇則病積
時筋急目痛肝主筋故時筋急厥陰之脉上出額與督脉會於巔其支別者從目系下頰裏故目痛是故春
氣在經脉夏氣在孫絡長夏氣在肌肉秋氣在皮膚冬氣在骨髓

中帝曰余願聞其故岐伯曰春者天氣始開地氣始泄凍解氷釋水行下經通故人氣在脈夏者經滿氣溢入孫絡受血皮膚充實長夏者經絡皆盛内溢肌中秋者天氣始收腠理閉塞皮膚引急（引謂牽引以縮急也）冬者蓋藏血氣在中内著骨髓通於五藏是故邪氣者常隨四時之氣血而入客也至其變化不可爲度然必從其經氣辟除其邪除其邪則乱氣不生（得氣而調故不乱）帝曰逆四時而生乱氣奈何岐伯曰春刺絡脈血氣外溢令人少氣（血氣溢於外則中不足故少氣○新校正云按自春刺絡脈至令人目不明与診要經終論義同文異彼注甚詳於此彼分四時此分五時然此有長夏刺肌肉之分而逐時各闕其秋分之事疑此肌肉之分即彼秋皮膚之分也）春刺肌肉血氣環逆令人上氣（血逆氣上故上氣○新校正云按經閉春刺秋分）春刺筋骨血氣内著令人腹脹（内著不散故脹）夏刺經脈血氣乃竭令人解㑊（血氣竭少故解㑊然不可名之也解㑊謂寒不寒熱不熱壯不壯弱不弱故不可名之也）夏刺肌肉血氣内却令人善恐（却閉也血氣内閉則陽氣不通故善恐）夏刺筋骨

血氣上逆令人善怒血氣上逆則怒[illegible]新校正云按經闕夏刺[illegible]分秋刺經脈血
氣上逆令人善忘血氣上逆滿於肺中故善忘秋刺絡脈氣不外行新校正云按別本作
血氣不行全元起本作氣不衛外大素同令人臥不欲動以虛甚故○新校正云按經闕秋刺長夏分秋刺
筋骨血氣內散令人寒慄血氣內散則中氣虛故寒慄冬刺經脈血氣皆脫令
人目不明以血氣無所榮故也冬刺絡脈內氣外泄留為大痹冬刺肌肉陽
氣竭絕令人善忘陽氣不壯至春而竭故善忘○新校正云按經闕冬刺秋分凡此四時刺者
大逆之病新校正云按全元起本作六經之病不可不從也反之則生亂氣相淫病
焉淫不次也不次而行如浸淫相染而生病也故刺不知四時之經病之所生以從為
逆正氣內亂與精相薄必審九候正氣不亂精氣不轉不轉謂不逆轉也
帝曰善刺五藏中心一日死其動為噫診要經終論曰中心者環死刺禁論曰一日死其動
為噫中肝五日死其動為語診要經終論闕而不論刺禁論曰中肝五日死其動為語○新校正云按甲乙
經語作文中肺三日死其動為欬診要經終論曰中肺五日死刺禁論曰中肺三日死其動為欬中膈

六日死新校正云按甲乙經作三日其動為嚏欠診要經終論曰中腎七日死刺禁論曰中腎六日死其動為嚏○新校正云按甲乙經无欠字中脾十日死新校正云按甲乙經作十五日其動為吞診要經終論曰中脾五日死刺禁論曰中脾十日死其動為吞然此三論皆岐伯之言而死日動變不同傳之誤也刺傷人五藏必死其動則依其藏之所變候知其死也變謂氣動變也中心不至此並為逆從重文也

●標本病傳論篇第六十五新校正云按全元起本在第二卷皮部論篇前

黃帝問曰病有標本刺有逆從奈何岐伯對曰凡刺之方必別陰陽前後相應逆從得施標本相移故曰有其在標而求之於標有其在本而求之於本有其在本而求之於標有其在標而求之於本故治有取標而得者有取本而得者有逆取而得者有從取而得者得病之情知治大體則逆從皆可施必中焉故知逆與從正行無問知標本者萬舉萬當道不疑惑識既深明則無問於人正行皆當不知標本是謂妄行識猶偏淺道未高深舉且見違故行多妄夫陰陽逆從標本之為道也小而大言一而知百病之害

術之至也言別陰陽知逆順法明部分標本其所在則小者其所利則大以斯明著故言一而知百病之害少而多淺而博可以言一而知百也言少可以貫多舉淺可以料大者何法之明故非聖人之道孰能至如是耶審之者猶可以言一而知百病也博大也以淺而知深察近而知遠言標與本易而勿及雖事極深玄人非咫尺略以淺近而悉貫之然標本之道雖易可為言而世人識見無能及者治反為逆治得為從先病而後逆者治其本先逆而後病者治其本先寒而後生病者治其本先病而後生寒者治其本先熱而後生病者治其本先熱而後生中滿者治其標先病而後泄者治其本先泄而後生他病者治其本必且調之乃治其他病先病而後生中滿者治其標先中滿而後煩心者治其本人有客氣有同氣新校正云按全元起本同作固小大不利治其標小大利治其本本先病標後病必謹察之病發而有餘本而標之先治其本後治其標病發而不足標而本之先治其標後治其本本而標之謂有先病復有後病也以其有餘故先治其本後治其標也標而本之謂先發輕微緩者後發重大急者以其

不足故先治其標後治其本也謹察間甚以意調之間謂多也甚謂少也多謂多形證而輕易少謂少形證而
重難也以意調之謂審量標本不足有餘非謂捨法而以意妄為調之也間者并行甚者獨行先小大
不利而後生病者治其本并謂他脉共受邪氣而合病也獨為一經受病而无異氣相參也并甚則相傳
傳急則亦死夫病傳者心病先心痛藏真通於心故心先痛一日而欬心火勝金傳於肺也
肺在變動為欬故欬三日脇支痛肺金勝木傳於肝也以其脉循脇肋故如是五日閉塞不通身
痛躰重肝木勝土傳於脾也脾性安鎮木氣乘之故閉塞不通身痛体重三日不已死以勝相伐唯弱是從
五藏四傷豈其能久故為即死冬夜半夏日中謂正子午之時也或言冬夏有異非也蓋夜之半事甚昭然○新校
正云按甲乙經大氣入藏病先發於心一日而之肺三日而之肝五日而之脾三日不已死冬夜半夏日中甲乙經曰病心發於心
心病一日之肺而欬三日之肝肋支痛五日之脾閉塞不通身痛体重三日不已死冬夜半夏日中詳素問言其病灵樞言其藏甲
乙經及并素問灵樞二經之文而病与藏兼舉之肺病喘欬藏真高於肺而主息故喘欬三日而脇支
滿痛肺傳於肝一日身重躰痛肝傳於脾五日而脹自傳於府十日不已死冬日
入夏日出孟冬之中日入於申之八刻二分仲冬之中日入於申之七刻二分季冬之中入於申与孟月等孟夏之中日

出於寅之八刻一分仲夏之中日出於寅之七刻三分季夏之中日出於寅與孟月等也肝病頭目眩脇支滿藏真散於肝脈內連目眩故如是三日體重身痛肝傳於脾五日而脹自傳於府三日腰脊少腹痛脛痠謂胃傳於腎以其脉起於足循腨內出膕內廉上股內後廉貫脊屬腎絡膀胱故如是也腰為腎之府故腰痛三日不已死冬日入新校正云按甲乙經作日中夏早食日入早晏如冬法也早食謂早於食時則卯正之時也脾病身痛體重藏真濡於脾而主肌肉故爾一日而脹自傳於府二日少腹腰脊痛脛痠胃傳於腎三日背膂筋痛小便閉自傳於府及之膂也膂音呂十日不已死冬人定夏晏食人定謂申後二十五刻晏食謂寅後二十五刻腎病少腹腰脊痛胻痠藏真下於腎故如是三日背膂筋痛小便閉自傳於府○新校正云按靈樞經云之膂膀胱是自傳於府又之膂也三日腹脹膀胱傳小腸○新校正云按甲乙經三日上之心心脹三日兩脇支痛府傳於藏○新校正云按靈樞經云三日之小腸三日上之心又云兩脇之痛是小腸府傳心藏而發痛也二日不已死冬大晨夏晏晡大晨謂寅後九刻大明之時也晏晡謂申後九刻向昏之時也胃病脹滿以其脉循腹故如是五日少腹腰脊痛胻痠胃傳於腎三日背膂筋痛小便閉自胃於[illegible]

胕也五日身體重膀胱水府傳於脾也〇新校正云按靈樞[illegible]經[illegible]注之心是膀胱傳心為相勝[illegible]身體重今王氏言傳脾者誤也六日不已死冬夜半後夏日昳夜半後謂子後八刻丑正時也日昳謂午[illegible]後八刻未正時也昳徒結反膀胱病小便閉以其為津液之府故爾五日少腹脹腰脊痛胻痠自府於藏一日腹脹胃復傳於小腸一日身體痛小腸傳於脾〇新校云按靈樞經云[illegible]上之心是府傳於藏也甲乙經作之脾與王注同二日不已死冬雞鳴夏下晡雞鳴謂早雞鳴丑正之分也下晡謂日下於晡時申之後五刻也諸病以次是相傳如是者皆有死期不可刺五藏相移皆如此有緩傳者有急傳者緩者或一歲二歲三歲而死其次或三月若六月而死急者一日二日三日四日或五六日而死則此類也尋此病傳之法皆五行之氣考其日數理不相應夫以五行為紀以不勝之數傳於所勝者謂火傳於金當云一日金傳於木當云二日木傳於土當云四日土傳於水當云三日水傳於火當云五日也若以已勝之數傳於不勝者則木三日傳於土土五日傳於水水一日傳於火火二日傳於金金四日傳於木經之傳日後法三陰三陽之氣玉機真藏論曰五藏相通移皆有次不治三月若六月若三日若六日傳而當此與同也耶猶當臨病詳視日數方悉是非問一藏止新校正云按甲乙經无止字及至三四藏者乃可刺也間一藏止者謂隔過前一藏而不更傳也則謂木傳土土傳[illegible]

木傳火匕傳金匕傳木而止皆間隔一藏也及至二四藏者皆謂至前第三第四藏也諸至三藏者皆是其己不勝之氣也至四藏者皆至己所生之父母也不勝則不能為害於彼所生則父子无剋伐之期氣順以行故刺之可矣

補註釋文黃帝內經素問九卷終

· 白 頁 ·

新刊補註釋文黃帝內經素問卷之十

天元紀大論篇第六十六

黃帝問曰天有五行御五位以生寒暑燥濕風人有五藏化五氣以生喜怒思憂恐御謂臨御化謂生化也天真之氣無所不周器象雖殊參應一也○新校正云按陰陽應象大論云喜怒悲憂恐二論不同者思者脾也四藏皆受成焉悲者勝怒也二論所以互相成也論言五運相襲而皆治之終朞之日周而復始余已知之矣願聞其與三陰三陽之候奈何合之論謂六節藏象論也運謂五行應天之五運各周三百六十五日而為紀者也故曰終朞之日周而復始也以六合五數未參同故問之也鬼臾區稽首再拜對曰昭乎哉問也夫五運陰陽者天地之道也萬物之綱紀變化之父母生殺之本始神明之府也可不通乎道謂化生之道綱紀謂生長化成收藏之綱紀父母謂万物形之先也本始謂生殺皆因而有之也夫有形稟氣而不為五運陰陽之所攝者未之有也所以造化不極能為万物生化之元始者何也以其是神明之府故也然合散不測生化無窮非神明運為無能尔也○新校正云詳陰陽者至神明之府也與陰陽應象大論同而兩論之注頗異

物生謂之化物極謂之變陰陽不測謂之神神用無方謂之聖変化聖神之道也化施化也変散易也神無期也聖無思也気之施化故曰生気之散易故曰極無期禀候故曰神無思測量故曰聖由化與変故万物無能出五運陰陽由聖與神故衆妙無能出幽玄之理深乎妙用不可得而稱之○新校正云按六微旨大論云物之生由乎化物之極由乎変変化之相薄成敗之所由也又五常政大論云気始而生化気散而有形気布而蕃育気終而象変其致一也**夫變化之為用也**應万化之用也**在天為玄**玄遠也天道玄遠故化無窮傳曰天道遠人道迩**在人為道**道謂妙用之道也經術政化非道不成**在地為化**化謂生化也生万物地化非土気孕育則形質不成**化生五味**金石草木根葉華實酸苦甘淡辛鹹皆化気所生隨時而有**道生智**智通妙用唯道所生**玄生神**玄遠幽深故生神也神之為用觸遇玄通契物化成無不應也**神在天為風**風者教之始天之使也天之号令也**在地為木**東方之化**在天為熱**應火為用**在地為火**南方之化**在天為濕**應土為用**在地為土**中央之化**在天為燥**應火為用**在地為金**西方之化**在天為寒**應水為用**在地為水**北方之化神之為用如上五化木為風所生火為熱所熾金為燥所發水為寒所資土為溫所全蓋物因而成立也雖物因之以化成卒因之以敗散尔豈五行之獨有是哉凡因所因而成立者悉因所因而散落尔○新校正云詳在天

為玄至此與陰陽應象大論及五運行大論文重注頗異故在天為氣在地成形氣謂風熱溼燥寒形謂木
火土金水形氣相感而化生萬物矣此造化生成之大紀然天地者萬物之上下
也天覆地載上下相臨万物化生无遺略也由是故万物自生自長自化自成自盈自虛自復自變也天變者何謂生之氣極本
而更始化也孔子曰曲成万物而不遺左右者陰陽之道路也天有六氣御下地有五行奉上當歲者為
上主司天承歲者為下主司地不當歲者二氣居右北行轉之二氣居左南行轉之金木水火運比面正之常左為右右為左則左
者南行右者北行而反也○新校正云詳上下左右之說以具五運行大論中水火者陰陽之徵兆也徵信
也驗也兆先也以水火之寒熱彰信陰陽之先兆也金木者生成之終始也木主發生應春春為生化之始
金主收斂應秋秋為成實之終終始不息其化常行故万物生長化成收藏自久○新校正云按陰陽應象大論曰天地者万物之
上下也陰陽者血氣之男女左右者陰陽之道路水火者陰陽之徵兆陰陽者万物之終始也與此論相出入也氣有多
少形有盛衰上下相召而損益彰矣氣有多少謂天之陰陽三等多少不同秩也形有盛衰謂
五運之氣有太過不及也由是多少盛衰天地相召而陰陽損益昭然彰著可見也○新校正云詳陰陽三等之義具下文注中
帝曰願聞五運之主時也何如時四時也鬼臾區曰五氣運行各終朞

日非獨主時也一運之氣終三百六十五日四分度之一乃易主非主一時當其王相囚死而為絶法也氣交之的迢然而別有之也帝曰請聞其所謂也鬼臾區曰臣積考太始天元冊文曰天元冊所以記天真元氣運行之紀也自神農之出鬼臾區十世祖始誦而行之此太古占候靈文洎乎伏羲之時已鐫諸玉版命曰冊文大古靈文故命曰太始天元冊也○新校正云詳今世有天元玉冊或者以謂即此大始天元冊文非是鐫子泉切

太虛寥廓肇基化元太虛謂空玄之境真氣之所充神明之官府也真氣精微無遠不至故能為生化之本始運氣之真元矣肇始也基本也萬物資始五運終天五運謂木火土金水運也終天謂一歲三百六十五日四分度之一也終始更代周而復始也言五運更統於太虛四時隨部而遷復六氣分居而異主万物因之以化生非曰自然其誰能始故曰萬物資始易曰大哉乾元万物資始乃統天云行雨施品物流形孔子曰天何言哉四時行焉百物生焉此其義也布

氣真靈總統坤元太虛真氣無所不至也氣齊生有故稟氣含靈者抱真氣以生焉總統坤元言天元氣常司地氣化生之道也易曰至哉坤元万物資生乃順承天也九星懸朗七曜周旋九星上古之時也上古世質人淳歸真反朴九星懸朗五運齊宣中古道德稍衰標星藏曜故計星之見者七焉九星謂天蓬天芮天衝天輔天禽天心天任天柱天英此盖從標而為始遁甲式法今猶用焉七曜謂日月五星今外蕃夷以此曆為舉動吉凶之信也周謂周天之度旋謂左循天

度而行五星之行猶各有遲退高下小大矣曰陰曰陽曰柔曰剛所以天道以幽明也道也天以陽生陰長地以柔化剛成也易曰立天之道曰陰與陽立地之道曰柔與剛此之謂也幽顯既位寒暑弛張幽顯既位

言人神各得其序寒暑弛張言陰陽不失其宜也人神各守所居无相干犯陰陽不失其序物得其宜天地之道且然人神之理亦猶也○新校正云按至真要大論云幽明何如岐伯曰兩陰交盡故曰幽兩陽合明故曰明幽明之配寒暑之異者也生生

化化品物咸章上生謂生之有情有識之類也下生謂生之无情無識之類也上化謂形容彰顯者也下化謂蔽匿形容者也有情有識彰顯形容天氣形之無情無識蔽匿形質地氣主禀元靈氣之所化育尔易曰天地絪緼万物化醇斯之謂歟

臣斯十世此之謂也傳習斯文至鬼臾區十世于玆不敢失墜帝曰善何謂氣有多少

形有盛衰鬼臾區曰陰陽之氣各有多少故曰三陰三陽也由氣有多少故隨其升降分為二別也○新校正云按至真要大論云陰陽之三也何謂岐伯曰氣有多少異用王水云太陰為正陰太陽為正陽次少者為少陰次少者為少陽又次為陽明又次為厥陰

形有盛衰謂五行之治各有太過不及也太過有餘也不及不足也氣至不足太過迎之[illegible]过不足隨之天地之氣虧盈如此故云形有[illegible]

其始也有餘而往不足隨之不足而往有餘從之[illegible]

與期

言虧盈無常五有勝負亦始謂甲子歲也六微旨大論曰天氣始於中也氣始於子子甲相合命曰歲立此之謂也則始甲子之歲三百六十五日所稟之氣皆不足也次而推之終六甲也故有餘已則不足不足已則有餘亦有歲運非有餘非不足者盖以同天地之化也若餘若餘已復餘少已復少則天地之道變常而災害作苛疾生矣○新校正云按六微旨大論云木運臨卯火運臨午土運臨四季金運臨酉水運臨子所謂歲會氣之平也又按五常政大論云委和之紀上角與正角同上商與正商同上宮與正宮同伏明之紀上商與正商同卑監之紀上宮與正宮同上角與正角同從革之紀上商與正商同上角與正角同涸流之紀上宮與正宮同赫曦之紀上羽與正徵同堅成之紀上徵與正商同又六元正紀大論云不及而加同歲會也前諸歲此為正歲氣之平也今汪往以同天之化哉非有餘不足若非也

應天為天符承歲為歲直三合為治

應天謂木運之歲上見厥陰火運之歲上見少陽少陰土運之歲上見大陰金運之歲上見陽明水運之歲上見大陽此五者天氣下降如合符運故曰應天為天符也承歲謂木運之歲〻當亥卯火運之歲〻當寅午土運之歲〻當辰戌丑未金運之歲〻當巳酉水運之歲〻當申子此五者歲之所直故曰承歲為歲直也三合謂火運之歲上見少陰年辰臨午土運之歲上見太陰年辰臨丑未金運之歲上見陽明年辰臨酉此三者天氣運氣與年辰相会故云三合為治也歲直亦曰歲位三合亦為天符六微旨大論曰天符歲会曰太乙天符謂天運與歲俱会也○新校正云按天符歲会之詳具六微旨大論中又詳火運上少陰年辰臨午即戊

年歲也金運上陽明年爲宫酉即乙酉歲也

帝曰：上下相召奈何？鬼臾區曰：寒暑燥濕風火，天之陰陽也，三陰三陽上奉之。

太陽爲寒少陽爲暑陽明爲燥太陰爲濕厥陰爲風少陰爲火皆其元在天故曰天之陰陽也

木火土金水火，地之陰陽也，生長化收藏下應之。

木初氣也火二氣也相火三氣也土四氣也金五氣也水終氣也以其在地應天故云下應也氣在地故曰地之陰陽也○新校正云按六微旨大論曰地理之應六節氣位何如岐伯曰顯明之右君火之位退行一步相火治之復行一步土氣治之復行一步金氣治之復行一步水氣治之復行一步木氣治之此即木火土金水火地之陰陽之義也

天以陽生陰長，地以陽殺陰藏。

生長者天之道藏殺者地之道天陽主生故以陽生陰長地陰主殺故以陽殺陰藏天地雖高下不同而各有陰陽之運用也○新校正云詳此經與陰陽應象大論文重注頗異

天有陰陽，地亦有陰陽。

天有陰故能下降地有陽故能上騰是以各有陰陽也陰陽交泰故化變由之成也

木火土金水火，地之陰陽也，生長化收藏，故陽中有陰，陰中有陽。

陰陽之氣極則過亢故各兼之陰陽應象大論曰寒極生熱熱極生寒又曰重陰必陽重陽必陰言氣極則變也故陽中兼陰陰中兼陽易之卦離中虛坎中滿此其義象也

所以欲知天地之陰陽者，應天之氣，動而不息，故五歲而右遷，應地之静而守位故六朞而環會天有六氣地有五位天以六氣臨地以五位承天盖以天氣不加君火故以六加五則五歲而餘一氣故遷一位若以五承六則常六歲乃備盡天元之氣故六年而環会所謂周而復始也地氣左行往而不返天氣東轉常自火運数五歲已其次氣正當君火之上法不加臨則右遷君火氣上以臨相火之上故曰五歲而右遷也由斷動静上下相臨而天地万物之情變化之机可見矣動静相召上下相臨陰陽相錯而變由生也天地之道變化之徵其由是矣孔子曰天地設位而易行乎其中此之謂也〇新校正云按五運行大論云上下相遺寒暑相臨氣相得則和不相得則病又云上者右行下者左行左右周天餘而復會帝曰上下周紀其有數乎鬼臾區曰天以六為節地以五為制周天氣者六朞為一備終地紀者五歲為一周六節謂六氣之分五制謂五位之分位悉一歲氣貌一年故五歲為一周六年為一備〻謂備歷天氣周謂周行地位所以地位六而言五者天氣不臨君火故也君火以明相火以位君火在相火之右但立名於君位不立歲氣故天之以氣不偶其氣以行君火之正守位而奉天之命以宣行火令爾以名奉天故曰君火以名守位稟命故五相火以位五六相合而七百二十氣為一紀凡三十歲千四百四十氣凡六十歲而為一周不及太過斯皆見矣歷法歲十正日因而乘

之積七百二十氣，即三十年；積千四百四十氣，即六十年也。經云：有餘而往，不足隨之；不足而往，有餘從之。故六十年中，不及太過斯皆見矣。○新校正云：按六節藏象論云：五日謂之候，三候謂之氣，六氣謂之時，四時謂之歲，而各從其主治焉。五運相襲而皆治之，終朞之日，周而復始，時立氣布，如環無端，候亦同法。故曰不知年之所加，氣之盛衰，虛實之所起，不可以為工矣。

帝曰：夫子之言，上終天氣，下畢地紀，可謂悉矣。余願聞而藏之，上以治民，下以治身，使百姓昭著，上下和親，德澤下流，子孫無憂，傳之後世，無有終時，可得聞乎？安不忘危，存不忘亡，大聖之至教也。求民之瘼，恤民之隱，大聖之深仁也。

鬼臾區曰：至數之機，迫迮以微，其來可見，其往可追。敬之者昌，慢之者亡，無道行私，必得夭殃。謂傳非其人，授於情狎，及寄求名利者也。謹奉天道，請言真要。申誡於君主，乃明言天道至真之要旨也。

帝曰：善言始者，必會於終；善言近者，必知其遠。數術明著，應用不差，故遠近於言，始終無謬。是則至數極而道不惑，所謂明矣。願夫子推而次之，令有條理，簡而不匱，久而不絕，易用難忘，為之綱紀。至數之要，願盡聞之。簡省要也，匱乏也，久遠也，要樞紐也。

鬼臾區曰：昭乎哉問！明

哉道如鼓之應桴響之應聲也（桴鼓椎也響應聲也）臣聞之甲巳之歲土運統之乙庚之歲金運統之丙辛之歲水運統之丁壬之歲木運統之戊癸之歲火運統之（大始天地初分之時陰陽析位之際天分五氣地列五行五行定位布政於四方五氣分流散支於十干當是黃氣橫於甲巳白氣橫於乙庚黑氣橫於丙辛青氣橫於丁壬赤氣橫於戊癸故甲巳應土運乙庚應金運丙辛應水運丁壬應木運戊癸應火運大古聖人望氣以書天冊賢者謹奉以紀天元下論文義備矣○新校正云詳運有大過不及平氣甲庚丙壬戊主太過乙辛丁癸巳主不及大法如此取平氣之法其說不一具如諸篇）帝曰其於三陰三陽合之奈何鬼臾區曰子午之歲上見少陰丑未之歲上見太陰寅申之歲上見少陽卯酉之歲上見陽明辰戌之歲上見太陽巳亥之歲上見厥陰少陰所謂標也厥陰所謂終也（標謂上首也終謂當三甲六甲之終○新校王云詳午未申酉戌亥之歲為正化正司正令之實子丑寅卯辰巳之歲為對化對司化令之虛此其大一也）厥陰之上風氣主之少陰之上熱氣主之太陰之上濕氣主之少陽之上相火主之陽明之上燥氣主之太陽之上寒氣主之所謂

本也，是謂六元。（三陰三陽為標，寒暑燥溼風火為本，其盛所謂本也。天真元氣分為六化，以統坤元生成之用，徵其志循，則六化不同；本其所生，則正是真元之一氣，故曰六元也。○新校正云：按別本六元作天元。）帝曰：光乎哉道！明乎哉論！請著之玉版，藏之金匱，署曰天元紀。

●五運行大論篇第六十七

黃帝坐明堂，始正天綱，臨觀八極，考建五常。（明堂，布政宮也。八極，八方目極之所也。考謂考校，建謂建立也。五常謂五氣行天地之中者也。端居正氣以候天和。）請天師而問之曰：論言天地之動靜，神明為之紀；陰陽之升降，寒暑彰其兆。（新校正云：詳論謂陰陽應象大論及氣交變大論文，彼云陰陽之往復，寒暑彰其兆。）余聞五運之數於夫子，夫子之所言，正五氣之各主義耳。首甲定運，余因論之。鬼臾區曰：土主甲己，金主乙庚，水主丙辛，木主丁壬，火主戊癸。子午之上，少陰主之；丑未之上，太陰主之；寅申之上，少陽主之；卯酉之上，陽明主之；辰戌之上，太陽主之；巳亥之歲，厥陰主之。不合陰陽，其故何也？（首甲[illegible]，[illegible]則[illegible]）

岐伯曰：是明道也，此天地之陰陽也。上古聖人仰觀天象以定陰陽，夫陰陽之道非不昭然，而人昧宗元，迷其本始，則百端疑誤從是而生。黃帝恐至理真宗便因迹廢墜，念黎庶故，設問曰天師知道出從真，以非迷謬，故對上曰是明道也。此天道之陰陽也，天陰陽法曰：甲己合，乙庚合，丙辛合，丁壬合，戊癸合。蓋取聖人仰觀天象之義，不然則十干之位各在一方，徵其離合，事亦廖廓。嗚呼遠哉！百姓日用而不知，下故大上立言曰：吾言甚易知，甚易行，天下莫能知，莫能行，此其類也。已新校正云：詳金主乙與者人君庶少齊與者乙之剛，大而言之陰與陽，小而言之夫與婦，是剛柔之事也，餘並如此。夫數之可數者，人中之陰陽也，然所合數之可得者也。夫陰陽者，數之可十，推之可百；數之可千，推之可萬。天地陰陽者，不以數推，以象之謂也。言智識淺，不見源，世雖所指亦遠，其知亦近，得其元始，豈非區。帝曰：願聞其所始也。岐伯曰：昭乎哉問也！臣覽太始天元冊文，丹天之氣經于牛女戊分，黅天之氣經于心尾己分，蒼天之氣經于危室柳鬼，素天之氣經于亢氐昴畢，玄天之氣經于張翼婁胃。所謂戊己分者，奎壁角軫，則天地之門戶也。戊土屬乾，己土屬巽。遁甲經曰：六戊為天門，六己為地戶。晨昏占雨，以西北東南，義取此。雨為土用示主之也古焉夫候之所始道之所生不可不通也帝曰善論言天地者萬物之上下左右者陰陽之道路未知其所謂也論謂天元紀及陰陽應象論也岐伯曰所謂上下者歲上下見陰陽之所在也左右者諸上見厥陰左少陰右太陽見少陰左太陰右厥陰見太陰左少陽右少陰見少陽左陽明右太陰見陽明左太陽右少陽見太陽左厥陰右陽明所謂面北而命其位言其見也面向北而言之也上南下北也左西也右東也帝曰何謂下岐伯曰厥陰在上則少陽在下左陽明右太陰少陰在上則陽明在下左太陽右少陽太陰在上則太陽在下左厥陰右陽明少陽在上則厥陰在下左少陰右太陽陽明在上則少陰在下左太陰右厥陰太陽在上則太陰在下左少陽右少陰所謂面南而命其位言其見也主歲者位在南故面北而言其左右在下者位在北故面南而言其左右也上天位也下地位也面南左東也右西也上下異而左右殊也上下相遘寒暑相臨氣相得則和

不相得則病木火相臨金水相臨水木相臨火土相臨土金相臨為相得也土木相臨土水相臨水火相臨火金相臨
金木相臨為不相得也上臨下為順下臨上為逆亦鬱抑而病生土臨相火君火之類者也帝曰氣相得而病
者何也岐伯曰以下臨上不當位也六位相臨假令土臨火火臨木木臨水水臨金金臨土皆
為以下臨上不當位也父子之義子為下父為上以子臨父不亦逆乎帝曰動靜何如言天地之行左右也岐
伯曰上者右行下者左行左右周天餘而復會也上天也下地也周天謂天周地
五行之位也天垂六氣地布五行天順地而左回地承天而東轉木運之後天氣常餘餘氣不加於君火却退一步加臨相火之上
是以每五歲已退一位而右遷故曰左右周天餘而復會會遇也合也言天地之道常五歲畢則以餘氣遷加復與五行座位再相
會合而為歲法也周天謂天周地位非周天之六氣也帝曰余聞鬼臾區曰應地者靜今夫
子乃言下者左行不知其所謂也願聞何以生之乎詩異也○新校正云按鬼
臾區言應地者靜見天元紀大論中岐伯曰天地動靜五行遷復雖鬼臾區其上候
而已猶不能徧明不能徧明無求備也夫變化之用天垂象地成形七曜緯
虛五行麗地地者所以載生成之形類也虛者所以列應天之精

氣也形精之動猶根本之與枝葉也仰觀其象雖遠可知也觀五星之東轉則地体左行之理昭然可知也麗著也有形之物未有不依據物而得全者也帝曰地之為下否乎言轉不居為下乎為否乎岐伯曰地為人之下大虛之中者也言人之所居可謂下矣徵其至理則是大虛中一物爾易曰坤厚載物德合無疆此之謂也帝曰馮乎言大虛無礙地体何憑而止住（馮）扶冰反（又）音皮岐伯曰大氣舉之也大氣謂造化之氣任持大虛者也所以大虛不屈地久天長者蓋由造化之氣任持之也氣化而變不任持之則大虛之器亦敗壞矣夫落葉飛空不疾而下為其乘氣故勢不得速焉凡之有形處地之上者皆有生化之氣任持之也然氣有大小不同壞有遲速之異及至氣不任持則大小之壞一也燥以乾之暑以蒸之風以動之溫以潤之寒以堅之火以溫之故風寒在下燥熱在上濕氣在中火遊行其間寒暑六入故令虛而化生也地体之中凡有六入一曰燥曰暑三曰風四曰濕五曰寒六曰火受燥故乾性生焉受暑故熱性生焉受風故動性生焉受濕故潤性生焉受火故溫性生焉受寒故堅性生焉此謂天之六氣也故燥勝則地乾暑勝則地熱風勝則地動濕勝則地泥寒勝則地裂火勝則地固矣六氣之用帝曰天地之氣何以候

之岐伯曰天地之氣勝復之作不形於診也言平氣及勝復皆以形證觀察不以診知也脈法曰天地之變無以脈診此之謂也天地以氣不以位故不當以脈知之帝曰間氣何如岐伯曰隨氣所在期於左右於左右尺寸四部分位承之以知應與不應過與不及也帝曰期之奈何岐伯曰從其氣則和違其氣則病謂沈不沈當浮不浮當濇不濇當鉤不鉤當弦不弦當大不大之類也○新校正云按至真要大論云厥陰之至其脈弦少陰之至其脈鉤太陰之至其脈沈少陽之至大而浮陽明之至短而濇太陽之至大而長至而和則平至而甚則病至而反則病至而不至者病未至而至者病陰陽易者危不當其位者病見於他位也迭移其位者病謂左見右脈右見左脈氣差錯故爾失守其位者危已見於他鄉本宮見賊殺之氣故病危尺寸反者死子午卯酉四歲有之反謂歲當陰在寸脈而反見於尺歲當陽在尺而脈反見於寸尺寸俱乃謂反也若尺獨然或寸獨然是[redacted]應氣非反也陰陽交者死寅申巳亥丑未辰戌八年有之交謂歲當陰在右脈反見左歲當陽在左脈反見右左右交見是謂交若左獨然或右獨然是不應氣非交也先立其年以知其氣左右應見然後乃可以言死生之逆順言歲氣備矣○新校正云詳此備六元正紀大論中帝曰寒暑燥濕風火在人合之奈何

其於萬物何以生化冊中外川甬生出承化而生化謂成立象安也**岐伯曰東方生風**東者日之初風者教之始天之使也所以發號施令故生自東方也景霽山昏蒼埃際合崖谷若一嵓岫之風也黃白昏埃空如渚獨見天垂川澤之風也加以黃黑白埃承下山澤之猛風也**風生木**陽升風鼓草木敷榮故曰風生木也此和氣之生化也若風氣施化則飄揚敷折其為變極則木拔草除也運乘丁卯丁丑丁亥丁酉丁未丁巳之歲則風化不足若乘壬申壬午壬辰壬寅壬子壬戌之歲則風化有餘於萬物也○新校正云詳王注以丁壬分運之有餘不足或者以丁卯丁亥丁巳壬申壬寅五歲為天符同天符正歲會非有餘不足為平木運以王注為非是不知大統也必欲細分誰除此五歲亦未為盡下文火土金水準蓋同此**木生酸**萬物味酸者皆始自木氣之化生也**酸生肝**酸味入胃生養於肝藏**肝生筋**酸味入肝自肝藏布化生成於筋膜也**筋生心**酸氣榮養筋膜畢已自筋流化乃入於心**其在天為玄**玄謂玄冥也丑之終東方白寅之初天色反黑大虛皆閉在天為玄象可見○新校正云詳在天為玄至化生氣七句通言六氣五行生化之大法非東方獨有之也而王注玄謂丑之終寅之初天色黑則專言在東方不兼諸方此注未通**在人為道**正理之道生養之政化也**在地為化**化生化也有生化而後有萬物萬物無非化氣以生成者**化生五味**金玉土石草木果穀根莖枝葉花萼實核無識之類皆地化生也**道生智**智正知也慮遠也知正則不疑於事慮遠則不涉于危以道處之理

符於智靈樞經曰因慮而處物謂之智**玄生神**神所無方深微莫測迹見形隱物鮮能期由是則玄冥之中神明棲據隱而不見玄生神明也**化生氣**飛走蚑行鱗介毛倮羽五類變化內屬神機雖爲五味所該然其生稟則異故又曰化生氣也此上七句並言六氣五行生化之大法非獨東方有之也○新校正云按陰陽應象大論及天元紀大論無化氣二句也倮音吾**神在天爲風**鳴紊啓坼風之化也振拉摧拔風之用也歲屬厥陰在上則風化於天厥陰在下則風行於地**在地爲木**長短曲直木之體也榦舉撓發木之用也**在體爲筋**維結束絡筋之體也繻縱卷舒筋之用也**在氣爲柔**木化宣發風化所行則物體柔耎**在藏爲肝**肝有二布葉一小葉如木甲拆之象也各有支絡脈遊以宣發陽和之氣商之宮也爲將軍之官謀慮出焉丁歲則肝藏及經絡受邪而爲病也膽府同**其性爲暄**暄溫也肝木之性也**其德爲和**敷布和氣於萬物木之德也○新校正云按氣交變大論云其德敷和**其用爲動**風搖而動無風則萬類皆靜○新校正云按木之用爲動火太過之政亦爲動蓋木火之主暴速故異爲動**其色爲蒼**有形之類乘木之化則外色皆見薄青之色今東方之地草木之上色皆蒼過丁歲則蒼物兼白及黃色不純也**其化爲榮**榮美色也四時之中物見華榮顏色鮮麗者皆木化之所生也○新校正云按氣交變大論云其化生榮**其蟲毛**萬物發生如毛在皮**其政爲散**發散生氣於萬物○新校正云按氣交變大論云其政舒啓詳木之政發散木太過之政散土不及之氣散金

之用散落木之火散落所以為散之異有文而散之義生二說說散之散是木之氣也二謂散落之散也是金之氣所為皆也其令宣發陽和之氣舒而散也其變摧拉摧拔成者也○新校云按氣交變大論云其變振發其眚隕墜也大風暴起草泯木墜○新校正云按氣交變大論云其災散落眚所景反其味為酸夫物之化之變而有酸味者皆木氣之所成敗也今東方之野生味多酸其志為怒怒其声也怒所以威物怒傷肝凡物之用極皆自傷也怒發於肝而反傷肝藏悲勝怒悲發而怒止勝之信也○新校正云詳五志悲當為憂蓋憂傷意悲傷魂故云悲傷怒也風傷肝亦猶風之折木也風生於木而反折之用極而衰○新校正云按陰陽應象大論云風傷筋燥勝風風自木生燥為金化風餘則制之以燥肝盛則治之以涼涼風清所行金之氣也酸傷筋酸寫肝氣寫甚則傷其氣靈樞經曰酸走筋筋病無多食酸以此尔走筋謂宣行其氣速疾也氣血肉骨同○新校正云詳註云靈樞經云乃是素問宣明五氣篇文按甲乙經云以此為素問王注云靈樞經者誤辛勝酸辛金味故勝木之酸酸餘故勝之以辛也南方生熱陽盛所生相火君火之政也大虛昏翳其若輕壁山川悉然熱之氣也大明不彰其色如丹鬱熱之氣也若丹雲暴升炎然葉積作盈作溢崖谷之熱也熱生火熱甚之氣火運盛明故曰熱生火火者盛陽之生化也熱氣施化則炎暑鬱燠其為變極則燔灼消爍運乘癸酉癸未癸巳癸卯癸丑癸亥歲則熱化不足若乘戊辰戊寅戊子戊戌戊申戊午歲則熱化有餘火有君火相火故曰熱

生火穴穴云火也火生苦物之味苦者皆始自火之生化也甘物遇火體焦則苦苦從火化其可徵也苦生心苦物入胃化入於心故諸癸歲則苦化少諸戊歲則苦化多心生血苦味自心化已則布化生血脈血生脾苦味營血已自伺流化生發泄也其在天為熱亦神化氣也暄暑鬱蒸熱之化也炎赫沸騰熱之用也歲為少陰少陽在上則熱化於火在下則熱行於地也在地為火光顯炳明火之體也燔燎焦然火之用也在體為脈流行血脈脈之術也噓泄虛寔脈之用也絡脈同在氣為息息長也在藏為心心形如未敷蓮花中有九空以導天真之氣神之宇也為君主之官神明出焉[illegible]火歲則心之與經絡受邪而為病小腸內[illegible]然其性為暑暑熱也心之氣性也其德為顯明顯見象定而可取火之德也〇新校正云按氣交變大論云其德彰顯其用為躁火性躁動不專定也其色為赤生化之物乘火化者悉表備赭丹之色今南方之地草木之上皆兼赤色乘癸歲則赤色之彩兼黑及白也其化為茂茂蕃盛也〇新校正云按氣交變大論云其化蕃茂其蟲羽參差長短象火之形其政為明明曜彰顯無所蔽匿火之政也〇新校正云按氣交變大論云其政明曜又按火之政明水之氣明水火異而明同者火之明明于外水之明明于內明雖同而實異也其令鬱蒸鬱盛也蒸熱也言盛熱氣如蒸也〇新校正云詳注謂鬱為盛其義未安按王冰注五常政大論云鬱謂鬱燠不舒暢也當如此解也其變炎爍熱甚炎赫爍石流金火之極變也〇新校正云

按氣交變大論云其變銷爍**其眚燔焫**燔焫山川旋及屋宇火之災也○新校正云按氣交變大論云其災燔焫[illegible]

景反**其味為苦**物之化之變而有苦味者皆火氣之所合散也今南方之脩生物多苦**其志為喜**喜悅樂也

悅以和志**喜傷心**言其過也喜發於心而反傷心亦由風之折木也過則氣竭故見傷也**恐勝喜**恐至則喜樂皆

泯勝喜之理目擊道存恐則水之氣也**熱傷氣**天熱則氣伏不見人熱則氣促喘急熱之傷氣理亦可徵此皆大熱也小

熱之氣猶生諸氣也陰陽應象大論云壯火散氣少火生氣比其義也**寒勝熱**寒勝則熱退陰盛則陽衰制熱以寒是求

勝也**苦傷氣**大凡如此尔苦之傷氣以其燥比若加以熱則傷尤甚也何以明之飲酒氣足多則喘急此其信也苦寒之驗

偏服藏久益火滋甚亦傷氣也暫以方治乃同少火反生氣也○新校正云詳此論所傷之旨有三東方曰風傷肝酸傷筋中央曰

温傷肉甘傷脾西方曰辛傷皮毛皆自傷者也南方曰熱傷氣苦傷氣北方曰寒傷血鹹傷血是傷己所勝也西方曰熱傷皮毛是

被勝傷己也凡此五方所傷之例有三若大素則俱云自傷爲**鹹勝苦**酒得鹽而解物理昭然火苦之[illegible]制以水鹹**中**

央生温中央土也高山土温泉出地中水源山[illegible]雲生岩谷則其象也夫性内蘊動而為用則雨降雲騰中央土温不遠備

矣故陛候死土潤溽著於六月謂是也溽音辱**温生土**温氣内蘊土体乃全[illegible]則土生乾則土死死則無[illegible]理則万[illegible]

故榮此温氣之化尔温氣無化則土宅而雲[illegible][illegible]注土崩也運乘己巳己卯己丑己亥己酉己未之[illegible]

足乘甲子甲戌甲申甲午甲辰甲寅之歲則溫化有餘也土生甘物之味甘者皆始自土之化生也甘生脾甘物入胃先入於脾故諸已歲則甘少化諸甲歲甘多化脾生肉甘来入脾自脾藏布化生長諸肉肉生肺甘氣營肉已自肉流化乃生養肺藏也其在天為溫言神化也柔潤重澤溫之化也埃溽雲雨溫之用也歲屬大陰在上則溫化於天大陰在下則溫化於地在地為土敦靜安鎮聚散復形群品以生土之体也含垢匿藏靜而下民為變化母土之德也○新校正云詳注云靜而下民為上之德下民之义恐字誤也在体為肉覆裹筋骨氣發其間肉之用也脉絡不時中外否閉肉之動也在氣為充土氣施化則万象盈在藏為脾形容馬端內包胃脘象上形也經絡之氣交歸於中以營運真靈之氣意之舍也為倉廩之官化物出焉乘已歲則脾及經絡受邪而為病○新校正云詳肝心肺腎四藏注各言府同使此注不言胃府同者闕文也其性靜兼兼謂並寒熱溫涼之氣也白虎通曰脾之為言并也謂四氣并之也其德為濡津溫潤澤土之德也○新校云云按氣交變大論云其德溽蒸其用為化化謂兼諸四化并已為五化所謂風化熱化燥化寒化周万物而為生長化成收藏也其色為黃物乘土物則表見黔黃之色今中央之地草木之上皆兼黃色乘已歲則黃色之物兼蒼及黑黔音今其化為盈盈滿也土化所及則万物盈滿○新校正云按氣交變大論云其化豐備其蟲倮倮露皮革无毛介也其政為謐謐靜也生性安靜○新校正云按氣交變大論云其政安

靜并土之政謐水大过其政謐若盖水大过而土下承之故其政亦謐**其令雲雨**溫氣布化之所成**其变動**
注動反靜也地之動則土失性風搖不安注雨久下也久則坦岸覆为土余矣〇新校正云按氣交变大論云其变驟注**其眚**
淫潰淫久雨也潰上崩潰也〇新校正云按氣交变大論云其災霖潰**其味為甘**物之化之变而有甘味若皆土
化之所終始也今中原之地故物味多甘淡**其志為思**思以成務〇新校正云按靈樞經曰因志而存变謂之思
傷脾思劳於智过則傷脾**怒勝思**怒則不思忿而忘禍則勝可知矣思甚不解以怒制之調性之道也**溫傷肉**
溫甚为水水盈則腫水下去已形肉已消傷肉之驗近可知矣**風勝溫**風木氣故勝土溫溫甚則制之以風**甘傷脾**
过節也〇新校正云按陰陽應象大論云甘傷肉**酸勝甘**甘餘則制之以酸所以救脾氣也**西方生燥**陽氣
已降陰氣復升氣爽風勁故生燥也夫岩谷青埃川原蒼翠烟浮草樹遠望氤氳此金氣所生燥之化也夜起白朦輕如微霧遐迩
一色星月皎如此万物陰成亦金氣所生白露之氣也太虛埃昏氣鬱黃黑視不見遠無風自行從陰之陽如雲如霧此殺氣也亦
金氣所生霜之氣也山谷川澤濁昏如霧氣鬱蓬勃慘然戚然[illegible]尺不分此殺氣將用也亦金氣所生運之氣也天雨大霖和氣西[illegible]
雲卷陽曜大居蕭清燥生西方义可徵也若西起大起木偃[illegible]是为燥與溫爭氣不勝也故當復雨然西方雨晴天之常氣[illegible]
東風雨止必有西風復雨因雨而徂自晴觀是之為則氣有[illegible]圖有燥溫变化之象不同其用矣由此則天地之氣以和為[illegible]

発奔驟気所不驟則慘为復也燥生金気勁風切金鳴声遠燥生之信視听可知此則燥化能令万物堅定也燥之施化於物如是其为变極則天地悽慘肅殺気行人悉畏之草木凋落運乘乙丑乙卯乙巳乙未乙酉乙亥之歳則燥化不足乘庚子庚寅庚辰庚午庚申庚戌歳則燥化有餘歳気不同生化異也金生辛物之有辛味皆始自金化之所成辛生肺辛味入胃先入於肺故諸乙歳則辛少化諸庚歳則辛多化肺生皮毛辛味入肺自肺藏布化生於皮毛也皮毛生腎辛気自入皮毛乃流化生気入腎藏也其在天為燥神化也霧露清勁燥之化也肅殺凋零燥之用也歳屬陽明在上則燥化於天陽明在下則燥化於地在地為金從革堅剛金之体也鋒刃銛利金之用也〇新校正云按別本銛作括在体為皮毛柔軔包裹皮毛之体也滲泄津液皮毛之用也在氣為成物乘金化則堅成在藏為肺肺之形似人肩二布葉數小葉中有二十四空行列以分布諸藏清濁之気主藏魄也為相傅之官治節出焉乘乙歳則肺与經絡受邪而為病也肺入肺府亦然其性為涼涼清也肺之性也其德為清金以清涼為德化〇新校正云按気交変大論云其德清潔其用為固固堅定也其色為白物乘金化則表彰縞素之色今西方之野草木之上色皆根白乘乙歳則白色之物黄赤及蒼也其化為斂斂收也金化流行則物体堅斂〇新校正云按気交変大論云其化緊斂詳金之化為斂而木不及之気亦斂者盖木不及而金勝之故斂也其蟲介介甲也外被介甲金

堅之象也其政為勁勁前銳也○新校正云按氣交變大論云其政勁切其令霧露涼氣化生其變肅
殺天地慘慘人所不喜則其氣也其眚蒼落青乾而凋落其味為辛夫物之化之變而有辛味者皆金氣
之所離合也今西方之野草木皆辛其志為憂深慮也思也○新校正云詳王注以憂為思有害於義故本論思為脾之
志憂為肺之志是憂非思明矣又樞經曰愁憂則閉塞而不行又云愁憂而不解則傷意若是則憂者愁也非思也憂傷肺
愁憂則氣閉塞而不行肺藏氣故憂傷肺熱傷皮毛火有二別故此再舉熱傷之形證也火氣薄爍則物焦乾故熱之盛
則皮毛傷寒勝熱以陰消陽故寒勝熱○新校正云按太素作燥傷皮毛熱勝燥辛傷皮毛過節也辛熱又甚焉
苦勝辛苦火味故勝金之辛北方生寒陽氣伏陰氣升政布而大行故寒生也太虛澄淨黑氣浮空天色黯然高
空之寒氣也若氣似散麻本末皆黑微見川澤之寒氣也太虛清白空光雪映遐迩一色山谷之寒氣也太虛白昏火明不翳如霧
雨氣遐迩肅然北望色玄凝霧夜落此水氣所生寒之化也太虛凝陰白埃昏翳天地一色遠視不分此寒溫凝結雪之將至也地
裂水冰河渠乾涸枯澤浮鹹木斂土堅是土勝水水乃不得自清水所皆與之用也寒生水寒資陰化水所由生此寒氣之
生化爾寒氣施化則水冰雪霧其為變極則水涸冰堅運乘丙寅丙子丙戌丙申丙午丙辰之歲則寒氣大行乘辛未辛巳辛卯辛
丑辛亥辛酉之歲則寒化少水生鹹物之有鹹味者皆始自水化之所結成自水澤枯涸鹵鹹乃蕃滄海味鹹鹽從水成

則鹹因水產其事炳然益水味鹹近而可見鹹生腎鹹物入骨先歸於骨故諸丙歲腎鹹物多化省辛歲鹹物少化

生骨髓鹹味入腎自腎藏骨髓布化生於骨髓髓生肝鹹氣自生骨髓乃流化生氣入肝藏也其在天為

寒神化也凝慘水雪寒之化也凜冽霜雹寒之用也歲屬火陽在上則寒化於天大陽在下則寒行於地在地為水

陰氣布化流於地中則為冰泉澄澈流行水之体也漂蕩沒溺水之用也在体為骨強幹堅勁骨之体也包裹髓腦物之

用也在氣為堅柔耎之物遇寒則堅寒之化也在藏為腎腎藏有二形如豇豆相並而曲附於膂筋外有脂裹

裹白表黑主藏精也為作強之官伎巧出焉乘辛歲則腎藏及於終受邪而為之病膀胱府同其性為凜凜寒也腎之性

也其德為寒水以其為德化新校正云按気交変大論云其德凄滄其用為本闕其色為黑

水成則表被玄黑之色今比方之野草木之上色皆玄黑乘辛歲則黑色之物並黃及赤其化為肅肅靜也新校正云

按気交変大論云其化清謐詳水之化為肅而金之政大過者为肅平金之政勁肅金之復肅殺若何也蓋水之化肅者靜也金之

政肅者肅殺也文雖同而事異其蟲鱗鱗謂魚蛇之族類其政為靜水注溢繇而清淨○新校正云按気交变

大論云其政凝肅詳水之政为靜而平土之政安靜土大過之政小为靜土不及之政亦为靜定水土兼而靜同者非同也水之靜

則爭也土之校靜也之其令本闕其變凝冽寒甚致是○新校正云按氣交變大論云其變凜冽其眚

[illegible]〔非時而有及暴過也。○新校正云：按氣交變大論云其災冰雪霜雹。〕其味為鹹，〔[illegible]水化之所凝故也。今北方川澤地多鹹鹵。〕其志為恐。〔恐以遠禍。〕恐傷腎，〔恐甚[illegible]中則[illegible]樞經曰恐懼而不[illegible]則傷精。腎藏精，故精傷而傷及於腎。〕思勝恐；〔思見禍也，故无憂恐。思一作憂，非也。〕寒傷血，〔腎勝心也。寒甚血凝，故傷血也。〕燥勝寒；〔寒化則水積，燥用則物腎，燥与寒甚，故相勝也。天地之化，物理之常也。〕鹹傷血，〔味過於鹹，則咽乾引飲，傷血之義，斷可知矣。〕甘勝鹹。〔鹹渴飲井泉，咽乾自已。甘為土味，故勝水鹹。○新校正云：詳自上岐伯曰至此，與陰陽應象大論同，小有增損，而注頗異。〕五氣更立，各有所先，〔當其歲時，氣乃先也。〕非其味則邪，當其位則正。〔先立運然後知非相與當位者也。〕帝曰：病之生變何如？岐伯曰：氣相得則微，不相得相甚。〔木居火位，火居土位，土居金位，金居水位，水居木位，木居君位，如是者為相得。又木居水位，水居金位，金居土位，土居火位，火居木位，如是者雖為相得，終以子僭居父母之位，下陵上亢，為小逆也。木居金土位，火居金水位，土居水木位，金居火位，水居火土位，如是者為不相得，故甚病也。皆先立運氣及司天之氣，則氣之所在相得與不相得可知矣。〕帝曰：主歲何如？岐伯曰：氣有餘，則制己所勝而侮所不勝；其不及，則己所不勝侮而乘之，己所勝輕而侮之。〔木餘則制土[illegible]金自[illegible]〕

欺侮也又木少金勝土反侮木以木不及故土妄凌之也四氣卒同侮謂欺侮而凌忽之侮反受邪或以己強盛或遇彼衰微不度卑弱妄行凌忽雖侮而求勝故終以受邪侮而受邪寡於畏也受邪各謂受己所不勝之邪也然捨己宮觀適他鄉邪外強中乾邪勝真弱寡於敬畏由是納邪故曰寡於畏也○新校正云按六節藏象論云未至而至此是大過則薄所不勝而乘所勝命曰氣淫至而不至此謂不及則所勝妄行而所生受病則不勝而薄之命曰氣迫如此之義也帝曰善帝謂其論之當

●六微旨大論篇第六十八

黃帝問曰嗚呼遠哉天之道也如迎浮雲若視深淵視深淵尚可測迎浮雲莫知其極深淵淨瑩而澄澈故視之可測其深淺浮雲飄泊而合散故迎之莫詣其邊涯言蒼天之象如淵可視乎鱗介運化之道尤雲莫測其去留六氣深微其於運化當如是喻矣○新校正云詳此文與疏五過論同夫子數言謹奉天道余聞而藏之心私異之不知其所謂也願夫子溢志盡言其事令終不滅久而不絕天之道可得聞乎運化生成之道也岐伯稽首再拜對曰明乎哉問天之道也此因天之序盛衰之時也

帝曰：願聞天道六六之節盛衰何也？六六之節，經已啓問，天師未數其旨，故重問之。岐伯曰：上下有位，左右有紀。上下謂司天地之氣二也，餘左右四氣在歲之左右也。故少陽之右，陽明治之；陽明之右，大陽治之；大陽之右，厥陰治之；厥陰之右，少陰治之；少陰之右，大陰治之；大陰之右，少陽治之；此所謂氣之標，蓋南面而待之也。標，末也。聖人南面而立，以閱氣之至也。故曰：因天之序，盛衰之時，移光定位，正立而待之，此之謂也。移光謂日移光，定位謂面南觀氣，正立觀歲，數氣之至則氣可待之也。少陽之上，火氣治之，中見厥陰；少陽南方火，故上見火氣治之，與厥陰合，故中見厥陰也。陽明之上，燥氣治之，中見大陰；陽明西方金，故上燥氣治之，與大陰合，故燥氣之下中見大陰也。大陽之上，寒氣治之，中見少陰；大陽北方水，故上寒氣治之，與少陰合，故寒氣之下中見少陰也。○新校正云：按《六元正紀大論》云：太陽所至為寒生，中為溫，與此義同。厥陰之上，風氣治之，中見少陽；厥陰東方木，故上風氣治之，與少陽合，故風氣之下中見少陽也。少陰之上，熱氣治之，中見大陽；少陰東南方君火，故上熱氣治之，與太陽合，故熱氣之下中見太陽也。○新校正云：按《六元正紀大論》云：少陰所至為熱生，中為寒，與此義同太陰之上溫氣治之中見陽明大陰西南方土故上溫氣治之與陽明合故溫氣之下中見陽明也所謂本也本之下中之見也見之下氣之標也本謂元氣也氣別為王則文言著矣○新校正云詳注云又言著矣疑誤本標不同氣應異象本者應之元標者病之始病生形用求之標方施其用求之本標本不同求之中見法方全○新校正云按至真要大論云六氣標本不同氣有從本者有從標本者有不從標本者少陽大陰從本少陰大陽從本從標陽明厥陰不從標本從乎中故從本者化生於本從標本者有標本之化從中者以中氣為化

帝曰其有至而至有至而不至有至而太過何也皆謂天之六氣也初之氣起於立春前十五日餘二三四五終氣次至而分治六十日餘八十七刻半

岐伯曰至而至者和至而不至來氣不及也未至而至來氣有餘也時至而氣至平和之應此為平歲也假令甲子歲氣有餘於癸亥歲未當至之期先期而至也乙丑歲氣不足於甲子歲當至之期後時而至也故曰來氣不及來氣有餘也言初氣之至期如此歲氣有餘六氣之至皆先期歲氣不及六氣之至皆後時先時後至後時先至各差十三日而應也○新校正云按金匱要略云有未至而至有至而不至有至而不去有至而太過冬至之後得甲子夜半以陽起少陰之時陽始生天得溫和以未得甲子天因溫和此為未至而至也以得甲子而天未溫和此為至而不至以得甲子而天大寒不解此為至而不去以得甲

子而反温如盛夏時此為至而大過此亦論氣應之一端也帝曰至而不至未至而至何如言大
過不及歲當至晚至早之時應也岐伯曰應則順否則逆逆則變生變生則病當期
為應愆期為否天地之氣生化不息无止礙也不應有而有應有而不有是造化之氣失常失常則氣變變常則氣血紛撓而為病
也天地變而失常則万物皆病帝曰善請言其應岐伯曰物生其應也氣脉其應
也物之生榮有常時脉之至有常期有餘歲早不及歲晚皆依斯至也帝曰善願聞地理之應六節
氣位何如岐伯曰顯明之右君火之位也君火之右退行一步相
火治之日出謂之顯明則卯地氣分春也自春分後六十日有奇斗建卯正至于巳正君火位也自斗建乃正位之中三之
氣分相火治之所謂少陽也君火之位所謂少陰熱之分也天度至此暄淑大行居熱之分不行炎暑居之德也少陽居之為僭逆
大熱早行疫病乃生陽明居之為温凉不時太陽居之為寒雨間熱厥陰居之為風温雨生羽蟲少陰居之為天下疵疫以其得位
君令宣行故也太陰居之為時雨火有二位故以君火為大氣之始也相火則夏至日前後各三十日也少陽之分火之位矣天度
至炎熱大行少陽居之為熱暴至草萎河乾炎亢温化晚布陽明居之為凉氣間發太陽居之為寒氣間至熱爭冰雹厥陰居之為
風熱大行雨生羽蟲少陰居之為大暑炎亢太陰居之為雲雨雷雹退謂南面視之在位之右也一步凡六十日又八十七刻半餘

氣同法

復行一步土氣治之雨之分也即秋分前六十日而有奇斗建未正至酉之中四之氣也天度至此雲雨大行溫蒸乃作少陽居之為炎熱沸騰雲雨雷電陽明居之為清雨霧露大陽居之為寒雨害物厥陰居之為暴風雨摧拔雨生倮虫少陰居之為寒熱氣反用山澤浮雲暴雨溽蒸太陰居之為大雨霪霔霪音淫

復行一步金氣治之燥之分也即秋分後六十日而有奇自斗建酉正至亥之中五之氣也天度至此万物皆燥少陽居之為溫清更正万物乃榮陽明居之為大涼燥疾太陽居之為早寒厥陰居之為涼風火行雨生介虫少陰居之為秋溫熱病時行太陰居之為時雨沉陰

復行一步水氣治之寒之分也即冬至日前後各三十日自斗建亥至丑之中六之氣也天度至此寒氣大行少陽居之為冬溫蟄虫不藏流水不冰陽明居之為燥寒勁切太陽居之為大寒凝冽厥陰居之為寒風飄揚雨生鱗虫少陰居之為熱虫出見流水不冰太陰居之為凝陰寒雪地氣溫也

復行一步木氣治之風之分也即春分前六十日而有奇也自斗建丑正至卯之中初之氣也天度至此風氣乃行大地神明号令之始也天之使也少陽居之為溫疫至陽明居之為清風霧露朦昧大陽居之為寒風切勁霜雪水冰厥陰居之為大風發榮雨生毛虫少陰居之為熱風傷人時氣流行大陰居之為風雨凝陰不散

復行一步君火治之熱之分也復春分始也自斗建卯正至巳之中二之氣也凡此六位終始一年六六三百六十日六八四百八十刻六七四十二刻其餘半刻分而為三約終三百六十五度也餘奇細分率之可也

相火

之下水氣承之盛水承條蔓榮弱湊潤衍溢水象可見○新校正云按六元正紀大論云少陽所至為火生終為蒸溽則水承之義可見又云少陽所至為飄風燔燎霜凝亦下承之水氣也

水位之下土氣承之寒甚物堅水冰流涸土象所見承下明矣○新校正云按六元正紀大□注云大陽所至為寒雪冰雹白埃則上氣承之之義也

土位之下風氣承之疾風之後時雨乃零是則溫為風吹化而為雨○新校正云按六元正紀大論云大陰所至為溫生終為注雨則上位之下風氣承之而為雨也又云太陰所至為雷霆驟注烈風則風承之義也

風位之下金氣承之風動氣清萬物皆燥金承木下其象昭然○新校正云按六元正紀大論云厥陰所至為風生終為肅則金承之義可見又云厥陰所至為飄怒大涼亦金承之義

金位之下火氣承之鑠金生熱則大流金乘火之上理无妄也○新校正云按六元正紀大論云陽明所至為散落溫則火承之義也

君火之下陰精承之君火之位大熱不行蓋為陰精制承其下也諸以所勝之氣乘於下者皆折其標盛此天地造化之大然尒○新校正云按六元正紀大論云少陰所至為熱生中為寒則陰承之義可知又云少陰所至為大暄寒亦其義也又按六元正紀云水發而雹雪土發而飄驟木發而毀折金發而清明火發而曛昧何氣使然曰氣有多少發有微甚微者當其氣甚者兼其下徵其下氣而見可知也所謂徵其下者即此六承氣也

帝曰何也岐伯曰亢則害承迺制制生則化外列盛衰害則敗亂

生化大病〔亢過極也物惡其極〕帝曰盛衰何如岐伯曰非其位則邪當其位則正邪則變甚正則微帝曰何謂當位岐伯曰木運臨卯火運臨午土運臨四季金運臨酉水運臨子所謂歲會氣之平也〔非太過非不及是謂平運主歲也平歲之氣物生脉叶皆必合期无先後也○新校正云詳木運臨卯丁卯歲也火運臨午戊午歲也土運臨四季甲辰甲戌己丑己未歲也金運臨酉乙酉歲也水運臨子丙子歲也內戊午己丑己未乙酉又為太一天符〕帝曰非位何如岐伯曰歲不與會也〔不与本辰相逢会也〕帝曰土運之歲上見太陰火運之歲上見少陽少陰〔少陰少陽皆火氣〕金運之歲上見陽明木運之歲上見厥陰水運之歲上見太陽奈何岐伯曰天之與會也〔天氣与運氣相逢会也○新校正云詳土運之歲上見太陰己丑己未也火運之歲上見少陽戊寅戊申也上見少陰戊子戊午也金運之歲上見陽明乙卯乙酉也土運之歲上見厥陰丁巳丁亥也水運之歲上見大陽丙辰丙戌也內己酉己未戊午乙酉又為太一天符按六元正紀大論云大过而同天化者三不及而同天化者亦三戊子戊午太徵上臨少陰戊寅戊申太徵上臨少陽丙辰丙戌大羽上臨太陽如是者三丁巳丁亥少角上臨厥陰乙卯乙酉少商上臨陽明己丑己未少宮上臨太陰如是者三臨者太過不及皆曰天符也〕

故天元冊曰天符天符歲會何如岐伯曰六一天符之會也是謂三合一者天会二者歲会三者運会也天元紀大論曰三合為治此之謂也○新校正云按六一天符之詳具天元紀大論注中帝曰其貴賤何如岐伯曰天符為執法歲位為行令太一天符為貴人執法猶相輔行令猶方伯貴人猶君主帝曰邪之中也奈何岐伯曰中執法者其病速而危執法官人之繩準為邪僻故病速而危中行令者其病徐而持方伯无執法之權故无速害病但執持而已中貴人者其病暴而死义无凌犯故病則暴而死帝曰位之易也何如岐伯曰君位臣則順臣位君則逆逆則其病近其害速順則其病遠其害微所謂二火也相火居君火是臣位居君位故逆也君火居相火是君位居臣位君臨臣位故順也遠謂里遠近謂里近也帝曰善願聞其步何如岐伯曰所謂步者六十度而有奇奇謂八十七刻又十分刻之五也故二十四步積盈百刻而成日也[illegible]天度之餘也夫言周天之度者三百六十五度四分度之一也二十四步正四歲也四分度之一二十五刻也四歲氣乘積已盈百刻故成一日度一日也帝曰六氣應五行之變何如岐伯曰位有終始氣有

初中上下不同求之亦異也位地位也氣天氣也氣與位互有差移故氣之初天用事氣之中地主之
地主則氣流于地天用則氣騰于天初與中皆分天步而率刻爾初中各三十日餘四十三刻四分刻之三也帝曰求之
奈何岐伯曰天氣始於甲地氣始於子子甲相合命曰歲立謹候
其時氣可與期子甲相合命曰歲立則甲子歲也謹候水刻早晏則六氣悉可與期爾帝曰願聞其
歲六氣始終早晏何如岐伯曰明乎哉問也甲子之歲初之氣天
數始於水下一刻常起於平明寅初一刻艮中之南也○新校正云按戊辰壬申丙子庚辰甲申戊子壬辰丙申
庚子甲辰戊申壬子丙辰庚申歲同此所謂辰申子歲氣會同陰陽法以是為三合終於八十七刻半子正之中
夜之半也外十二刻半入二氣之初諸餘刻同入也二之氣始於八十七刻六分子中之左也終
於七十五刻戌之後四刻也外二十五刻入次二氣之初率三之氣始於七十六刻亥初之六
刻終於六十二刻半酉正之中也外三十七刻半差入後四之氣始於六十二刻六
分酉中之北終於五十刻未後之四刻也外五十刻差入後五之氣始於五十一刻申初
之一刻終於三十七刻半午正之中晝之半也外六十二刻半差入後六之氣始於三十

七刻六分（午中之南）終於二十五刻（辰正之後四刻七十五刻差入後刻外）所謂初六天之數也（天地之數二十四氣乃大会而同故命此日物六天數也）乙丑歲初之氣天數始於二十六刻（巳刻之一刻○新校正云按己巳癸酉丁丑辛巳乙酉己丑癸巳丁酉辛丑乙巳己酉癸丑丁巳辛酉歲同所謂己酉丑歲氣會同也）終於一十二刻半（卯正之中）二之氣始於一十二刻六分（卯中之南）終於水下百刻（丑後之四刻）三之氣始於一刻（又寅初之刻）終於八十七刻半（子正之中）四之氣始於八十七刻六分（子中正南）終於七十五刻（戌後之四刻）五之氣始於七十六刻（亥初之一刻）終於六十二刻半（酉正之中）六之氣始於六十二刻六分（酉中之北）終於五十刻（未後之四刻）所謂六二天之數也（一六為初六二六為六二各次也）丙寅歲初之氣天數始於五十一刻（申初之一刻○新校正云按庚午甲戌戊寅壬午丙戌庚寅甲午戊戌壬寅丙午庚戌甲寅戊午壬戌歲同此所謂寅午戌歲氣会同）終於三十七刻半（午正之中）二之氣始於三十七刻六分（午中之酉）終於二十五刻（辰後之四刻）三之氣始於二十六刻（巳初之一刻）終於一十二刻半（卯正之中）四

之氣始於一十六刻六分卯中之南終於水下百刻丑後之四刻五之氣始於一刻寅初之一刻終於八十七刻半子正之中六之氣始於八十七刻六分子中之左終於七十五刻戌後之四刻所謂六三天之數也丁卯歲初之氣天數始於七十六刻亥初之一刻○新校正云按辛未乙亥己卯癸未丁亥辛卯乙未己亥癸卯丁未辛亥乙卯己未癸亥歲同此所謂卯未亥歲氣會同終於六十二刻半酉正之中二之氣始於六十二刻二分酉中之北終於五十刻未後之四刻三之氣始於五十一刻申初之一刻終於三十七刻半午正之中四之氣始於三十七刻六分午中之酉終於二十五刻辰後之四刻五之氣始於二十六刻巳初之一刻終於一十二刻半卯正之中六之氣始於一十二刻六分卯中之南終於水下百刻丑後之四刻所謂六四天之數也次戊辰歲初之氣復始於一刻常如是無已周而復始始自甲子年終自癸亥歲常以四歲為一小周一十五周為一大周以辰命歲則氣可午期帝曰願聞其歲候何如岐伯曰悉乎哉問也日行一周天氣始於一刻

也日行再周天氣始於二十六刻乙丑歲也日行三周天氣始於五十一刻丙寅歲也日行四周天氣始於七十六刻丁卯歲也日行五周天氣始復於一刻戊辰歲也餘五十五歲循環周而復始也所謂一紀也法以四年為一紀循環不已餘三歲一會同故有三合也是故寅午戌歲氣會同卯未亥歲氣會同辰申子歲氣會同巳酉丑歲氣會同周而復始陰陽法以是為三合者緣其氣会同也不尓則各在一方义无由合帝曰願聞其用也岐伯曰言天者求之本言地者求之位言人者求之氣交本謂天六氣寒暑燥温風火也三陰三陽由是生化故云本所謂六元者也位謂金木火土水君火也天地之氣上下相交人之所処也帝曰何謂氣交岐伯曰上下之位氣交之中人之居也自天之下地之上則二氣交合之分也人居地上故氣交之中人之居也是以化生變易皆在氣交之中故曰天樞之上天氣主之天樞之下地氣主之氣交之分人氣從之万物由之此之謂也天樞當齊之兩傍也所謂身半矣伸臂指天則天樞正當身之半也三分折之上分應天下分應地中分應氣交天地之氣交合之際所遇寒暑燥温風火勝復之變之化故人從ヒ之万物生化悉由而合散也帝曰何謂

初中岐伯曰初凡三十度而有奇中氣同法奇謂三十日余四十三刻又四十分刻之三十也初中相合則六十日餘八十七刻半也以各餘四十分刻之三十故云中氣同法也帝曰初中何也岐伯曰所以分天地也以是布氣高下生人病主之也帝曰願卒聞之岐伯曰初者地氣也中者天氣也氣之初天用事天用事則地氣上騰於太虛之內氣之中地氣主之地氣主則天氣下降於有質之中帝曰其升降何如岐伯曰氣之升降天地之更用也升謂上升降謂下降升極則降降極則升升降不已故彰天地之更用也帝曰願聞其用何如岐伯曰升已而降降者謂天降已而升升者謂地氣之初地氣升氣之中天氣降升已而降以下彰天氣之下流降已而升以上表地氣之上應天氣下降地氣上騰天地交合泰之象也易曰天地交泰是以天地之氣升降常以三十日半下上下上不已故万物生化无有休息而各得其所也天氣下降氣流于地地氣上升氣騰於天故高下相召升降相因而變作矣氣有騰復故變生也○新校正云按天元正紀大論云天地之氣盈虛何如曰天氣不足地氣隨之地氣不足天氣從之運居其中而常先也悪所不勝歸所和同隨運歸從而生其病也故上勝則天氣降而下下勝則地氣遷而上多少而差其分微者小差甚者大差甚則位易氣交易則大變生而病作矣帝

曰善寒濕相遘燥熱相臨風火相值其有間乎岐伯曰氣有勝復勝復之作有德有化有用有變變則邪氣居之

夫撫掌成声沃火生沸物之交合象出其間萬類交合亦由是矣天地交合則八風鼓折六氣交馳於其間故氣不能正者反成邪氣

帝曰何謂邪乎

邪者不正之目也天地勝復則寒暑燥濕風火六氣互為邪也

岐伯曰夫物之生從於化物之極由乎變變化之相薄成敗之所由也

夫氣之有生化也不見其形不知其情莫測其所起莫究其所止而萬物自生自化近成無極是謂天和見其象彰其動震烈則暴飄泊驟卒拉堅摧殘摺折鼓[illegible]邪氣故物之生也靜而化成其毀也躁而變革是以生從於[illegible]由乎變變化不息則敗之由常在生有涯分者言有終始爾○新校正云按天元紀大論云物生謂之化物極謂之變

故氣有往復用有遲速四者之有而化而變風之來也

天地易位寒暑移方水火易處當動用時氣之遲速往復而不常在雖不可究識意端然微甚之用而為化為變風所由來也人氣不勝因而感之故病生焉風非求勝於人也

帝曰遲速往復風所由生而化而變故因盛衰之變耳成敗倚伏遊乎中何也

夫倚伏者[illegible]禍之萌也有禍[illegible]所倚也有福者禍之所伏也由是故禍福之為倚伏物[illegible]則哀是福之極故為禍所倚否極之泰未濟之濟是[illegible]

所伏，然吉凶成敗，目擊道存，不可以終，自然之理，故無尤也。岐伯曰：成敗倚伏生乎動，動而不已，則變作矣。動靜之理，氣有常運，其微也為物之化，其甚也為物之變。化流於物，故物得之以生；變行於物，故物得之以死。由是成敗倚伏，生於動之微甚遲速爾，豈唯風陶有是哉？人在氣中，養生之道，進退之用，當自然也。○新校正云：按至真要大論云：陰陽之氣，清淨則生化治，動則苛疾起。此之謂也。帝曰：有期乎？岐伯曰：不生不化，靜之期也。人之期可見者二也，天地之期不可見也。夫二可見者，一曰生之終也，其二曰變易，與土同體，然後捨小生化，歸於大化，以死後猶化變未已，以可見者二也。天地終極，人壽有分，長短不相及，故人見之者鮮矣。岐伯曰：出入廢則神機化滅，升降息則氣立孤危。出入謂喘息也，升降謂化氣也。夫毛羽倮鱗介及飛走蚑行，皆生氣根于身中，以神為動靜之主，故曰神機也。然金玉土石鎔埏草木，皆生氣根於外，假氣以成立主持，故曰氣立也。五常政大論曰：根于中者命曰神機，神去則機息；根于外者命曰氣立，氣止則化絕。此之謂也。故無是四者，則神機與氣立者，生死皆絕。○新校正云：按易云：本乎天者親上，本乎地者親下。周禮大宗伯有天產地產，大司徒云動物植物，即此神機氣立之謂也。然皆神出伴行。故非出入，則無以生長壯老已；非升降，則無以生長化收藏。夫自東自西，自南自北者，假出入息以為化主，因物以全質者之陰陽升降之氣以作生源，若非此道，則無能致是生者也。是以升降出

入無器不有包藏生氣者皆謂生化之器觸物然矣夫竅橫者皆有出入去來之氣竅豎者皆有陰陽升降之氣往復

於中何以明之則壁窓户牖兩面伺之皆承來氣衝擊於人是則出入氣也夫陽升則井寒陰升則水暖以物投井及葉墜空中翩

翩不疾皆升氣所礙也虛管溉滿捻上懸之水固不泄為無升氣而不能降也空瓶小口頓溉不入為氣不出而不能入也由是觀

之升無所不降降無所不升無出則不入無入則不出夫群品之中皆出入升降不失常守而云非凡者求之有也有失無失有情

無情去出入已升降而云存者未之有也故曰升降出入無器不有故器者生化之宇器散則分之

生化息矣器謂天地及諸身也宇謂屋宇也以其身形包藏府藏受納神靈與天地同故皆名器也諸身者小生化之器

宇大虛者廣生化之器宇也生化之器自有小大無不散也夫小大器皆生有涯分散有遠近者也故無不出入無

不升降真生假立形器者無不有此二者一化有小大期有近遠近者小見遠無遠者無涯遠者無常

見近而變有其涯至死遠近不同則合散殊時節即有既交競異見常乎及至分散之時則近遠同歸於一變四者之有

而貴常守四者謂出入升降也有出入升降則為常守有出無入有入無出有升無降有降無升則非生之氣也若非胎

息道成居常而生則未之有屏出入息泯升降氣而能存其生化者故貴常守反常則災害至矣出入升降生化

之无主故不可無之反常之道則神去其室生化微絕非災害而何哉故曰無形無患此之謂也夫唐

遂悅于色畏于難偶川揭外惡風寒暑溫內繁飢飽愛欲皆以形無所隱故常嬰患累於人間也君便想慕滋蔓嗜欲無厭外附權門內豐情偽則動以牢網坐招燔焫欲思釋縛其可得乎是以身為患階耳老子曰吾所以有大患者為吾有身及吾無身吾有何患此之謂也夫身與形與大虛釋然消散復未知生化之氣為有而聚耶為無而滅乎帝曰善有不生不化乎言人有逃陰陽免生化而不生不化无始无終同大虛自然者乎岐伯曰悉乎哉問也與道合同惟真人也真人之身隱見莫測出入天地內外順道至真以生其為小也入於無間其為大也過虛空界不與道如一其孰能爾乎帝曰善

氣交變大論篇第六十九

新校正云詳此論專明氣交之變迺五運太過不及德化政令災變勝復為病之事

黃帝問曰五運更治上應天朞陰陽往復寒暑迎隨真邪相薄內外分離六經波蕩五氣傾移太過不及專勝兼并願言其始而有常名可得聞乎朞三百六十五日四分日之一也專勝謂五運主歲太過也兼并謂主歲之不及也常名謂布化於太虛人身參應病之形診也○新校正云按天元紀大論云五運而皆治之終朞之日周而復始又云五氣運行各終朞日太

統于元門文曰萬物資始五運終天流即五運更治上應天期之義也岐伯稽首再拜對曰昭乎哉
問也是明道也此上帝所貴先師傳之臣雖不敏往聞其旨言非己心
之生知備聞先人往古受傳之遺旨也帝曰余聞得其人不教是謂失道傳非其人
慢泄天寶余誠菲德未足以受至道然而衆子哀其不終願夫子
保於無窮流於無極余司其事則而行之奈何至道者非傳之難非知之難行之難
聖人愍念蒼生同居永壽故屈身降志請受於天師太上貴得故後已先人苟非其人則道無虛授黃帝欲仁慈惠遠傳愛流行
尊道下身拯乎黎庶乃曰余司其事則而行之也岐伯曰請遂言之也上經曰夫道者上
知天文下知地理中知人事可以長久此之謂也大道者大无不包細无不入微
天文地理人事咸通新校正云詳夫道者一節與著至教論文重帝曰何謂也岐伯曰本氣位也
位天者天文也位地者地理也通於人氣之變化者人事也故太
過者先天不及者後天所謂治化而人應之也三陰三陽司天司地以表定陰陽生
化之紀是謂位天位地也五運居中司人氣之變化故曰通於人氣也先天後天謂生化氣之變化所主時也太過歲化先時至不

交歲化後時至

帝曰五運之化大過何如 大過謂氣有餘也○新校正云詳大過五化具五常政大論中

岐伯曰歲木大過風氣流行脾土受邪 木餘故土氣卑屈 民病飧泄食減體重煩冤腸鳴腹支滿上應歲星 飧泄謂食不化而下出也脾虛故食減體重煩冤腸鳴腹支滿也歲木氣大盛歲星光明逆守星屬分皆災也○新校正云按藏氣法時論云脾虛則腹滿腸鳴飧泄食不化 甚則忽忽善怒眩冒巔疾 凌犯太甚則遏於金故自病○新校正云按玉機眞藏論云肝脈太過則令人善怒忽忽眩冒巔疾為肝實而然則此病不獨木大過遇金自病肝實亦自病也 化氣不正生氣獨治雲物飛動草木不寧甚而搖落反脇痛而吐甚衝陽絕者死不治上應大白星 諸陽歲也木餘土氣故不能布政於萬物也生氣木氣也大過故獨治而生化也風不務德非分而動則大虛之中雲物飛動草木不寧動而不止金則勝之故甚草木搖落也脇反痛木乘土也衝陽胃土也木氣盛而土氣乃絕故死也金復而大白見野屬星省宮也其災之發害於東方人之內藏則近害於脾後復肝也書已滿招損此其類也○新校正云詳此大過三化言星之例有三木與土運先言歲鎮後言勝巳之星火與金運先言熒惑大白次言鎮星後再言辰星兼見巳勝之畏也

歲火大過炎暑流行金肺受邪 火不以德則邪害於金若以德行則政和平也 民病瘧少氣欬喘血溢

血泄注下，嗌燥耳聾，中熱肩背熱，上應熒惑星。少氣謂氣少不[illegible]以息也血泄謂泄
利便血也血溢謂血上出於七竅也注下謂水利也中熱謂胸心
中也背者胸中之府肩接近之故胸心中炎有背熱也火氣大流
則熒惑光芒逆臨宿屬分皆災也○新校正云詳火盛而[illegible]不全[illegible]
熱交爭故為瘧按藏氣法時論云肺病者欬喘[illegible][illegible]若少氣不能
報息耳聾嗌乾甚則胸中痛，脅支滿脅痛，膺背肩胛間痛，兩臂內痛，新校正云
按藏氣法時論云心病者胸中痛脅支滿脅下痛膺背肩甲間痛兩臂內痛身熱骨痛而為浸淫。火無德令
火熱害金水為復讎故火自病○新校正云按[illegible][illegible]其[illegible]論云心脈大過則令人身熱而膚痛為浸淫此云骨痛者則誤也收
氣不行，長氣獨明，雨水霜寒，今詳水字當作水上應辰星。金氣退避火氣獨行水氣折之
故雨冰水凶乃偏降霜雹而殺物也水後於火天象應之辰星逆
炎及熾災於物也[illegible]星災者常在日之前後二十度其災發之甾
全南方在人之應則內先傷肺後反傷心○新校正云按五常政大論雨水霜寒作雨水霜雹亦通上臨少陰少陽，
火燔焫，水泉涸，物焦槁，新校正云按五常政大論云赫曦之[illegible][illegible][illegible]而救氣後又六元正紀大論云戊子戊
午大歲上臨少陰戊寅戊申大歲上臨少陽臨者大過不及皆曰天符病反譫妄狂越，欬喘息鳴，
甚血溢泄不已，太淵絕者，死不治，上應熒惑星。諸戊歲也戊[illegible]子歲少明上[illegible]

寅戊申歲少陽上臨是謂天符之歲也大淵肺脉也火勝而金絶故死火既大過又火熱上臨兩火相合故形斯候熒惑逆犯宿屬皆危○新校正云詳戊辰戊戌歲上見太陽是謂天刑運故當盛而不得盛則火化減半非大過又非不及也

歲土大過雨濕流行腎水受邪土無德乃爾民病腹痛清厥意不樂體重煩冤上應鎮星腹痛謂大腹小腹痛也清厥謂足逆令也意不樂如有隱憂也土來刑水大象應之鎮星逆犯宿屬則災○新校正云按藏氣法時論云腎病者身重腎虛者大腹小腹痛清厥意不樂甚則肌肉萎足痿不收行善瘈脚下痛飲發中滿食減四支不舉脾主肌肉外應四肢又其脉起於足中指之端循核骨內側斜出絡跗故病如是○新校正云按藏氣法時論云脾病者身重善肌肉萎足不收行善瘈脚下痛又玉機真藏論云脾大過則令人四支不舉變生得位新校正云詳大過五化獨此言變生得位者蓋[illegible]則氣可知也又以土主時月難知其故詳言之也藏氣伏化氣獨治之泉涌河衍涸澤生魚風雨大至土崩潰鱗見于陸病腹滿溏泄腸鳴反下甚而大谿絶者死不治上應歲星岩年歲也得位謂季月也藏水氣也化土氣也土化大沈故水藏伏匿而化氣獨治上勝木復故風雨大至水泉涌河衍涸乾澤生魚濕既甚矣風又鼓之故土崩潰土崩潰謂坻類岸仆山落化入也河溢泉涌枯澤生魚鱗物豐盛故見于陸地大谿腎脉也土勝

……死亦來折上天象逆臨加其宿屬正可憂也〇新校正云按藏氣法時論云脾虛則腹滿腸鳴飧泄食不化（飧）[illegible]歲金大過燥氣流行肝木受邪金暴虐乃尔民病两脇下少腹痛目赤痛眥瘍耳无所聞胠脇謂乳下脇之下也少腹謂臍下两傍髎骨内也目赤謂白睛色赤也痛謂疼痛也眥謂四際瞼睫之本也（瞼）音檢肅殺而甚則体重煩冤胸痛引背两脇滿且痛引少腹上應太白星金星已過肅殺又甚木氣内畏感而病生金生惟天太白明大加臨宿屬必受災害〇新校正云按藏氣法時論云肝病者两脇下痛引少腹肝虛則目䀮䀮无所見耳无所聞又玉真机藏論云肝脉不及則令人胸痛引背下則两脇胠滿甚則喘欬逆氣肩背痛尻陰股膝髀腨胻足皆病上應熒惑星火氣復之自生病也天象示應在熒惑逆加宿屬則可憂也〇新校正云按藏氣法時論云肺病者喘欬逆氣肩背痛汗出股膝髀腨胻足皆痛收氣峻生氣下草木斂蒼乾凋隕病反暴痛胠脇不可反側新校正云詳此云反暴痛不言何所痛者按至真要大論云心脇暴痛不可反側則此乃心脇暴痛也欬逆甚而血溢大衝絕者死不治上應大白星諸庚歲也金氣峻虐木氣後刑火未來復則如是也斂謂也生枝葉斂附其身也大衝肝脉也金絕而木絕故死當是之後太白流之逆守星屬皆皆危也〇新校正云按庚子庚午庚寅庚申歲

上見少陰少陽司天所謂天刑運金化減半故當盛而不得盛非大過又非不及也歲水大過寒氣流行邪
害心火水不務德暴虐乃縱民病身熱煩心躁悸陰厥上下中寒譫妄心痛
寒氣早至上應辰星悸心跳動也譫亂語也妄妄見聞也天氣水盛辰星明加其芒尖乃至○新校正云
按陰厥在後余不及腹則陰厥兩治甚則腹大脛腫喘欬寢汗出憎風新校正云按藏氣法時論
云腎病者腹大脛腫喘欬身重寢汗出憎風丹詳大過五化木言化氣不政生氣獨治火言收氣不行長氣獨明上言藏氣伏長氣
獨治金言收氣峻生氣下水當言藏氣乃盛長氣失政今獨言者闕文也大雨至埃霧朦鬱上應鎮星
水盛不已為土所乘故彰斯候矣霧朦鬱土之氣腎之脉從足下上行入腹從腎上貫肝鬲入肺中循喉嚨故作是病腎為陰故寢
則汗出而憎風也卧寢汗出即其病也夫七氣鎮折水之強故鎮星明盛照其虛也上臨大陽雨冰霜雪不
時降溫氣變物新校正云按五常政大論云流衍之紀上羽而長氣不化又六元正紀大論云丙辰丙戌大羽上臨
大陽人者大過不及皆曰天符病反腹滿腸鳴溏泄食不化新校正云按藏氣法時論云腎虛則腹滿
腸鳴飧泄食不化渴而妄冒神門絕者死不治上應熒惑辰星諸丙歲也丙辰丙戌
太陽上臨是謂天符之歲也寒氣大甚故雨化為冰雪雨水則霜不時降彰其寒也土復其水則大雨霖霪溫氣內深故[illegible]

□□□□門心脉也水盛而火㓕故死水盛大甚則熒惑咸罹厄
□□當加以逆守宿屬則危亡也○新校正云詳大過五化獨記
少水之上臨者少臨火水臨水为天符故也火臨水为逆水臨木
为順火臨土为順水臨土為運與天火臨金为天刑運水臨金为
逆更不詳出一也又此然言上臨者感辰星率此一例餘從而可知也
帝曰善其不及何如
諸政化少也○新校正云詳不及五化具五常政大論中
岐伯曰悉乎哉問也歲木不及燥乃大行
清冷時至加之薄寒是謂燥氣燥金氣也
生氣失應草木晩榮
後時之謂失應也
肅殺而甚則剛木辟著柔萎蒼乾上應太白星
天氣晏蒼日見慘昧謂雨非雨謂晴非晴人意慘然氣象凝斂是為肅殺甚也剛勁硬也辟著謂辟著枝莖乾而不落也柔耎也蒼青也柔木之葉青色不變而乾卷也木氣不及金氣乘之太白之明光芒而照其空也
民病中清胠脇痛少腹痛腸鳴溏泄涼雨時至上應太白星
新校正云按不及五化民病證中上應之星皆言運星失色畏星加臨宿屬為災此獨言畏星不言運星者蓋文闕也當云上應太白星歲星
其穀蒼
金氣乘木肝之病也乘此氣者腸中自鳴而溏泄也即死胠脇少腹之痛疾也微者善之甚者止之
長夏之氣亦自止也遇秋之氣而復有之涼雨時至謂應時而至也金土齊化故涼雨俱行火氣未復則夏雨少金氣勝木太白之
之加其宿屬分皆災也金勝畢歲火氣不後則蒼色之谷不成實也○新校正云詳中清胠脇痛少腹痛為金乘木肝病之狀

溏泄乃脾病之證盖以木少脾土无是侮反受邪之故也上臨陽明生氣失政草木再榮化氣迺急上應太白鎮星其主蒼早諸丁歲也丁卯丁酉歲阳明上臨是謂天刑之歲也金歲承天下勝於木故生氣失政草木再榮生氣失政故木準晚蒼金氣抑木故秋夏始榮結實成熟以化氣急速故晚結成就也金氣勝木天應同之故太白之見光芒明盛木氣既少土氣无制故化氣生長急速木少金勝天氣應之故鎮星太白潤而明化蒼色之物又早凋落木少金乘故也〇新校正云按不及五化独紀木上臨陽明土上臨厥阴水上臨太阴不紀木上臨厥阴土上臨太阴金上臨陽明者紀之旨冬紀其甚者也故於大過運中只言火臨火水臨水此不及運中只言木臨金土臨木水臨土故不言厥阴臨木太阴臨土阳明臨金也復則炎暑流火溼性燥柔脆草木焦槁下體再生華實齊化病寒熱瘡瘍疿胗癰痤上應熒惑太白其穀白堅火氣復金夏生大曲故万物溼此皆変为燥流火燥物故柔脆草木及蔓延之類皆上乾死而下体再生若辛熱之草死不再生也少热者死少大热者死多火大復已土氣間至則宗雨降其酸苦甘鹹性寒之物乃再發生新開之与先結者齊承化而成熱火復其金太白減曜熒惑上应則益光芒加其宿屬則皆灾也以火反復故堅白之谷秀而不實白露早降收殺氣行寒雨害物蟲食甘黄脾土受邪赤氣後化心氣晚治上勝肺金白氣迺屈

其穀不成，欬而鼽，上應熒惑、太白星。陽明上臨，金自用事，故白露早降，寒凉大至，則收殺氣行。太陽居上，溫之也，寒溫相合，故寒雨害物，少於成實。金行伐木，假途於土，子居母內，虫之象也，故甘物黃物虫蠹食之。清氣先勝，熱氣後復，復已乃勝，故火赤之氣後生化也。赤後也，謂草木赤華及赤實者，皆後時而再榮秀也。其五藏則心氣晚王，勝於肺，心勝於肺，則金之白氣乃屈退也。金谷，稻也。鼽，鼻中水出也。金為火勝，天象示應同，故太白芒減，熒惑益甚。歲火不及，寒迺大行，長政不用，物榮而下，凝慘而甚，則陽氣不化，迺折榮美，上應辰星。火少水勝，故寒乃大行，長政不用，則物容卑下。火氣既少，水氣洪盛，天象出見，辰星益明。民病胸中痛，脇支滿，兩脇痛，膺背肩胛間及兩臂內痛，新校正云：詳此證與火太過甚則反病之狀同，旁見藏氣法時論。鬱冒朦昧，心痛暴瘖，胸腹大，脇下與腰背相引而痛，新校正云：按藏氣法時論云：心虛則胷腹大，脇下與腰背相引而痛。甚則屈不能伸，髖髀如別，上應熒惑、辰星，其穀丹。諸癸歲也。患以其脉行於是也。火氣不行，寒氣禁固，髖髀如別，屈不得伸。水行乘火，故熒惑芒減。丹谷不成，辰星晧其宿屬之分，則皆災也。復則埃鬱，大雨且至，黑氣迺辱，病鶩溏腹滿，食飲不下，寒中腸鳴，泄注腹痛，暴攣痿痺，足不任身，上應鎮星、辰星。

玄穀不成埃鬱昬雲雨上之用也復寒之氣必以溫上熱內淫腹生腹疾身重故如是也黑氣水氣也辱屈辱也鷟鳥也土
復於水故鎮星明闇臨犯宿屬則民受病災也鷟音木歲土不及風乃大行化氣不令草木
茂榮飄揚而甚秀而不實上應歲星木無德也木氣專行故化氣不令生氣獨擅故草木榮茂
飄揚而甚是木不以德土氣薄少故物實不成不實謂秕惡也上不及木乘之故歲星之見闇而明也民病飧泄霍
亂體重腹痛筋骨繇復肌肉瞤酸善怒藏氣舉事蟄蟲早附咸病
寒中上應歲星鎮星其穀黅諸巳歲也風客於胃故病如是土氣不及水與齊化故藏氣舉事蟄蟲早
附於陽氣之折人皆病中寒之疾也繇搖也筋骨搖動已復常則巳繇復也土抑不伸若歲星臨宿屬則皆災○新校正云詳此
云筋骨繇復王氏雖注義不可解按至真要大論云筋骨繇併疑此復字鮮字之誤復則收政嚴峻名木凋
蒼胸脇暴痛下引少腹善大息蟲食甘黃氣客於脾黅穀迺減民
食少失味蒼穀迺損金氣復木故名木蒼凋金入于土母與子也甘物黃物蟲食其中金入土中故氣客於脾
金氣大來與土仇復故黅減實數不成也上應太白歲星太白光芒歲炫明也一經少此六字闕文上臨厥
陰流水不冰蟄蟲來見藏氣不用白迺不復上應歲星民乃康巳

（巳亥歲厥陰上臨，其歲少陽在泉，火司于地，故蟄蟲來見，流水不冰也，金不得復，故歲星之象如常，民康不病。○新校正云：詳本篇又上臨陽明，水不及上臨太陰，俱後言復，此先言復而後降上臨之候者，蓋白乃不復遵於此年有復也。）歲金不及，炎火廼行，生氣廼用，長氣專勝，庶物以茂，燥爍以行，上應熒惑星。（火不務德而襲金，金危炎火既流，則夏生大熱，生氣舉用，故庶物蕃茂，燥爍氣至，物不勝之，燥勝之，爍石流金，涸泉焦草，山澤燔燎，雨乃不降，炎火大盛，天象應之，熒惑之見而大明也。）民病肩背瞀重，鼽嚏血便注下，收氣廼後，上應太白星，其穀堅芒。（清乙歲也，皆謂陽明也，受邪故星不明，金氣也，火化勝故收氣後，火氣勝金上不熾盛，若熒惑逆守宿屬之分，皆受病。○新校正云：詳其穀堅芒白色可見，故不云其穀白也。經云上應太白，以前後例相照，經脫熒惑二字，及詳王注言熒惑逆守之事，益知經中之闕也。）復則寒雨暴至，廼零冰雹霜雪殺物，陰厥且格，陽反上行，頭腦戶痛，延及腦頂發熱，上應辰星，（○新校正云：詳不及之運，魁我者行，勝我者之子未復，當未復之後，勝星減曜，復星明大，此只言上應辰星而不言熒惑者，闕文也，當云上應辰星熒惑。）丹穀不成，民病口瘡，甚則心痛。（寒氣折火，則見冰雹霜雪，冰雹先傷而霜雪後損，皆寒氣之常也。其災害乃傷於赤化也。歲不及而爲邪所犯，子氣復之者，皆與其方也。陰厥，謂寒逆也；格，至也，亦拒也。水行折火，以救困金，天象

血之辰星明瑩赤色之谷为霜雹損之歲水不及溼乃大行長氣反用其化廼速暑
雨數至上應鎮星溼大行謂數雨也化速謂物早成也火溼齊化故暑雨數至秉水不及而土勝之鎮星之象增
益光明逆凌留犯其又甚矣民病腹滿身重濡泄寒瘍流水腰股痛發膕腨股
膝不便煩冤足痿清厥脚下痛甚則胕腫藏氣不政腎氣不衡上
應辰星其穀秬藏氣不能伸其政令故腎氣不能內致和平衡平也辰星之應當減其明或遇鎮星臨屬宿者災
○新校正云詳經云上應辰星注言鎮星以前後例相校此經闕鎮星二字上臨太陰則大寒數舉
蟄蟲早藏地積堅冰陽光不治民病寒疾於下甚則腹滿浮腫上應
鎮星新校正云詳木不及上臨陽明則上應太白鎮星此獨言鎮星而不言熒惑者文闕也蓋水不及而又上臨太陰則鎮星明
甚以沍十氣得成水既益涸則熒惑光畏而明大其主黅穀諸辛歲也辛丑辛未歲上臨太陰太陽在泉故大寒數舉
也土氣專盛故鎮星益明黅穀應天歲成也復則大風暴發草偃木零生長不鮮面色
時變筋骨併辟肉瞤瘛目視䀮䀮物疏璺肌肉胗發氣并鬲中痛
於心腹黃氣廼損其穀不登上應歲星木復其土故黃氣反損而黅谷不登也謂實不成既

（以熒惑犯之也木気畢作反歲星下臨宿屬分者災○新校正云詳此当云上臨歲星鎮星星音問）帝曰善願聞其時也岐伯曰悉乎哉問也木不及春有鳴條律暢之化則秋有霧露清涼之政春有慘悽殘賊之勝則夏有炎暑燔爍之復其眚東（化和氣也勝金気也復火気也火復熱金災因其木故災眚之作皆在東方勝眚同○新校正云按木火不及先言春夏之化秋冬之政者先言木火之政化次言勝復之災也）其藏肝其病內舍胠脇外在關節（東方肝之主也）火不及夏有炳明光顯之化則冬有嚴肅霜寒之政夏有慘悽凝冽之勝則不時有埃昏大雨之復其眚南（化火德也勝水気也復土變也南方火也）其藏心其病內舍膺脇外在經絡（南方心之主也）土不及四維有埃雲潤澤之化則春有鳴條鼓拆之政四維發振拉飄騰之變則秋有肅殺霖霪之復其眚四維（東南東北西南西北方也維隅也謂日在四隅月也○新校正云詳土不及亦先言政化次言勝復也）其藏脾其病內舍心腹外在肌肉四支（四維中央脾之主也）金不及夏有光顯鬱蒸之令則冬有嚴凝整肅之應夏有炎爍燔燎之變則

秋有冰雹霜雪之復其眚西其藏肺其病内舍膺脇肩背外在皮
毛（西方肺之主也）水不及四維有湍潤埃雲之化則不時有和風生發之
應四維發埃昏驟注之変則不時有飄蕩振拉之復其眚北（飄蕩振拉
大風所作○新校正云詳金水不及先言火上之化今与西故不當秋冬而言也次言者火上勝復之変也与木火土之例不同者
互文）其藏腎其病内舍腰脊骨髓外在谿谷腨膝（肉之大会為谷内之小会為谿
池肉分之間谿谷之会以行荣衛以会大気）夫五運之政猶权衡也高者抑之下者舉之
化者應之変者復之此生長化成收藏之理氣之常也失常則天
地四塞矣（失常之理則天地四时之気閉塞而无所運行故動必有静勝必有復乃天地阴阳之道）故曰天地
之動静神明為之紀陰陽之往復寒暑彰其兆此之謂也（新校正云按故
曰己下与五運行大論同下两句又与阴阳应象大論文重彼云阴阳之升降寒暑彰其兆也）帝曰夫子之言五
氣之変四時之應可謂悉矣夫氣之動乱触遇而作發無常會卒
然災合何以期之岐伯曰夫氣之動変固不常在而德化政令災

變不同其候也帝曰何謂也岐伯曰東方生風風生木其德敷和
其化生榮其政舒啓其令風其變振發其災散落敷布也和々氣也榮滋榮也舒
展也啓開也振怒也發出也散謂物飄零而散落也〇新校正云按五運行大論云其德為和其化為榮其政為散其令宣發其變
摧拉其眚為隕隕義與此同南方生熱々生火其德彰顯其化蕃茂其政明曜其
令熱其變銷爍其災燔焫新校正云詳五運行大論云其德為顯其化為茂其政為明其令鬱蒸其災炎
爍其眚燔焫中央生溼々生土其德溽蒸其化豐備其政安靜其令溼
其變驟注其災霖潰溽溼也蒸熱也驟注急雨也霖久雨也潰爛也〇新校正云按五運行大論云其德為
濡其化為盈其政為謐其令雲雨其變動注其眚淫潰謐音密西方生燥々生金其德清潔其化
緊斂其政勁切其令燥其變肅殺其災蒼隕緊縮也斂收也勁銳也切急也燥乾也肅
殺謂風動草樹聲若乾也殺氣大甚則木青乾而隕也〇新校正云按五運行大論云其德為清其化為斂其政為勁其令路霧露
變肅殺其眚蒼落北方生寒々生水其德淒滄其化清謐其政凝肅其令
寒其變凓冽其災冰雪霜雹淒滄薄寒也謐靜也肅中外嚴整也凓冽甚寒也冰雪霜雹寒氣凝結所

成水復火則非時而行也〇新校正云按五運行大論
云其德為寒其化為肅其政為靜其變凝冽其眚冰雹是以察其
動也有德有化有政有令有變有災而物由之而人應之也夫德化政
令和氣也動靜勝復施於萬物皆悉生成變與災殺氣也其用
速其動驟不其行損傷雖皆天地自為動靜之用然物有不勝
動者且損且
病且死焉帝曰夫子之言歲候不及其大過而上應五星今夫
德化政令災眚變易非常而有也卒然而動其亦為之變乎岐伯
曰承天而行之故無妄動無不應也卒然而動者氣之交變也其
不應焉故曰應常不應卒此之謂也德化政令氣之常也災眚變
易氣卒交會而有勝負者也
常謂歲四時之氣不差帝曰其應奈何岐伯曰各從其氣化也歲
其刻者不常不以為星
之化以風應之熒惑之化以熱應之鎮星之化以濕應之太白之
化以燥應之辰星之化以寒應之氣變則應故各從其氣化也上
文言勝復皆上應之今經言應常不應而謂大變易而帝曰
不應然其勝復當色有枯燥潤澤之異無見小大以應之
其行之徐疾順逆何如岐伯曰以道留久逆守而小是謂省下以道
謂順行留久為過應留之日數也省
下謂察天下人君之有德有過者也以道而去去而速來曲而過

之，是謂省遺過也。行已去已去輒逆行而速委曲而經過是謂遺其過而輒省察之也行急行緩往往小盛謂罪之有大有小按其遺而斷之
久留而環，或離或附，是謂議災與其德也。不謂如不而遠近過而不去也火議罪金誅殺土木水議德
應近則小，應遠則大。近謂犯星常代也遠謂犯星去火下謂喜慶及罰罪事
芒而大倍常之一，其化甚；大常之二，其眚即也。甚謂政令大行也發謂起也即至也金火有之
小常之一，其化減；小常之二，是謂臨視，省下之過
與其德也。省謂省察萬國人吏侯王有德有過者也故侯王人吏安可不深思誠慎耶
德者福之，過者伐之。有德者則天降福以應之有過者天降禍以淫之則禍福無門惟人所召耳
是以象之見也，高而遠則小，下而近則大。見物之理也
故大則喜怒邇，小則禍福遠。象見高而小既未即禍亦未即福象見下而大福既不遠禍亦未遠但當修德省過以候厥終茍未能順禍而務求福祐豈有是者哉
歲運大過，則運星北越。火運火星木運木星之類也北越謂北而行也
運氣相得，則各行以道。无越伐之嫌故守常而各行於中道
故歲運大過，畏星失色而兼其母。木失色而兼玄火失色而兼蒼土失色而兼赤金失色而兼黃水失色而兼白是謂兼其母也
不及則色兼其所不勝。木兼白色火兼

玄色土兼蒼色金兼赤色水兼黄色是謂兼不勝也肖者瞿瞿莫知其妙閔閔之當孰者爲良新校正云詳肖者至爲良與靈蘭秘典論重彼有注妄行无徵示畏侯王不識天意心私度之妄言災咎卒无徵驗適足以示畏之此於侯王或於詐欺民矣帝曰其災應何如岐伯曰亦各從其化也故時至有盛衰凌犯有逆順留守有多少形見有善惡宿屬有勝負徵應有吉凶矣五星之至相王爲盛囚死爲衰東行陵犯爲順災輕西行陵犯爲逆災重留守日多則災深留守日少則災淺星喜潤則爲見善星怒燥憂喪則爲見惡宿屬謂所生月之屬二十八宿及十二辰相分所屬之位也命勝星不災不勝星爲災小重命大者獄訟疾病之謂也雖五星凌犯之事時遇星之囚死時月雖災不成然火犯留守逆臨則有誣譖獄訟之憂金犯則刑殺氣鬱之憂木犯則有震驚風鼓之憂土犯則中滿下利胕腫之憂水犯則有寒氣衝稸之憂故曰徵應有吉凶也帝曰其善惡何謂也岐伯曰有喜有怒有憂有喪有澤有燥此象之常也必謹察之夫五星之見也從夜深見之人見之喜星之喜也見之畏星之怒也光色微曜乍明乍暗星之憂也光色迥然不彩不瑩不與衆同星之喪也光色圓明不盈不縮怡然瑩然星之喜也光色勃然臨人芒彩滿溢其象自然星之怒也澤洪潤也燥乾枯也帝曰六者高下異乎岐伯曰象見

高下其應一也故人亦應之觀象視色則中外之應人天咸一矣帝曰善其德化政
令之動靜損益皆何如岐伯曰夫德化政令災變不能相加也天地
動靜陰陽往復以德報德以化報化政令災眚及動復亦然故曰不能相加也勝復盛衰不能相多也勝盛
復盛勝微復微不應以盛報微以化報變故曰不能相多也往來小大不能相過也勝復日數多少皆同
故曰不能相過也用之升降不能相無也木之勝金必報火土金水皆然未有勝而無報者故氣不能相
使无也各從其動而復之耳動必有復察動以言復也易曰吉凶悔吝生乎動此之謂歟天雖高不可度地
雖廣不可量以察動復言之其猶視掌矣帝曰其病生何如岐伯曰德化者氣之祥政
令者氣之章變化者復之紀災眚者傷之始氣相勝者和不相勝
者病重感於邪則甚也祥善應也章程也式也復紀謂報復之綱紀也重感謂言氣已不及天氣又見剋殺之氣
是為重感重謂重累也帝曰善所謂精光之論大聖之業宣明大道通於无
窮究於无極也余聞之善言天者必應於人善言古者必驗於今
善言氣者必彰於物善言應者同天地之化善言化言變者通神

明之理非夫子孰能言至道歟大过不及歲化无穷氣交迁变流於无極然天垂象圣人則之以知吉凶何者歲大过而星大或明於歲不及而星小或失色故吉凶可指而見也吉凶者何謂物禀五常之氣以生成莫不上參應之有否有宜故曰吉凶斯分矣故曰善言天者必應於人也言古之道而今必應之故曰善言古者必驗於今也化氣生成万物皆禀故言氣應者以物明之故曰善言應者必彰於物也彰明也氣化之應如四時行万物備故善言應者必同天地之造化也物生謂之化物極謂之变言万物化变終始必契於神明運为故言化变者通於神明之理圣人智周万物无所不通故言必有發動无不應之也道擇良兆而藏之靈室每旦讀之命曰氣交变非齋戒不敢發慎傳也靈室謂靈蘭室黃帝之書府也○新校正詳此文与六元正紀大論同

●五常政大論篇第七十新校正云詳此篇統論五運有平氣不及大过之事次言地理有四方高下陰阳之異又言歲有不病而歲氣不應为天氣制之而氣有所從之説仍言六氣五類相制勝而歲有胎孕不育之理而後明在泉六化五味有薄厚之異而以治法終之此篇之大槩如此而名五常政之大論者蓋舉其所先者言也

黃帝問曰太虛寥廓五運迴薄衰盛不同損益相從願聞平氣何如而名何如而紀也岐伯對曰昭乎哉問也木曰敷和敷布和氣物以生榮

火曰升明火氣高明土曰備化廣被化氣於羣品金曰審平金氣清審平而定水曰靜順水體清靜順於物也帝曰其不及奈何岐伯曰木曰委和陽和之氣委屈而少用也火曰伏明明曜之氣屈伏不伸土曰卑監土曰卑少尤監萬物之生化也金曰從革從順革易堅成万物水曰涸流水少故流注乾涸帝曰太過何謂岐伯曰木曰發生宣發生氣万物以滋火曰赫曦盛明也土曰敦阜敦厚也阜高也餘故高土而厚也金曰堅成氣爽風勁堅成庶物水曰流衍衍泮衍溢也帝曰三氣之紀願聞其候岐伯曰悉乎哉問也新校正云詳此論与五運行大論及陰陽應象大論金匱真言論相通敷和之紀木德周行陽舒陰布五化宣平自当其位不与物争故五氣之化各布政令於四方无相干犯○新校正云按王注大過不及各紀年辰此平木運注不紀年辰者平氣之歲不可以定紀也或者欲補注云謂丁巳丁亥丁卯壬寅壬申歲者是未達也其氣端端直也麗也其性隨順於物化其用曲直曲直於幹皆疏用也其化生榮木化宣行則物生榮而美其類草木木体堅高草形卑下然各有堅脆剛柔蔓結條屈者其政發散春氣發散物禀以生木之化也其候溫和和春之氣也其令風木之令行以和風其藏肝五藏之氣與肝同肝其畏清清金令也

木性暄故畏清五運行大論曰木其性暄又曰燥勝風其主目陽升明見目与同也其穀麻色蒼也○新校正云
按金匱真言論云其穀麥与此不同其果李味酸也其實核中有堅核者其應春四時之中春化同
其蟲毛木化宣行則毛蟲生其畜犬如草木之生無所避也○新校正云按金匱真言論云其畜雞其色
蒼木化宣行則物浮蒼翠也其養筋酸入筋其病裏急支滿木氣所生○新校正云按金匱真言論云是
以知病之在筋也其味酸木化敷和則物酸味厚其音角調而直也其物中堅象土中之有木也
其數八成數也升明之紀正陽而治德施周普五化均衡均等也衡平也其
氣高火炎上其性速火性躁疾其用燔灼灼燒也燔之與灼皆火之用其化蕃茂長氣盛故
其大其類火五行之氣与火類同其政明曜燄合離明火之政也其候炎暑熱之至也以是候之其
令熱熱至乃令行其藏心心氣應之心其畏寒寒水令也心性暑熱故畏寒五運行大論云心其性暑又
曰寒勝熱其主舌火以燭幽舌申明也其穀麥色赤也○新校正云按金匱真言論云其穀黍又藏氣法時論云麥
也其果杏味苦也其實絡中有支絡者其應夏四時之氣夏氣同其蟲羽羽火象也火化
[illegible]行故[illegible]生其畜馬健決躁速火類同○新校正云按金匱真言論云其畜羊其色赤色同又明其養血

其病瞤瘛火之性動也○新校正云按金匱真言論云是以知病之在脈也瘛恐如均切其味苦火味氣苦化則[illegible]化其音徵和而美其物脈中多支脈火之化也其數七成數也土備化之紀氣協天休德流四政五化齊脩土之德靜分助四方贊成金木水火之政土之氣厚應天休和之氣以生長收藏終而夏始故五化齊脩其氣平土之生也平而正其性順應順羣品悉化成也其用高下田土高下皆應用也其化豐滿豐滿万物非土化不可也其類土五行之化土類同其政安靜土体厚土德靜故政化亦然其候溽蒸溽溫也蒸熱也其令溼溼化不絕竭則土令延長其藏脾脾氣同脾其畏風風木分也脾性雖四氣兼并然其所主於畏木也五運行大論云脾氣性靜兼又畏風勝溼其主口土体包容口主受納其穀稷色黃也○新校正云按金匱真言論作稷藏氣法時論作粳其果棗味甘也其實肉中有肌肉者其應長夏長夏謂長養之夏也六月氣同○新校正云按王注藏氣法時論云夏為土母土長於中以長而治故云長夏又注六節藏象論云所謂長而王土六月也土生於火長在夏中既長而王故云長夏其蟲倮無毛羽鱗甲土形同其畜牛成彼稼穡土之用也牛之應用其緩而和其色黃土同也其養肉所養者厚而靜其病否土性壅礙○新校正云按金匱真言論云病在舌本是以知病之在肉也其味甘備化氣豐則物味甘厚其音

宮大而重其物膚物稟備化之氣則多肌肉其數五生數也正土不虛加故也審平之紀收而
不爭殺而无犯五化宣明犯謂刑犯於物也收而不爭殺而无犯匪審平之德何以能为是哉其氣
絜金氣以絜白瑩明为事其性剛性剛故摧拔欽於物其用散落金用則万物散落其化堅歛
物歛堅從金之化也其類金審平之化金類同其政勁肅化急速而整肅也勁鋭也其候淸蒸而
凉也切急也風声也其令燥燥乾也其藏肺肺氣之用同金化也肺其畏熱熱火令也肺性凉故畏火
熱五運行大論门新其性凉其主鼻肺藏氣鼻通息也其穀稻[illegible]新校正云按[illegible]論作稻藏氣
法刺論作黃黍其果桃味辛桃也其實殼外有堅殼者其應秋四時之化秋氣同其蟲介外被
堅甲者其畜雞性善鬪傷象[illegible]新[illegible]云按金匱[illegible]云其[illegible]其色白[illegible]其養皮毛
登同也其病欬有声之病金之應也○新校正云按金匱真言論云病在背[illegible]作皮毛其味辛審平
化治則物辛味正其音商和利而揚其物外堅[illegible]行則物体外堅其數九成數也[illegible]靜順
之紀藏而勿害治而善下五化咸整治化也水之性下所以德全江海所以为百谷王者以其
下也其氣明清淨明照水氣所生其性下歸流於下其用沃衍用非其事故沫生而流溢沃沫也衍

盈[illegible]也[illegible]堅歲氣布化則水物凝堅其類水靜順之化水同類其政流演井泉不竭可流不息
則[illegible]之[illegible]也其候凝肅凝寒也肅靜也寒來之氣候其令寒水令宣行則寒司物化其藏腎腎藏
之[illegible]同水化也腎其畏濕濕土氣也腎性凜故畏土濕五運行大論曰腎氣性凜其主二陰流注同○新
校正云按金匱真言論曰北方黑色入通於腎開竅於二陰其穀豆色黑也○新校正云按金匱真言論及藏氣法時論
同其果栗味鹹也其實濡中有津液也其應冬四時之化冬氣同其蟲鱗水化生其
畜彘善下也彘豕也其色黑色同也其養骨髓氣入也其病厥厥氣逆也上也[illegible]行不順也
○新校正云按金匱真言論云病在谿是以知病之在骨也其味鹹鹵也味同其音羽和沂而其物濡
水化豐治庶物濡潤其數六成數也故生而勿殺長而勿罰化而勿制收而勿
害藏而勿抑是謂平氣生氣主歲收氣不能縱其殺長氣主歲藏氣不能縱其罰化氣主歲生氣不能縱其
制收氣主歲長氣不能縱其害藏氣主歲化氣不能縱其抑夫如是者皆天氣平地氣正五化之氣不以勝剋為用故謂曰平和氣
也○委和之紀是謂勝生丁卯丁丑丁亥丁未丁酉丁巳之歲生氣不正化氣迺揚木少
故生氣不政土寬故化氣迺揚長氣自平收令迺早火無犯故長氣自平木氣既少故收令乃早涼雨

廿五

時降風雲並興涼金化也雨溫氣也風木化也雲溫氣也草木晚榮蒼乾凋落金氣有餘木不
勝故也○新校正云詳委和之紀木不及而金氣乘之故春秋凋落非金氣有餘木不勝也蓋木不足而金勝之也物秀
而實膚肉内充歲王雖晚成者滿實土化氣速故如是其氣斂收斂兼金氣故其用聚不布散也
其動緛戾拘緩緛縮短也戾了戾也拘拘急也緩不收也其發驚駭木屈卒神驚駭象也其藏肝
内虛肝其果棗李棗土李木不也○新校正云詳李木實也按火土金水不及之果李當作桃王注亦非其實
核殼核木殼金也其穀稷稻金上穀也其味酸辛木驗之物熟兼辛也其色白蒼蒼色之物
其畜犬雞作木從金畜其蟲毛介毛從介其主霧露淒滄金之化也其聲角
商角從商其病搖動注恐木受邪也從金化也木不自政故化從金少角與判商同
角木不及故半與商金化同判半也○新校正云按火土金水之文判作少則此當云少角與少商同不云少商者蓋少角之運
共有六年而丁巳丁亥上角與正角同丁卯丁酉上商與正商同未丁丑上宮與正宮同是紀年者各有所同與火土金水之少
不同故不云同少商只為而言半[illegible]高化也上角與正角同上見厥明與數和歲化同謂丁亥丁巳歲上之所見
上商與正商同上見陽明則丁平金歲化同丁卯丁酉歲上見陽明其病支廢癰腫瘡瘍

金刑木也其甘蟲子在母中邪傷肝也金化恐與金同太其所復則歸於肝木也上宮與正宮同
土蓋其木与未出等也木未出上与无木同土自用事故与正土運歲化同也上見太陰是謂土宮丁丑丁未歲上見太陰同天之
化也蕭飋肅殺則炎赫沸騰蕭飋肅殺金无德也炎赫沸騰火之復也飋音瑟眚於三火為木復
故其眚在東三東方也此言金之物勝也○新校正云按六元正紀大論云災三宮所謂復也復報復也其主飛
蠹蛆雉飛羽虫也蠹內生虫也蛆蠅之生若此則物內自化尓雉鳥群也迺為雷霆雷謂大聲生於大陰雲震
之中也霆謂迅雷卒如火之攝者即霹靂也伏明之紀是謂勝長藏氣勝長也謂癸酉癸未癸巳癸卯癸丑
癸亥之歲也長氣不宣藏氣反布火之長氣不能施化故水之藏氣反布於時收氣自政化
令迺衡金土之义与歲氣素无干犯故金自行其政土自平其氣寒清數舉暑令迺薄火氣不用故
承化物生生而不長火令不政故承化生之物皆不長也成實而稚遇化已老物實成熟
苗尚稚短及遇化氣未長極而氣已老矣陽氣屈伏蟄蟲早藏陽不用而明勝也若上臨癸卯癸酉歲則蟄反
不藏○新校正云詳癸巳癸亥之歲蟄亦不藏其氣鬱鬱燠不舒暢其用暴速也其動彰伏變易
彰明也伏隱也變易謂不常其象見也其發痛痛由心所生其藏心歲運之氣通於心其果栗桃

栗水桃金果也其實絡濡絡之脉也濡有汁也其穀豆稻豆水稻金谷也其味苦鹹苦兼鹹也其色玄丹色丹之物熱兼玄也其畜馬彘火從水畜其蟲羽鱗羽從鱗其主冰雪霜寒水之氣也其聲徵羽徵從羽其病昏惑悲忘火之燥動不拘常律陰冒陽火故昏惑不治心氣不足故善悲善忘也從水化也火弱水強故伏明之紀半從水之政化少徵與少羽同火少故半從水火○新校正云詳少徵運六年內癸酉癸卯同正商癸巳癸亥同歲會外癸未癸丑二年少徵與少羽同故不云判與也上商與正商同歲上見陽明則與平金歲化同也癸卯及癸酉歲上見陽明○新校正云詳此不言上宮上角者蓋宮各於火无大尅伐故悉不備言之邪傷心也受病諸心凝慘凜冽則暴雨霖霪凝滲凓冽水无淫也暴雨霖霪土之復也眚於七七南方也○新校正云按六元正紀大論云災七宮其主驟注雷霆震驚天地氣淨而生是變氣交之內皆及深藏及濡鱗類沈霒淫雨沈霒淫雨濕變所生此霒音陰又音今卑監之紀是謂減化謂化氣減少己巳己卯己丑己亥己酉己未之歲也化氣不令生政獨彰土少而木專其用長氣整雨迺愆收氣平不相干犯則平整化氣減故雨愆斷風寒並興草木榮美凬木也宗木也土少故寒氣得行宗獨彰故草木敷榮而端美上秀而不實成而粃也榮秀而美氣生於木化氣

前效物實中已是以就恐其氣散氣不安靜木且乘之從木之風故施散也其用靜定雖不能專收斂時物然成各用則收恬土德而靜定其動瘍涌分潰癰腫瘍瘡也涌嘔吐也分裂也潰爛也癰腫膿瘡也其發濡滯土性也澀益也其藏脾主藏病其果李栗李木栗水果也其實濡核濡中有汁者核中堅者〇新校正云詳前後濡實主木此濡字當作肉王注亦非其穀豆麻豆水麻木穀也其味辛甘甘味之物甘木酸甘也其色蒼黃色黃之物然兼蒼也其畜牛犬土從木畜其蟲倮毛倮從毛其主飄怒振發木之氣用也其聲宮角呂從用其病留滿否塞土氣凝擁故從木化也不勝故從他化少宮與少角同上少故半從木化也〇新校正云詳少宮之運六年內除丁丑丁未與正宮同丁巳丁亥與正角同外有丁卯丁酉二年少宮與少角同故不云判角也上宮與正宮同上見太陰則與平土運生化同也丁丑丁未其歲見也上角與正角同上見厥陰則悉是敷和之紀也丁亥丁巳其歲見也其病飧泄風之勝也邪傷脾也厥若氣金病即自傷脾〇新校正云詳此不言上商者上為金先相尅伐故於不犯之也又王云厥若氣金病即自傷脾也金字疑誤振拉飄揚則蒼乾散落振拉飄揚木光總也蒼乾散落金之復也其眚四維東南西南西北東北維之位也〇新校正云按六元正紀大論云災五宮其主敗折虎狼虎齒猴豺

納鹿馬獐麂諸四足之獸害於榮盛及生命也𢧐音刀清氣迺用生政迺辱金氣行則從革木氣屈辱

從革之紀是謂折收掀金收之氣也謂乙丑乙亥乙酉乙未乙巳乙卯之歲也收氣迺後生氣

迺揚後不及時也收氣不能以時而行則生氣自應佈揚而用之也長化合德火政迺宣庶類以

蕃火土之氣同作化也宜行也其氣揚順火也其用躁切少銳後用上則切急雖火躁也其動鏗

禁瞀厥鏗欬聲也禁謂二陰禁止也瞀悶也厥謂氣上逆也鏗音坑瞀音冒其發欬喘欬金之有聲喘肺藏氣也

其藏肺主病其果李杏也木杏火果其實殼絡又有殼內有支絡之實也其穀麻麥

麻木麥火穀也麥色赤也其味苦辛苦味勝辛辛兼苦也其色白丹赤加白也其畜雞羊金畜火土

之兼化也〇新校正云詳火畜馬上云牛今云羊故下注云從火土之兼化為羊也或者當去注中之七字其非其蟲介

羽介從羽其主明曜炎爍火之勝也其聲商徵商火徵其病嚏欬鼽衄金之病也

從火化也火氣來勝故屈已以從之少商與少徵同金少故半同火化也〇新校正云詳少商運六年內

除乙卯乙酉同正商乙巳乙亥同正角外乙丑乙未二年為少商同少徵故不云其徵也少商與正商同上見陽明

則與平金運生化同乙卯乙酉其歲上見也上角與正角同上見厥陰則與平木運生化同乙巳乙亥其歲也

也○新校正云詳金上无相勝剋故經不言上宮与正宮同也邪傷肺也有邪之勝則帰炎光赫烈則冰雪霜雹炎光赫烈火无德也冰雪霜雹水之復也水復之外雹形如半珠新校正云雹形如半珠半字疑誤眚於九九西方也○新校正云按六元正紀大論云災九宮其主鱗伏彘鼠突戾潛伏歲主從之以猶亦尖及羽顯也歲氣早至廼生大寒水之化也涸流之紀是謂反陽陰氣不及反為陽氣代之故辛未辛巳辛卯辛酉辛亥辛丑之歲也藏令不舉化氣廼昌少水而上盛長氣宣布蟄蟲不藏太陽在泉經文皆也厥陰陽明司天乃如經所謂也土潤水泉減草木條茂榮秀滿盛長化之氣豐而厚也其氣滯從上也其用滲泄不能流也其動堅止謂便寫也水少不濡則乾而堅止藏氣不能固則注下而奔速其發燥槁陰少而陽盛故爾其藏腎王藏病也其果棗杏棗土杏火果也其實濡肉濡水肉土化也其穀黍稷黍火稷上穀也○新校正云按本論上文麥為火之穀今言黍者疑麥字誤為黍也雖奈僭其言論作黍然本論作麥當從本論之文也其味甘鹹甘入於鹹味甘美也其色黅玄黃加黑也其畜彘牛水從土畜其蟲鱗倮鱗從倮其主埃鬱昏翳土之勝也其聲羽宮羽從宮其病痿厥堅下水土參并故如是從土化也不勝於土故從他化少羽與少宮同水土各半化也○新

校正云詳少羽之運六年內除辛丑辛未与正宮同外上宮與正辛卯辛酉辛巳辛亥四歲為同少宮故不言判宮也宮同上見太陰則与平土運生化同辛丑辛未歲上見之○新校正云詳此不言上角主商者盖水於金木无相尅伐故也其病癃閟癃小便不通閟大便乾歲不利也邪傷腎也邪勝則淋腎埃昏驟雨則振拉摧拔埃昏驟雨土之虐也振拉摧拔木之復也眚於一一北方也諸謂方者國郡州縣境之方也○新校正云按六元正紀大論云災一宮其主毛顯狐貉變化不藏毛然謂毛中麋鹿麞麂雞虎狼顯見傷於黃實豕害傷虫之長也變化謂為勝狐狸當之不藏謂害柔盛鼠端乘狸狢當之所謂毛顯不藏也稱化端反故乘危而行不速而至暴虐无德災反及之微者復微甚者復甚氣之常也通言五行氣少而有勝復之大凡也乘彼孤危作乎殺盛不忍而性專肆威形然禍自招又治咎也假令木弱金氣來乘暴虐蒼卒是无德也亦彼金害火必鑠之金受火燔則災及也大如是者刑甚則復甚刑微則復微氣動之常固其宜也五行之理咸迭然乎○新校正云按五運不及之詳其氣交變大論中發生之紀是謂啓陳之妙乘六氣次秋生而王東敷其容質也是說壬寅壬子壬辰壬戌之六歲化也敷古陳字土疎泄蒼氣達生氣上達光故土體疎泄木之專政故蒼氣達廼也出行也陽和布化陰氣廼隨少陽先生發於萬物之表厥陰次隨營運於萬象之中也生氣淳

化萬物以榮 歲木不餘金不來勝生令布化故物以舒榮 其化生 其氣美 木化宣行則物容端美 其政散 布散生榮无所不至 其令條舒 條直也理也舒啟也端直舒所以物隨之發生之化无非順爲論也 其動掉眩巔疾 掉搖動也眩旋轉也巔上首也疾病氣也○新校正云詳王不辯其動之義又按後敦阜之紀其動濡積并稸王注云動謂變動又堅成之紀其動暴折瘍疰王注云動以病盖謂氣既變動因動以生病之也則木火土水金之動義皆同也又按王注脉要精微論云巔疾上巔疾也又注奇病論云巔謂上巔則頭首也此注云上巔疾病氣也氣字為衍也 其德鳴靡啓坼 風氣所生○新校正云按六元正紀大論云其化鳴紊啓坼 其變振拉摧拔 振謂振怒拉謂中折摧謂仆落拔謂出本○新校正歲六元正紀大論同 其穀麻稻 木化齊金 其畜雞犬 齊[illegible]孕也 其果李 桃李齊机桃实也 其色青黃白 青加於黃白自正也 其味酸甘辛 酸入於白辛齊化也 其象春 如春之氣布散阳和 其經足厥陰少陽 厥陰肝脉少阳膽脉 其藏肝脾 肝勝脾 其蟲毛介 木餘故毛齊介育 其物中堅外堅 中堅有核之物齊等於皮殼之類也 其病怒 木餘故 大角與上商同 大过之木气与金化齊等○新校正云六气大过五運独六用言与上商同於四運並不言者疑此文為衍 上徵則其氣逆其病吐利 上見少阴少阳則其气逆行壬子壬午歲上見少阴壬寅壬申歲上見少阳木餘遇火故

氣不順○新校正云按五運行大論云氣相得而病者以下臨上不當位也不云上明者水火木沩相得故也不務其德
則收氣復秋氣勁切甚則肅殺清氣大至草木凋零邪迺傷肝持已
大過夌犯於上上氣屯極金的復大金行殺令故邪傷肝木也赫曦之紀是謂蕃茂物遇太陽則蕃而茂是謂
戊辰戊寅戊子戊戌戊申戊午之歲也○新校正云按或云注中太陽當作太微詳木火金水之大過注俱不言角商宮羽等雖而
水大過注云陽氣大行此火大過是物淵太陽也安得謂之大微乎陰氣內化陽氣外榮陰陽之氣得其序也
炎暑施化物得以昌長氣多故爾其化長其氣高長化行則物容大高氣達則物色明其
政動革易其象不常也其令鳴顯火之用而有聲火之熇而有熇象無所隱則其信寔顯路也其動炎
灼妄擾妄謬也擾撓也其德暄暑鬱蒸熱化所生長於物也○新校正云按六元正紀大論云其化暄囂
燠文作和雖其變炎烈沸騰勝復之有抵於是也其穀麥豆火齊水化也其畜羊彘齊文孕
府也○新校正云按本論上文馬為火之畜今言羊者疑馬字誤內羊金匱真言論及藏氣法時論俱作羊然本論作馬當從本論
之文也其果杏栗等實也其色赤白玄赤色加白黑自正也其味苦辛鹹[illegible]
化齊成也其象夏如夏氣之熱也其經手少陰太陽少陰心脉太陽小腸脉手厥陰少陽

厥阴心包脉、少阳三焦脉、藏心脉心胜肺 其蟲羽鱗火余故鳞羽齐也 其物脉濡[illegible]

水物水火齐也○新校正云详脉即络也文雖殊而义同 其病笑瘧瘡瘍血流狂妄目赤故火[illegible]

上羽與正徵同其收齊其病痓上见太阳则天气且制故大过之火反与平火运生化同也戊辰戊戌之[illegible]

戊岁上见之若平火运同则五常之气无相凌犯故金收之气生化同等 上徵而收氣後也上见少阴少阳[illegible]

生化自政乱金气不能与之齐化戊子戊午岁上见少阴戊寅戊申[illegible] 岁上见少阳火盛故收气後化○新校正云按气交变大论云岁[illegible]

火大过上临少阴少阳火燔焫水泉涸物焦槁 暴烈其政藏氣廼復時見凝慘甚則雨水

霜雹切寒邪傷心也不务其德轻侮致之也○新校正云按火以淩犯大论云雨冰霜寒与此互文也 敦阜

之紀是謂廣化土余故化气广被于物也是谓甲子甲戌甲申甲午甲辰甲寅之岁也 厚德清靜[illegible]

順長以盈出顺于物争故德厚而不燥顺火之长育使万物化气盈满也 至陰內實物化[illegible]

至阴土精气也夫万物所以化成者皆以至阴之灵气生化於中也 煙埃朦鬱見於厚土[illegible]

也 大雨時行溼氣廼用燥政廼辟溼气用则燥政辟自然之理尔 其化圓其氣[illegible]

此气丰以[illegible]其[illegible]清静故也 其政靜静而能久故政常存 其令周備气缓故周备 其動濡積并稸[illegible]

動止也變動也其德柔潤重淖靜而柔潤故厚德常存○新校正云按六元正紀大論云其化柔潤重淖其變震
驚飄驟崩潰震驚雷霆之作也飄驟暴風雨至也大雨暴注則山崩土潰隨水流沒其穀稷麻土木齊化
其畜牛犬齊孕育也其果棗李土齊木化其色黅玄蒼黃色加黑蒼自正也其味甘鹹
酸甘入脾鹹入腎酸齊化也其象長夏六月之氣土化同其經足太陰陽明太陰脾脈陽明胃脈其
藏脾腎脾勝腎其蟲倮毛土餘故毛倮齊化其物肌核肌土核木化也其病腹滿四
支不舉土性靜故病如是○新校正云詳此不云上羽上徵者微羽不能虧盈於土故无他疾也大風迅至邪
傷脾也木盛怒故土脾傷也堅成之紀是謂收引引斂也陽氣收陰氣用故萬物收斂謂庚午庚辰庚
寅庚子庚戌庚申之歲也天氣潔地氣明秋氣高潔金氣同陽氣隨陰治化陽順金而生化燥
行其政物以司成燥氣行化萬物專司其成熟無遺略也收氣繁布化洽不終收殺氣早
土之化不得終其用也○新校正云詳繁字疑誤其化成其氣削成削也其政肅肅也其
令銳切氣用不屈勁而急其動暴折瘍疰[illegible]其德霧露蕭飋燥之化也蕭飋風聲
[illegible]霧露用則風生○新校正云按六元正紀大論德作化其變肅殺凋零[illegible]於物土[illegible]

齊化也○新校正云按大論上文麥為火之穀當言其穀稻麥其畜雞馬齊孚育也其果桃杏金火齊實其色白青丹白加於青丹自正也其味辛酸苦辛入酸苦齊化其象秋氣爽清潔如秋之化其經手太陰陽明太陰肺脈陽明大腸脈其藏肺肝肺勝肝衰其蟲介羽金火故介則齊育其物殼絡殼金絡火化也其病喘喝胷憑仰息金氣[illegible]故上徵與正商同其生齊其病欬上見少陰少陽則天氣見抑故其生化與平金歲同庚午歲上見少陰庚寅庚申歲上見少陽火制金故生氣與之齊化火乘金肺故病欬○新校正云詳此不言上羽者水與金非相勝剋故政暴變則名木不榮柔脆焦首長氣斯救大火流炎爍且至蔓將槁邪傷肺也變謂太甚也政太甚則生氣抑故木不榮草首焦死政暴不已則火氣發怒故火非流爍至柔條蔓草脆之類皆乾死也火乘金氣故肺氣傷也◖流衍之紀是謂封藏陰氣大行則天地封藏之化也謂丙寅丙子丙戌丙申丙午丙辰之歲也寒司物化天地嚴凝陰之氣也藏政以布長令不揚藏氣用則長化止故冷不勝陽其化凜其氣堅寒氣及物則堅定其政謐謐靜也其令流注水之象也其動漂泄沃涌沃沫也涌溢也其德凝慘寒雰寒之化也○新校正云按六元正紀大論作其化凝慘慄冽其變冰雪霜雹非時而有其穀豆

稷水齊土化其畜彘牛齊育也其果栗棗水土齊實其色黑丹黅黑加於丹黅黄自正也其味鹹苦甘鹹入於苦甘化齊鹹其象冬氣序凝肅似冬之化其經足少陰太陽少陰腎脉太陽膀胱脉其藏腎心腎勝心其蟲鱗倮水餘故鱗倮齊育其物濡滿濡水滿上化也○新校正云按土不及作肉土大過則肌此作天下相成也其病脹水餘也上羽有長氣不化也上見大阳則天不能布化以長養也丙辰丙戌之歲上見天符水運也○新校正云按氣交變大論云上臨太陽則雨冰雪霜不時降溫氣變物不去上徵於運所勝也政過則化氣大舉而埃昏氣交大雨時降邪傷腎也暴寒數遂焚謂政過火被木凌土來仇復故天地昏翳土水氣交大雨斯降而邪傷腎也故曰不恒其德則所勝來復政恒其理則所勝同化此之謂也不恒謂侍己有餘凌犯不勝恒謂守常之化不肆威刑如是則克己之氣歲同治化也○新校正云詳五運大過之說具氣交變大論中帝曰天不足西北左寒而右涼地不滿東南右熱而左溫其故何也○面異言也岐伯曰陰陽之氣高下之理大小之異也高下謂地形大小謂陰陽之氣盛衰之異今中原地形西北方高東南方下西方涼北方寒東方溫南方熱氣化猶然矣東南方陽也陽者其精降於下○故右熱而

左溫陽精下降故地以溫而知之於下矣陽氣生於東而盛於南故東方溫而南方熱氣之多少明矣西北方陰也陰者其精奉於上故左寒而右涼陰精奉上故地以寒而知之於上矣陰氣生於西而盛於北故西方涼而北方寒君面巽而言臣面乾而對也○新校正云詳天地不足陰陽之說亦具陰陽應象大論中是以地有高下氣有溫涼高下謂地形高者氣寒下者氣熱新校正云按六元正紀大論云至高之地冬氣常在至下之地春氣常在故適寒涼者脹之溫熱者瘡下之則脹已汗之則瘡已此腠理開閉之常太少之異耳西北東南言其大也夫以氣候驗之中原地形所居者悉以居高則寒處下則熱嘗試觀之高山多雪平川多雨高山多寒平川多熱則高下寒熱可徵見矣中華之地凡有高下之大者東西南北各三分也其一者自漢蜀江南至海也二者自漢江北至平遙縣也三者自平遙北山北至蕃界北海也故南分大熱中分寒熱兼半北分大寒南北分外寒熱尤極大熱之分其寒微大寒之分其熱微然其登涉極高山頂則南面北面寒熱懸殊榮枯倍異也又東西高下之別亦三矣其一者自汧源縣西至沙洲二者自開封縣西至汧源縣三者自開封縣東至滄海也故東分大溫中分溫涼兼半西分大涼大溫之分其寒五分之二大涼之分其熱五分之二溫涼分外溫涼尤極變為大暄大寒也約其大凡如此然九分之地寒極於東北熱極於西南九分之地其中有高下不同地高處則燥下處則濕此一方之中小異也若大而言之是則

下之有一也何者中原地形西高北高東下南下今百川滿湊東之滄海道右逆此高下所知一内地形高下故寒熱不同二則陰陽之氣有少有多故表溫涼之異尔今以氣候驗之乃春氣西行秋氣東行冬氣南行夏氣北行以中分校之自開封至汧源氣候正與歷候同以東行校之自開封至滄海每一百里秋氣至晚一日春氣發早一日以西行校之自汧源縣西至蕃界清石其以南向及西北東南者每四十里春氣發晚一日秋氣至早一日北向及東北西南者每一十五里春氣發晚一日秋氣至早一日南行校之川形有北向東北西南者每五百里〇新校正云按別本作一十五里〇陽氣行晚一日陰氣行早一日南向及東南西北川每一十五里熱氣至早一日寒氣至晚一日廣平之地則每五十里陽氣發早一日寒氣至晚一日北行校之則形有南向及東南西北者每三十五里陽氣行晚一日陰氣行早一日北向及東北西南川每一十五里寒氣至早一日熱氣至晚一日廣平之地則每二十里熱氣行晚一日寒氣至早一日大率如此然高處峻處冬氣常在平處下處夏氣常在觀其雪零草茂問可知天然地上固有弓形則蛇形川月形川地勢不同生殺榮枯地同而天異凡此之類有離向丙向巽向乙向震向處則春氣早至秋氣晚至早晚校十五日有丁向坤向庚向兌向辛向乾向坎向艮向處則秋氣早至春氣晚至早晚亦校二十日是所謂陽山之地也審觀向背氣候可知寒涼之地腠理開少而閉多閉多則陽氣不散故適寒涼腠治腿也溫熱之地腠理開多而閉少開多則陽氣發散故往溫熱皮必瘡也下之則中氣不餘故脹已汗之則陽氣外泄故然也

帝曰：其於壽夭何如？言土地居人之壽夭

曰陰精所奉其人壽陽精所降其人夭陰精所奉高之地也陽精所降下之地也
陰方之地陽不妄泄寒氣外持邪不數中而正氣堅守故壽延陽方之地陽氣耗散發泄無度風濕數中真氣傾竭故夭折即事驗
之今中原之境西北方衆人壽東南方衆人夭其中猶各有微甚爾此壽夭之大異也異方者審之乎帝曰善其病
者治之奈何岐伯曰西北之氣散而寒之東南之氣收而溫之所
謂同病異治也西方北方人皮膚閉腠理密人皆食熱故宜散宜寒東方南方人皮膚疏腠理開人皆食冷故宜收宜
溫散謂溫浴使中外條達收謂溫中不解表也今土俗皆反之依而療之則反甚矣〇新校正云詳分方為治亦具異法方宜論
中故曰氣寒氣涼治以寒涼水漬之氣溫氣熱治以溫熱強其
內守必同其氣可假平也假者反之寒方以寒熱方以熱溫方以溫涼方以涼是正法也是同
氣也行水漬之謂湯浸漬也平謂平調也若西方北方有冷病假熱方溫方以除之東方南方有熱疾須涼方寒方以療者則反上
正法以取之帝曰善一州之氣生化壽夭不同其故何也岐伯曰高下
之理地勢使然也崇高則陰氣治之污下則陽氣治之陽勝者先
天陰勝者後天先天謂先天時也後天謂後天時也悉言土地生榮枯落之先後也物既有之人亦如然此地

理之常，生化之道也。帝曰：其有壽夭乎？岐伯曰：高者其氣壽，下者其氣夭，地之小大異也，小者小異，大者大異。大謂東南西北相遠萬里許也。小謂居所高下相近二十里三十里或百里許也。地形高下懸隔不相許者，以近為小，則十里二十里高下平慢氣相接者，以遠為大，則三百里二百里地氣不同乃異也。故治病者，必明天道地理，陰陽更勝，氣之先後，人之壽夭，生化之期，乃可以知人之形氣矣。不明天地之氣，又昧陰陽之候，則以壽為夭，以夭為壽，雖盡上聖救生之道，畢經脈藥石之妙，猶未免出中之誣斥也。帝曰：善。其歲有不病，而藏氣不應不用者，何也？岐伯曰：天氣制之，氣有所從也。從謂從事於彼，不及營於私應用之。帝曰：願卒聞之。岐伯曰：少陽司天，火氣下臨，肺氣上從，白起金用，草木眚，火見燔焫，革金且耗，大暑以行，欬嚏鼽衄鼻窒，曰瘍，寒熱胕腫。寅申之歲候也。臨謂御於下，從謂從事於上，起謂價高於市，用謂用行刑罰也。[illegible]用[illegible]之革謂皮革，亦謂革易也。金謂器屬也。耗謂費用也。火氣燔灼，故曰生瘡，瘡，身瘡也。瘍，頭瘡也。寒熱謂先寒而後熱，則瘧疾也。[illegible]故為胕腫，胕謂腫滿，按之不起。此天氣之所生也。新[illegible]云：故曰生瘡，曰身瘡也。瘍，頭瘡也。今經只言曰瘍，疑脫[illegible]

字別本日字作口一風行于地塵沙飛揚心痛胃脘痛厥逆鬲不通其主暴
速厥陰在泉故風行于地風淫所勝故是病生焉少陽厥陰其化急速故病氣起發疾速而內故云其主暴速此地氣不順而生
是也○新校正云詳厥陰与少陽在泉言其主暴速其發機速故不言甚則某病也陽明司天燥氣下臨肝
氣上從蒼起木用而立土迺眚淒滄數至木伐草萎脅痛目赤掉
振鼓慄筋痿不能久立卯酉之歲候也木用亦謂木功也淒滄大涼也此病之起天氣生焉暴熱至
土迺暑陽氣鬱發小便變寒熱如瘧甚則心痛火行于槁流水
不冰蟄蟲迺見少陰在泉熱盛于地而為是也病之所有地氣生焉太陽司天寒氣下臨心
氣上從而火且明新校正云詳火且明三字當作火用二字丹起金乃眚寒清時舉勝
則水冰火氣高明心熱煩嗌乾善渴鼽嚏喜悲數欠熱氣妄行寒
迺復霜不時降善忘甚則心痛辰戌之歲候也寒清時舉太陽令也火氣高明謂燔內於
時謂大早及偏害不循時令不普及於物也病之所起天氣生焉土迺潤水豐衍寒客至沈陰化
溼氣變物水飲內稸中滿不食皮𤸷肉苛筋脈不利甚則胕腫

後癰大陰在泉濕盛于地而为是地病之源始也氣生焉○新校正云詳身後癰當作身後厥陰司天風氣
下臨脾氣上從而土且隆黃起水迺眚土用革体重肌肉萎食減
口爽風行大虛雲物搖動目轉耳鳴謂巳亥之歲候也土隆土用革謂土気有用而革易其体亦
謂土功事也雲物搖動是謂風高此病所生天之気也火縱其暴地迺暑大熱消爍赤沃下
蟄蟲数見流水不冰少陽在泉火盛于地而为是足也病之宗兆地気生焉其發机速少陽厥陰之気
変化卒急其为疾病速若發机故曰其發机速少陰司天熱氣下臨肺氣上從白起金用
草木眚喘嘔寒熱嚏鼽衄鼻窒大暑流行子午之歲候也熱司天気故是病生天気之作
也甚則瘡瘍燔灼金爍石流天之交也地迺燥凄滄数至脇痛善大息
肅殺行草木変変謂変易容質也脇痛大息地気生也太陰司天濕氣下臨腎氣上
從黑起水変新校正云詳前後文此火火迺眚三字埃冒雲雨胷中不利陰痿氣大
起不用新校正云詳不用二字當作水用當其時反腰脽痛動轉不便也
丑未之歲候也水変謂其泉変鹹也埃土霧也冒不分遠也雲雨土化也脽謂臀肉也病之有者天気生焉厥逆新校正云

詳觀此二字疑當連上文地迺藏陰大寒且至蟄蟲早附心下否痛地裂冰堅

少腹痛時害於食乘金則止水增味迺鹹行水減也止水井泉也行水河渠流也

生者也止水雖長迺變常井羨而為鹹味也病之有者地氣生[illegible]○新校正云詳太陰司天之化不言甚則病某而云當其時[illegible]

乘金則六六者與前條互相發明也帝曰歲有胎孕不育治之不全何氣使然岐伯

曰六氣五類有相勝制也同者盛之異者衰之此天地之道生[illegible]

之常也故厥陰司天毛蟲靜羽蟲育介蟲不成謂乙巳丁巳己[illegible]辛巳癸巳乙亥丁[illegible]

亥己亥辛亥癸亥之歲也靜無声也亦謂靜退不先用事也羽[illegible]火王氣同地也火制金化故介虫不成謂白色有甲之虫也[illegible]

也在泉毛蟲育倮蟲耗羽蟲不育地氣制土黃倮耗損歲乘[illegible]壯又甚也羽虫不育以[illegible]自抑[illegible]

之是則五寅五申歲也凡称不育不成皆謂少非悉无也少陰司天羽蟲靜介蟲育毛蟲[illegible]

謂甲子内子戊子庚子壬子甲午丙午戊午庚午壬午之[illegible]也靜謂明越鷰百舌鳥之類也是歲黑色毛虫孕育以成[illegible]

羽蟲育介蟲耗毛不育地氣制金白介虫不育歲乘火運折損[illegible]是則五卯五酉歲也○新校正云詳介[illegible]

以少陽在泉火剋金也介虫不育以陽明在天自抑之也太陰司天倮蟲靜鱗蟲育羽[illegible]

是謂乙丑丁丑己丑辛丑癸丑乙未丁未己未辛未癸未之歲也
倮虫者謂人及蝦蟇之類也羽虫謂青翠色若則鸐鵲鴛鳥翠碧
之鳥諸青綠色之有羽者則歲乘金運其復甚哉剋鬥對在泉倮蟲育鱗蟲新校正云詳此少一耗字不成
也氣制水黑鱗不育歲乘土運而又甚焉是則五辰五戌是也少陽司天羽蟲靜毛蟲育倮蟲不
成謂甲寅丙寅戊寅庚寅壬寅甲申丙申戊申庚申壬申之歲也倮虫謂青綠色若也羽虫謂黑色諸羽比翼者則越鷺百舌鳥
之類是也在泉羽蟲育介蟲耗毛蟲不育也氣制金白介耗損歲乘太運其又甚也走虫不育天氣
制之是則五巳五亥歲也矣陽明司天介蟲靜羽蟲育介蟲不成謂乙卯丁卯己卯辛卯癸
卯乙酉丁酉己酉辛酉癸酉之歲也羽為火虫故蕃育也介中諸有赤色甲殼者也赤氣不育天氣制之在泉介蟲育
毛蟲耗羽蟲不成家氣制木黑毛虫耗歲乘金運損復甚焉是則五子五午氣也羽虫不就以上見少陽也大
陽司天鱗蟲靜倮蟲育謂甲辰丙辰戊辰庚辰壬辰甲戌丙戌戊戌庚戌壬戌歲也倮虫育也與同也鱗虫
靜謂黃鱗不用也是歲當建少年以天氣抑之也○新校正云詳此云鱗虫不成也在泉鱗蟲耗倮蟲不
育天氣制勝黃黑鱗耗是則五丑五未歲也○新校正云詳此當為鱗虫育因毛耗倮虫不育註中鱗字亦當作羽諸乘
所不成之運則甚也乘木之運倮虫不成乘火之運介虫不成乘土之運鱗虫不成乘金之運毛虫不成乘水之

運有重不成当是歲者与上文同悉少齒孕育也斯並運与氣同者運乘其勝復遇天符及歲会若十孕不全一二也故氣主有所制歲立有所生地氣制已勝天氣制勝已天制色地制形天氣随已不勝者制之謂制其色也地氣随已所勝者制之謂制其形也故又曰天制色地制形焉是以天地之間五類生化互有所勝互有所化互有所生互有所制五類衰盛各隨其氣之所宜也宜則蕃息故有胎孕不育治之不全此氣之常也天地之間有生之物凡此五類也五謂毛羽倮鱗介也故曰毛虫三百六十鱗为之長羽虫三百六十鳳为之長倮虫三百六十人为之長鱗虫三百六十龍为之長介虫三百六十龜为之長凡諸有形跂行飛走喘息胎息大小高下表黃赤白黑身被毛羽鱗介者通而言之皆謂之虫矣不具是四者皆为倮虫凡此五物皆有胎生卵主溫生化生因人致問言及五類也所謂中根也生氣之根本發自身形之中〻根也非是五類則生氣根系悉因外物以成立去之則生氣絕矣根于外者亦五謂五味五色類也然木火土金水之形類悉假外物色藏乃能生化外物既去則生氣离絕故皆是根于外也〇新校正云詳註中色藏二字当作巳成故生化之別有五氣五味五色五類五宜也然是二十五者皆中熱外悉有之五氣謂臊焦香腥腐也五味謂酸苦甘辛鹹也五色謂青黃赤白黑也五類有二矣其一者謂毛羽倮鱗介其二者謂燥溫液堅耎也夫如是等如万物之中互有所宜也帝曰何謂

也。岐伯曰：根于中者，命曰神机，神去則机息；根于外者，命曰氣立，氣止則化絶。

諸有形之類，根於中者，生源繫天，其所動浮，皆神氣为机發之主，故其所为也，物莫之知，是以神舍去則机發動用之道息矣。根于外者，生源繫地，故其所生長化成收藏，皆为造化之気所成立，故其所出也，物亦莫之知，是以気止息則生化結成之道絶滅矣。其木火土金水、燥温液堅柔，雖常性不易，及乎外物去，生気離，根化絶止，則其常体性顔色皆必小変移其旧也。○新校正云：按六微旨大論云：出入廢則神机化滅，升降息則気立孤危。故非出入則无以生長壯老已，非升降則无以生長化收藏。

故各有制，各有勝，各有生，各有成。

根中根外悉如是。

故曰：不知年之所加，氣之同異，不足以言生化，此之謂也。

新校正云：按六節藏象論云：不知年之所加，気之盛衰，虛實之所起，不可以为工矣。

帝曰：氣始而生化，氣散而有形，氣布而蕃育，氣終而象變，其致一也。

始謂始發動，散謂流散於物中，布謂布化於結成之形，終謂終極於收藏之用也。故始動而生化，流散而有形，布化而成結，終極而万象皆変也。即事驗之，天地之間，有形之類，其生也柔弱，其死也堅強。凡如此類，皆謂変易生死之時形質，是謂気之終極。○新校正云：按天元紀大論云：物生謂之化，物極謂之変。又六微旨大論云：物之生從於化，物之極由乎変，変化之相薄，成敗之所由也。

然而五味所資，生化有薄厚，成熟有少多，終始不同，其

[illegible]之也非天不生地不長也[illegible]於上化而[illegible]

[illegible]之氣[illegible]者以物體之中有六入故也氣有[illegible]有生[illegible]不化有少化少化有廣生廣化矣故天地之[illegible]無必生必化必不生必不化必少生少化必廣生廣化也各隨其氣分所好所惡所異所同也

帝曰願聞其道

岐伯曰寒熱燥溼不同其化也舉寒熱燥溼四氣不同則溫清異化可知之矣

故少陽在泉寒毒不生其味辛其治苦酸其穀蒼丹巳亥歲氣化也夫毒者皆五行標盛暴烈之氣所為也今火在地中其氣正熱寒毒之物氣與地殊生死不同故生少也火制金氣故味辛者不化也少陽之氣上奉厥陰故其歲化苦與酸也六氣主歲唯此歲通和木火相承故無間氣也苦丹地氣所化酸蒼天氣所生矣餘所生化悉有上下勝尅故皆有間氣間味矣

陽明在泉溫毒不生其味酸其氣溼新校正云詳在氣六唯則與太陰在泉之歲云其氣溼其氣溫其氣熱蓋以溫燥未見溼溫之氣故再云其氣也其治辛苦甘其穀丹素子午歲氣化也燥在地中其氣涼清故溫熱毒少生化也金木相制故味酸者少化也陽明之氣上奉少陰故其歲化辛與苦也辛素地氣也苦丹天氣也甘間氣也所以間金火之勝尅故兼治甘

太陽在泉熱毒不生其味苦其治淡鹹其穀黅秬丑未歲氣化也寒在地中與熱殊化故其歲物熱毒不生水勝火味故當苦也太陽之氣上奉太陰故其歲化生淡鹹

太陰土氣上主於天氣遠而高故甘之化薄而為淡也所以淡亦屬甘〻之類也淡黅天化也鹹秬地化也黅黃也○新校正云詳此云味故当苦当作故味苦者不化傳寫誤也厥陰在泉清毒不生其味甘其治酸苦其穀蒼赤寅申歲甘化也溫物于清殊性故其歲物清毒不生木勝其土故味甘少化也厥陰之氣上合少陽所合之氣既無乖忤故其治化酸與苦也穀蒼地化也苦赤天化也氣無勝尅故不[illegible]以其化也其氣專其味正厥陰少陽

在泉之歲皆氣化非一其[illegible]正然餘歲悉上下有勝尅之氣故皆行間氣間味矣少陰在泉寒毒不生其味辛其治辛苦甘其穀白丹卯酉歲氣化也熱在地中與寒殊化故其歲物寒毒甚微火氣爍金故味辛少化也少陰陽明主天主地故其所治苦與辛苦丹為地氣所育白辛為天氣所生氣間泉以間氣尅伐也太陰在泉燥毒不生其味鹹其氣熱其治甘鹹其穀黅秬辰戌歲氣化也地中有溫與燥不同故乾毒之物不生化也上制其水故味鹹少化也太陰之氣上承太陽故其歲化甘與鹹也甘黅地化也鹹秬天化也寒溫不為大忤故間氣同而氣熱者應之化淳則鹹守氣專則辛化而俱治淳和也化淳謂少陽在泉之歲也火來居泉而反能化齊是水鹹自守不與化爭化也氣專謂厥陰在泉之歲也木居于水而復下化金不受害故辛復化與鹹俱王也唯此一歲上下之氣無尅伐之嫌故辛得與鹹同應王而生化也餘歲皆上下有勝尅之變故其中間其味兼化

以捕其制抑餘苦鹹酸三味不同其生化也故天地之間藥物辛甘者多也故曰補上下者從之治上下者逆之以所在寒熱盛衰而調之上謂司天下謂在泉也司天地氣太過則逆其味以治之司天地氣不及則順其味以和之從順也故曰上取下取內取外取以求其過能毒者以厚藥不勝毒者以薄藥此之謂也上取謂以藥制有過之氣也制而不順則吐之下取謂以迅疾之藥除下病攻之不去則下之內取謂食及以藥內之審其寒熱而調之外取謂藥熨令所病氣調適也當寒反熱以冷調之當熱反寒以溫和之上盛不已吐而脫之下盛不已下而奪之謂求得氣過之道也藥厚薄謂氣味厚薄者也○新校正云按甲乙經云胃厚色黑大骨肉肥者皆勝毒其瘦而薄胃者皆不勝毒又按異法方宜論云西方之民陵居而多風水土剛強不衣而褐薦華食而脂肥故邪不能傷其形體其病生於內其治宜毒藥氣反者病在上取之下病在下取之上病在中傍取之下取謂寒逆於下而熱攻於上不利於下氣盈於上則溫下以調之上取謂寒積於下溫之不去陽藏不足則補其陽也傍取謂氣并於左則藥熨其右氣并於右則藥熨其左以和之必隨寒熱為適凡是七者皆病无所逃動而必中斯為妙用矣治熱以寒溫而行之治寒以熱涼而行之治溫以清冷而行之治清以溫熱而行之氣性有剛柔形證有輕重方用有大小調制有寒溫盛大則順氣性以取

之小更則逆氣性以伐之氣殊則主必不容力倍則攻之必勝是則謂湯飲調氣之制也○新校正云按至真要大論云熱因寒用寒因熱用必伏其所主而先其所因其始則同其終則異可使破積可使潰堅可使氣和可使必已故消之削之吐之下之補之瀉之久新同法量其盛衰而行其法病之新久无異道也帝曰病在中而不實不堅且聚且散奈何岐伯曰悉乎哉問也无積者求其藏虛則補之隨病所在命其藏以補之藥以祛之食以隨之食以无毒之藥隨湯丸以迫逐之使其盡也行水漬之和其中外可使畢已中外通和氣无流礙則釋然消散真氣自平帝曰有毒无毒服有約乎岐伯曰病有久新方有大小有毒无毒固宜常制矣大毒治病十去其六下品藥毒毒之大也常毒治病十去其七中品藥毒次於下也小毒治病十去其八上品藥毒毒之小也无毒治病十去其九上品中品下品无毒藥悉謂之平穀肉果菜食養盡之无使過之傷其正也大毒之性烈其為傷也多小毒之性和其為傷也少常毒之性減大毒之性一等加小毒之性一等所傷可知也故至約必止之以待來證尔然无毒之藥性雖平和久而多之則氣有偏勝則有偏絕久攻之則藏氣偏弱既弱則困不可長也故十去其九而止服至約已則以五穀五肉五果五菜隨

工藏宜當之已尽其餘病菜食兼行亦通也○新校正云安氣法时論云毒藥攻邪五穀为养五果为助五畜为益五菜为充
不尽行復如法法謂前四約也餘病不尽然再行之毒之大小至约而止必先过也必先歳氣无伐
天和歳有六氣分主有南面北面之政先知此六氣所在人脉至尺寸应之太阴所在其脉沉少阴所在其脉鉤厥阴所在其
脉弦太阳所在其脉大而長阳明所在其脉短而濇少阳所在其脉大而浮如是六脉則謂天和不識不知呼为寒热攻寒令热脉
不変而热疾已生制热令寒脉和故而寒病又起欲求其適安可得乎夭枉之來率由於此无盛盛无虚匕而
遗人天殃不然遂实但思攻擊而盛者轉盛虚者轉虚萬端之病從兹而甚真氣日消病势日侵殃咎之來苦夭之興難
可逃也悲夫无致邪无失正绝人長命所謂伐天和也攻虚謂实是則致邪不識藏之虚斯为失正氣
既失則为死之由矣帝曰其久病者有氣從不康病去而瘠奈何從謂順也岐伯
曰昭乎哉聖人之問也化不可代時不可違化謂造化也代大匠斲猶傷其手况造化
之氣人能以力代之乎夫生長收藏各应四时之化雖巧智者亦无能先时而致之明非人力所及由是观之則物之生長收藏化
必待其时也物之成败理乱亦待其时也物既有之人亦宜然或言力以可致而能代造化违四时者妄也夫經絡以
通血氣以從復其不足與衆齊同養之和之静以待時謹守其氣

无使傾移其形迺彰生氣以長命曰聖王故大要曰无代化无違時必養必和待其來復此之謂也帝曰善大要上古經法也引古之要旨以明時化之不可違不可以力代也

黄帝内經素問十卷終